86

— 에이티식스 —

A monster
lives in a northern country.

[글]
아사토 아사토

[일러스트]
시라비

[메카닉 디자인] **I - IV**

[EIGHTY
SIX Ep.**5**]

ASATO ASATO PRESENTS

⚜

The number is the land
which isn't
admitted in the country.
And they're also boys and
girls from the land.

— 죽음이여, 오만하지 말지어다 —

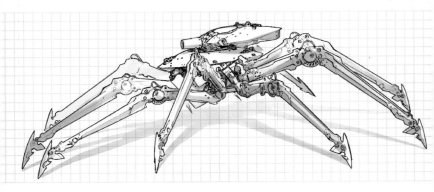

로아 그레키아 연합왕국 '반자율식' 병기
〈알카노스트〉

[S P E C]

[제조원] 왕속기술원 제6공창
[전장] 4.2m / 전고 1.8m
[고정무장] 포 / 런처 (대전차 미사일, 성형작약탄 사용)
　주포 : 105mm
　부무장 : 14mm

로아 그레키아 연합왕국이 운용하는 주력 펠드레스. 설원, 빙상 등 한랭지 전투를 상정한 기체로, 가늘고 긴 열 개의 다리를 가지고 지표에 발톱을 꽂듯이 이동한다. 장갑은 지극히 얇은 소형경량에 치중한 설계로, 연방의 〈레긴레이브〉보다 운동성은 좋다. 다만 당연하게도 생존성은 지극히 떨어진다. 그런데도 연합왕국이 이 기체를 대량 운용하는 것에는 이유가 있는데…….

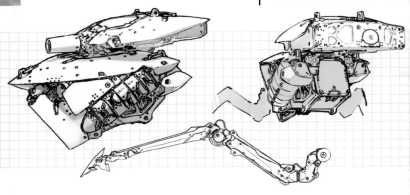

[글]
아사토 아사토

[일러스트]
시라비

[메카닉 디자인] **I-IV**

Ep.**5**

― 죽음이여, 오만하지 말지어다 ―

86
―에이티식스―

A monster
lives in a northern country.

[EIGHTY
SIX]

ASATO ASATO PRESENTS

The number is the land which isn't
admitted in the country.
And there're also boys and girls
from the land.

죽음도 우리를 갈라놓지 못하기를

빅토르 이디나로크 『인조요정개설』

서장 시체의 왕

　로아 그레키아 연합왕국, 천년의 역사를 가진 수도 아르크스 스티리에. 그 최북단에 자리 잡은 왕성, 옥좌가 있는 홀은 햇살의 축복이 빈약한 북쪽 대지를 보여주듯이 어둡다.

　북쪽 왕국이라는 말의 인상과는 정반대로, 로아 그레키아는 풍요로운 나라다. 아무래도 밀이나 남쪽의 과일은 나지 않지만, 비옥한 대지의 결실, 광대한 강의 은총. 그리고 풍부한 광물자원. 그중 하나인 금강석과 황금을 아낌없이 사용한 샹들리에의 현란한 빛이, 휘황찬란한 여러 장식이, 늘어선 제후들의 그림자를 한층 눈에 띄게 했다.

　연합왕국 또한 군비가 충실한 나라다. 왕후귀족이란 즉 싸우는 존재. 오늘날에는 대륙에서 유일한 전제군주제도와 함께 고풍스러운 가치관을 아직까지 받드는 국가다.

　그 체현으로서 군복을 단단히 차려 입고 옥좌에 앉은 왕이 입을 열었다. 희끗희끗한 다갈색 머리에 자수정빛 두 눈동자. ──연합왕국은 예부터 자계종^{비올라}이 살고, 그중에서 고귀한 혈통인 자영종^{아마티스타}이 지배하고 있다.

　북방을 무력으로 지배하는 왕의 이름이 부끄럽지 않게 목소리는 무겁고, 멀리서 벼락이 치듯이 울렸다.

"내 아들, 빅토르여."

"예."

대답하는 것은 옥좌보다 아랫단. 본래 알현자가 무릎 꿇을 장소지만 그 혈통의 특권으로 당당히 서 있는 10대의 젊은 왕자였다.

맹금류의 갈색 머리와 벼락불 같은 자주색 눈동자는 자영종의 특징이지만, 이 왕자의 색채는 각별하게 진했다. 연합왕국의 매서운 겨울하늘을 나는 대형 수리인 검수리 같은 머리색, 호국의 방패인 용해산맥에서 산출되는 최고급 자수정 같은 제왕색 눈동자. 수려함과 예리함을 겸비한 아름다운 얼음의 마물 같은 얼굴.

제5왕자 빅토르 이디나로크. 약관 18세의 나이로 연합왕국 남방 방면군의——〈레기온〉 전쟁 최전선의 총사령관을 맡은, 현 국왕의 막내아들이다.

"우방인 기아데 연방에 제86독립기동타격군이라는 부대가 설립되었다. 들었느냐."

"예, 아바마마. 〈레기온〉 중요거점의 제압을 맡아 놈들의 약체화를 꾀하는 정예부대. 첫 출동으로 산마그놀리아 공화국 영내의 〈레기온〉 생산거점을 파괴하고 그 전선을 물리쳤다고 들었습니다."

갑작스러운 윗사람의 말에도 대답은 막힘없었다. 정보가 제한된 최전선에서 귀환한 지 하루도 못 되었고 고작해야 타국의 일개 부대 정도의 화제임에도, 간단한 계산 문제에 답하는 듯한 표정과 목소리.

"발전공장형, 자동공장형 노획에는 이르지 못했고, 고기동형은 놓쳤으며, 〈목양견〉에 적지 않은 손해를 입었기 때문에 첫 임무에 실패했다는 견해도 있는 모양입니다만. ……작전 목표는 달성했습니다. 〈레기온〉이 숨기고 있던 두 신형을 예정보다 일찍 끌어낸 공적도 크다고 할 수 있겠지요. 적어도 우리 연합왕국은 덕분에 대책을 세울 시간을 얻었습니다."

"음."

왕은 바윗덩어리 같은 몸 위에서 준험한 눈빛을 내는 머리를 무겁게 끄덕였다.

"우리 연합왕국은 그 부대와 힘을 합치기로 결정했다. 내용은 기술 공여와 병력 파견이다. ……비카여, 그대는 합류하여 〈레기온〉들을 퇴치하고 오너라."

"예, 아바마마. 다녀오겠습니다."

……웅장하고 화려한, 장중한 공간과 늘어선 신하들과는 달리.

'심부름을 좀 부탁해도 될까?'
'알았어~.'

이런 느낌의, 좀 가벼운 대화였다.

기운이 빠지려는 것을 억지로 버티는 제후들 앞에서 왕과 왕자의 대화는 이어졌다.

"조만간 있을 작전에는 제2전선의 모든 병력을 동원하겠지만, 이후의 파견 쪽으로도 다소 병력을 융통해 주마. 얼마나 필요하느냐?"

"제 직할연대면 충분합니다. 저쪽은 여단 규모고, 지금은 어느 전선도 그런 여유가 없을 테니까요."

……이번에도.

'뭣하면 가는 길에 좋아하는 과자를 사 먹어도 된단다.'

'으음~? 안 그래도 돼.'

이런 분위기다.

참고로 왕자 전하는 목깃까지 단추로 꼼꼼하게 잠그는 타입인 연합왕국의 흑자색 군복……이 아니라 비슷한 타입의 옷이지만 검은색인 학생복 차림이고, 옆에는 얄팍한 학생가방.

말하자면 학교에서 갓 돌아온 모습이었다.

홀 입구에는 사실 조금 전에 하다못해 가방만이라도 받으려다 가 실패한 시종장이 머리를 싸쥐고 있었다.

방심한 것도 아니고, 풀어진 것도 아니다.

화려한 왕성도, 늘어선 군신도, 왕과 이 왕자에게는 풍경과 다름없다. 신경 쓸 필요도 없고, 구태여 위엄을 보일 필요도 없다.

그런 오만함이며, 그 오만함을 지킬 만한 실력을 가졌다.

옥좌 근처에 시립해 있던 재상이 앞으로 나와서 고개를 숙였다. 연한 등꽃색 눈동자, 나이 먹은 여우 같은 백발과 수염. 이등신민 인 담등종이면서도 그 재능으로 출세하여 선왕 때부터 국왕과 왕 실을 모신 나이든 가신인 만큼 이런 불경에도 익숙한 것이다.

"황공하오나, 폐하. 빅토르 전하와 전하의 〈새〉들은 연합왕국 국방의 핵심. 그러한 전하 없이 전선을 유지할 수 있겠습니까?"

"말을 삼가라, 재상. 나 혼자 빠진 정도로 전선이 흐트러진다면 그건 장병들, 나아가 너희의 태만이다. 이 기회에 마음을 다잡도록 해라."

왕자는 그쪽을 보지도 않고 차갑게 말했다. 나이든 재상은 한층 깊게 웃으면서 거듭 고개를 숙였다.

기동타격군에 병력을 파견하는 건과 그 파견 인원은 지난번 어전회의에서 재가가 끝난 안건이다. 왕과 왕자의 이 대화는 회의에 참석할 자격이 없는 왕족, 제후에 대한 알림이며, 재상의 질문도 그들이 할 걱정을 일부러 대변한 것에 불과하다.

그렇기에 암묵적으로 허락된 질문이었지만, 그걸 이해하지 못하는 자는 하나도 없다. 이번에는 왕자, 왕녀들 사이에서 기세 좋게 나서는 이가 한 명 있었다.

"아바마마! 애초에 이 〈레기온〉 전쟁은 모두 빅토르의 과실! 저러한 미치광이 살모사 녀석에게 더 이상의 대임은……."

"그 입을 다물라, 보리스. 누가 네게 발언을 허락했더냐?"

옥좌에서 울리는 일갈에 제3왕자는 벼락을 맞은 것처럼 몸을 움츠렸다. 제1왕녀와 그 파벌의 입 싼 참새들이 소리 죽여 웃는 소리와 제3왕자를 거느린 제2왕자가 씁쓸하게 혀 차는 소리.

피를 이은 아들이 자기 자리로 돌아가는 모습을 물건이라도 보듯이 바라보던 왕은 표정을 바꾸어 막내아들에게 장난치는 웃음을 보였다.

"여태까지의 전공을 모두 합하면 왕위 계승권의 부활은 물론, 계승 서열도 보리스보다 높아질 수 있다."

"그런 건 필요 없습니다. 귀찮지요. 평소처럼 자파르 형님의 공에 더해 주십시오."

어전이라도 해도 너무나도 불손한 말을 태연히 말하며 왕자는 시선을 뒤쪽으로 던졌다.

"……하명이 끝났다면 물러가도 되겠습니까? 오래간만에 학교에 갔더니 과제가 쌓여서."

왕은 쓴웃음을 지으며 손사래를 치듯이 한 손을 흔들었다.

"그렇게 하여라. ……저녁 식사 때까지는 끝내두어라. 전선 이야기를 듣고 싶다."

"어명을 받들겠습니다. 아바마마."

이때만큼은 우아함 넘치는 모습으로 인사한 왕자는 발길을 돌렸다. 수정으로 가득 채우고 오색의 나비날개를 아로새겨 사치의 극치인 바닥이 뚜벅뚜벅 하고 딱딱한 소리를 내었다.

방을 나선 순간, 그 딱딱한 신발소리에 섞이도록 누군가가 내뱉었다.

"……인형놀이나 하는 시체의 왕 주제에……!"

들으란 듯한, 하지만 인파 사이에 숨은 겁쟁이의 매도.

그 목소리의 주인에게 보이도록 냉소를 보내며 왕자는 퇴실했다.

문을 열자, 합성홍차의 희미한 약품 섞인 향기와 형의 미소가 맞아주었다.

"어서 와라, 비카. ……물론 이 성에 돌아온 건 어젯밤이었던 모양이지만."

"자파르 형님. 예, 늦었기에 인사드리러 가지 못했습니다만."

손수 홍차를 우려내고 기다리던 큰형── 로아 그레키아 연합 왕국 제1왕자 자파르 이디나로크에게 비카는 어린애 같은 미소를 돌려주며 다가갔다. 아름답게 손질한 흑단 가구, 대리석과 호박의 상감무늬가 아름다운, 왕세자의 방.

많이 닮은 형제지만, 열 살이라는 나이 차이가 자파르에게 조각처럼 균형 잡힌 장신과 고급 악기처럼 낮은 목소리를 주었다. 가느다란 비단 리본과 에메랄드 머리 장식으로 묶은 아름다운 갈색 장발, 동생과 마찬가지로 제왕색 눈동자.

권하는 대로 맞은편 의자에 앉아서, 기계인형처럼 철저하게 교육된 시종이 과자와 설탕에 절인 장미를 두고 가는 것을 지켜본 뒤에 비카는 물었다.

"상황이 그리 안 좋습니까?"

말없이 바라보는 자파르의 모습에 비카는 어깨를 으쓱였다.

"전선에 있으면 아무래도 왕국 전체에까지는 눈이 닿지 않아서. 지난번 대공세 이후로는 솔직히 후퇴하지 않는 것이 고작입니다."

"네가 그렇게 필사적일 수밖에 없는 전황이라는 단계에서 알 만할 텐데. ……참모원의 계산이 나왔어."

은수저로 우아하게 설탕조림을 떠서 입에 넣어 달콤한 향기와 우아한 단맛을 즐긴 뒤에 자파르는 말을 이었다.

"이대로 가면 내년 봄까지 못 버틴다."

비카는 안색은 고사하고 표정도 변함없었다.

"그래서 부끄러움을 무릅쓰고 '아랫것들에게 나라를 빼앗긴' 기아데에 고개를 숙인 겁니까. 기술 공여와 병력 파견이라는 말장난으로 싸구려 자존심을 기워 가면서."

비카는 흥 하고 콧방귀를 뀌었다.

"……하찮아. 어전회의도 결국은 허영뿐인가."

"왕후귀족에게서 허영과 자존심을 빼면 남는 게 없어, 비카. 누더기를 입었어도 알 만한 광채와 고귀함 따윈 환상에 불과하지."

천년, 수십 대에 걸쳐서 빼어난 미녀의 피를 받아들인 일족의 수려함으로 왕세자는 말했다. 한눈에 귀인이라고 알 수 있을 정도로 우아한 거동으로 햐얀 도자기 잔을 들어 올리면서.

나란히 세워놓으면 한 폭의 그림이 될 만한 동생을 바라보며 계속 말을 이었다.

"이전에 네가 말했듯이 연방도 정도의 차이는 있지만 절박하다는 건 마찬가지다. 먼저 작전 협력을 요청한 것은 저쪽이고, 기술 공여에도 달려들었지."

〈레기온〉 전쟁 발발 이전에는 대륙 최대의 국토와 인구를 가졌으며 지금도 아마 최대의 자리를 유지하고 있는 연방과 비교하면, 마찬가지로 열강 중 하나였다고 해도 연합왕국은 인구와 국토가 모두 크게 뒤떨어진다.

하지만 그런 연합왕국이 용해산맥의 절반을 빼앗기는 정도로 전선을 유지하고 있는 이유는 연방도 알고 싶겠지. 신병기일까, 그것을 이용한 새 전술일까. 어찌 되었든 자국의 방어에 이용하기 위함이다.

그걸 알기에 자파르는 희미하게 웃었다.

"그래. 너의 끔찍하면서도 사랑스러운 새들에게 말이야."

"그런 걸 알아봤자 연방이 운용할 수 있을 것 같지 않습니다만. ……그래서, 입니까."

어차피 도움이 안 되는 기술이니까, 내줘도 아깝지 않으니까. 그러니까 괜히 자존심만 강하고 폐쇄적인 기술원이 승낙한 걸까.

정말이지 인간이란 죄가 많은 생물이라고 비카는 생각했다.

내일이면 멸망할지 모르는 상황에서 용케도 무의미한 자존심 싸움에 급급하다.

"연방이 협동작전을 타진한 목적은 달라. 개의치 않겠지. …… 그리고 아바마마가 그 자리에서 말씀하지 않았던 조건은 정보 제공이다. 정보도 틀림없이 제공할 테니까 불평하지는 않겠지."

"……〈무자비한 여왕〉."

"기동타격군의 사관에게 찾으러 오라는 전언을 남겼다니까 그만한 의도가 있겠지. 항복 권고일까, 무슨 교섭일까, 정보 제공일까…… 어디까지나 희망적 관측이지만, 그자의 조국조차도 덮친 이 전쟁을 막을 방법을 제시할 가능성도 전혀 없지는 않아."

"그게 제국의 그 삐딱한 여자라고 확정된 것도 아니고, 그 여자라면 그런 안전책을 한두 개쯤 마련해 뒀을지도 모른다는 정도의 이야기겠죠. 연방도 용케 거기에 응했군요."

"제레네 여사일 가능성이 있다면 그것만으로도 충분하다는 소리야. 〈레기온〉의 전략, 전술 알고리즘에 대해 정보를 끌어낼 수 있으니까. ……그리고 그렇게 판단할 정도로 그자를 아는 사람은 현재로서 너밖에 없어."

"그렇긴 해도 대단한 이야기를 한 것도 아니고, 오히려 공화국의 연구자랑 자주 이야기했는데요……. 아하, 에이티식스였나요. 그러면 이미 살아 있지 않겠군요."

산마그놀리아 공화국에서 일어난 일련의 박해에 관해서는 비카도 전해 들었다. 〈레기온〉에게 포위되어서 궁지에 몰린 공화국의 백계종[알바]들이 그 궁지를 타개하는 게 아니라 기만하기 위해서 행했던 어리석은 책임 떠넘기기의 결말을.

"뭐, 저는 평소처럼 아바마마와 왕국의 결정에 따를 뿐입니다. ……가령 실패했다고 해도 사냥개가 한 마리 죽는 걸로 끝이니까요."

그때 살짝 고개를 기울이는 자파르에게 비카는 어깨를 으쓱여 주었다.

"제86기동타격군. 에이티식스지요. ……평민들은 몰라도 연방 상층부는 슬슬 주체하기 버거워진 모양이로군요. 저와 마찬가지로."

"비카."

"정예부대라 하면 듣기야 좋지만, 말하자면 손에 들어온 괴물을 전선 유지와 프로파간다에 써서 제거하기 위한 자살부대겠지요. 돌격작전은 생환율이 낮습니다. 그걸 전문적으로 맡는 부대의 구성원들, 그 목숨의 가치야 빤하죠. 지난번 전자가속포형[모르포] 토벌전 때처럼. 그러고 보니 그때의 소년병들도 에이티식스였던가요."

그렇게 말하면서 눈을 가늘게 떴다.

빤하다고 할 정도가 아니라, 전쟁이 끝나고 평시가 된다면 그것
은 오히려.

"늑대를 다 잡았으면 사냥개도 처분하는 법입니다. 흉포한 짐승
따위는 평시에 필요 없죠. 아예 같이 죽어 준다면 그편이 손도 더
러워지지 않아서 좋을 정도입니다."

자파르는 단정한 눈썹을 걱정하듯이 찌푸렸다.

"너는 불필요한 짐승이 아니야, 비카."

"예. 형님과 아바마마께는 말이죠."

쓴웃음을 지으면서 비카는 홍차를 입으로 가져갔다.

왕국 남부의 평야에 피는 수레국화꽃의 달콤한 향기.

올해는 아직 볼 수 없는 푸른색.

"인간 세상에서는 어떻게 받아들일까요. 에이티식스들과 마찬
가지로…… 인간의 모습을 한 괴물을 말이죠."

86
―에이티식스―

A monster
lives in a northern country.

[Ep. 5]

―죽음이여, 오만하지 말지어다―

EIGHTY SIX

The number is the land which isn't
admitted in the country.
And they're also boys and girls
from the land.

ASATO ASATO PRESENTS
[글] 아사토 아사토

ILLUSTRATION/SHIRABII
[일러스트] 시라비

MECHANICALDESIGN／I-IV
[메카닉 디자인] I - IV

DESIGN／AFTERGLOW

그레테

연방군 대령. 신 일행의 이해자이기도 하고, 〈제86독립기동타격군〉의 여단장을 맡게 되었다. 신형 펠드레스 〈레긴레이브〉의 개발자이기도 하다.

베르노르트

연방군에서 신의 부하로, 숙련된 용병. 자기보다 어린 신을 지휘관으로 모시며, 신설 부대에서는 1개 전대를 맡아 신 일행의 싸움을 돕는다.

아네트

레나의 친구로 〈지각동조〉 시스템 연구 주임. 신과는 과거에 공화국 제1구에서 소꿉친구 사이였다. 레나와 함께 연방군으로 파견되어 신과 재회하는데……?

마르셀

연방군인. 원래는 펠드레스의 오퍼레이터였지만 전투 중 부상의 후유증 때문에 레나의 지휘를 지원하는 보좌관으로 종군한다.

등 장 인 물 소 개

시덴

〈에이티식스〉 중 한 명으로 신 일행이 떠난 뒤로 레나의 부하가 되었다. 레나를 지키고 공화국의 전장에서 마지막까지 살아남은 용사이다. 신설된 [제86기동타격군]에 합류해서 레나의 호위전대를 이끈다.

더스틴

공화국 붕괴 전에 〈에이티식스〉들의 처우를 비난하는 연설을 했던 공화국 학생으로, 연방에 구원된 후에는 [제86기동타격군]에 지원했다. 앙주의 소대에 소속된다.

리토

공화국 붕괴에서 살아남아 [제86기동타격군]에 합류한 〈에이티식스〉 소년. 과거에 신이 있었던 부대 출신. 대원들 중에서도 경력은 짧은 축이다.

EIGHTY SIX

기 아 데 연 방 군
〈제86독립기동타격군〉

신

산마그놀리아 공화국에서 인간이 아닌 존재 ——
〈에이티식스〉의 낙인이 찍혔던 소년. 레기온의 [목
소리]가 들리는 이능력을 지녔으며, 탁월한 조종
스킬도 있어서 수많은 전장에서 살아남았다.

레나

과거에 〈에이티식스〉들과 함께 싸웠던 지휘관제관
(핸들러) 소녀. 사지로 향했던 신 일행과 기적의 재
회를 이루었고, 그 뒤로 기아데 연방군에서 작전
총지휘관으로 다시금 함께 싸우게 되었다.

프레데리카

〈레기온〉을 개발한 옛 기아데 제국 황실의 핏줄.
신 일행과 협력하여 옛날 가신이자 오빠 같은 존
재였던 키리야와 싸웠다. 〈제86독립기동타격군〉
에서는 레나의 관제보좌를 맡는다.

라이덴

신과 함께 연방으로 도망친 〈에이티식
스〉 소년. '이능력' 덕분에 고립되기
일쑤인 신을 도와준 오랜 인연.

크레나

〈에이티식스〉 소녀. 저격 실력이 탁월
하다. 신에게 어렴풋한 연심을 보내지
만——?

세오

〈에이티식스〉 소년. 쿨하고 다소 입이
험한 야유꾼. 와이어를 구사한 기동전
투에 능하다.

앙쥬

〈에이티식스〉 소녀. 다소곳하지만 전
투에서는 과격한 일면도 있다. 미사일
을 사용한 면 제압이 특기.

제1장 괴물들의 우울

　리토 오리야가 공화국 제86구, 동부 제1전투구역 제1방어전대 〈스피어헤드〉에 배속된 것은 작년 봄. 프로세서가 되고 2년 남짓 지났을 무렵이었다.

　제1전투구역 제1방어전대는 너무 오래 산 에이티식스를 반드시 전사시키기 위한 최종처분장이다. 통례 4년차에서 5년차의 프로세서가 보내지는 곳으로, 2년차인 리토가 배속되기에는 다소 이르다. ……그때까지는 이른 편이었다.

　공화국은 〈레기온〉 전쟁이 10년으로 종결될 것으로 생각하고 있었다. 〈레기온〉의 수명은 그 해에 끊어질 터였다. 리토 같은 에이티식스는 그게 잘못된 생각이라고 알고 있었지만, 전장을 하나도 모르는 하얀 돼지들은 그걸 알 도리가 없기에 살아남은 가축들을 모두 서둘러 처분해야 한다고 생각했다.

　대공세가 시작된 날의 일은 지금도 기억한다.

　──도망쳐라, 애들아! 벽 안이든, 어디든 좋아. 아무튼 도망쳐서 살아남아!

　기지 최고참인 정비반장의 노호에 떠밀려서 리토와 그때 살아남았던 열두 명의 프로세서는 각자의 〈저거노트〉를 몰고 남쪽으로 향했다. 그랑 뮬 함락의 소식이 최전선을 뒤흔든 직후. 다소 연상인 듯한 핸들러 소녀의 목소리가 공화국과 그들 에이티식스의 종언을 알린 그 후였다.

공화국 밑에서는 죽기 싫다. 어차피 죽을 거면 많은 동료들이 먼저 스러진 86구의 전장에서 함께 죽고 싶다. 그렇게 생각했기에 공화국이 아니라 86구 안에 독자적인 거점을 만들겠다고 말하는 전대로 향했다.

그 핸들러는 신용할 수 있는 녀석이다. 살아남을 수 있을지도 모른다. 정비반장인 알드레히트 중위는 그렇게 말했지만, 만나본 적도 없는 하얀 돼지를 도저히 믿을 수 없었다.

알드레히트와 정비 크루들은 함께 오지 않았다.

[우리는 너희 꼬맹이들이 죽어가는 모습을 옆에 멀뚱멀뚱 지켜보기만 한 쓰레기야.]

그렇게 말했을 때 알드레히트도, 정비 크루들도 다들 웃고 있었다.

신기하게도 후련해 보이는 얼굴이었다.

86구의 정비 크루는 전장에 버려진 에이티식스 중 공화국 군인 출신이거나 초기에 징집된 어른들의 생존자다. 〈저거노트〉를 정비하려면 상응하는 지식과 기술이 필요하다. 그 지식과 기술이 있었기 때문에 부상을 입어서 더 싸울 수 없게 되어도 처분당하지 않은, 에이티식스 중에서 비교적 목숨의 가치가 비싼 이들.

그렇기에 목숨 값이 싸서 마구 소비되는 소년병들이 버려지고 죽는 모습을 10년에 걸쳐서 계속 방관하는 꼴이 되었다.

아마도 자신의 무력함과 한심함을 진심으로 저주하면서.

[그렇다면 여기에 버티고 서서 쇳덩이들에게 죽는 게 어울리겠지. ……우리는 이제 여기 말고는 어디도 갈 수 없어.]

그 고뇌와 죄악감에서 드디어 해방된다. 간신히 계속 죽음을 지켜보기만 한 죗값을 치를 수 있다. ……그런 웃음이었다.

어디에 숨겨놓았던 건지 낡은 어설트 라이플이나 범용기관총, 로켓 런처를 어깨에 지고서.

기지를 나가자 곧바로 그런 보병 휴대화기의 사격음이 기지 방향에서 들렸다. 〈저거노트〉와 비교해도 무력한 그것들이 〈레기온〉에 통할 리가 없다. 싫을 만큼 익히 들은 전차형의 120mm 전차포 포성이 몇 차례 울리고 척후형의 범용기관총 총성이 쏟아진 뒤에, 기지는 영원히 고요해졌다.

간신히 도착한 남방 전선 근처 방어거점은 남부 제1전투구역 제1전대 〈레더 엣지〉가 주력을 맡고, 리토가 아직 본 적도 없을 정도의 대규모 병력을 품고 있었지만, 그래도 순식간에 소모되어 갔다.

구원이 온 것은 그런 상황 속이었다. 〈레기온〉 지배영역을 사이에 둔 이웃나라, 기아데 연방의 다각기동병기와 장갑보병. 처음 보는 건데도 어딘가 본 적이 있는 듯한 순백색 펠드레스.

지금 생각해 보면 그 〈레긴레이브〉 중 어느 것에── 신이 타고 있었겠지.

"……노우젠 대장."

리토가 86구에 처음 배속되었을 때의 전대에서 전대장을 맡았던 소년이었다.

세 살 연상에, 전쟁 경험으로는 4년이나 차이가 났다. 그 전대에서 반년 동안의 임기를 마친 뒤에 스피어헤드 전대로 배속이 결정되고…… 그대로 전투인지 특별정찰인지로 스러졌을 터인 사람.

리토는 알드레히트의 죽음을 신에게 그저 '죽었다'는 말로밖에 전하지 않았다. 마지막에 나눈 말이나 그 최후를 말하지 않았다.

슬퍼했을 것이다, 라고는 생각했다. 함께 싸우다가 먼저 죽은 자의 이름과 기억을 품는 역할을 스스로에게 부여한 '저승사자'인 신은, 어쩌면 그 삐딱한 늙다리 정비병과 부하들도 데려갈 생각이었을지 모른다.

하지만 이해해 주지 않을 테니까.

프로세서의 사망률이 가장 높은 것은 최종처분장인 제1구 제1전대를 제외하면 배속 직후의 신참일 때다. 전장의 이치를 하나도 모르고, 숨겨진 재능이 있더라도 아주 조금만 운이 나쁘면 죽는, 그렇게 태반이 죽어가는 반년.

그 시기를 리토는 신이나 라이덴 같은 '네임드'들의 전대에서 보냈다. 고참병들이 득실대는 그 전대는 86구의 전장에서도 사망자가 적은 편이었다. ……옆의 동료가 날아가는 모습에 익숙해지는 일 없이 전투에 적응하고, 싸우는 방법을 배우면서 살아남을 수 있었다.

그들이 없어진 뒤에 새로운 동료를 다소 감싸줄 수 있을 만한 기량을 얻을 수도 있었다.

그러니까 리토는 아직 그것에 익숙하지 않았다.

그 공포를…… '저승사자' 같은 별명을 가질 정도로 그것과 자주 접한 신은 분명 이해해 주지 않을 테니까.

차창 밖의 모습은 어둑어둑한 검은색이었다. 다음 전장으로 가는 이 차량의 그 어두운 창문과 거기에 비친 자기 자신을 바라보는 채로 리토는 조그맣게 중얼거렸다. 옆에서 잠든 동료가 깨지 않을 정도의 성량. 망령들의 목소리를 듣는 저승사자에게도 닿지 않는 목소리로.

"대장. 나는 아직── 죽는 것도, 잃는 것도…… 사실은 두렵습니다."

목이 망가진 커다란 짐승 같은, 으르렁대듯이 귀가 멍멍해지는 소리가 창 너머에서 끊임없이 울렸다.

고속철도의 주행음이 터널의 폐쇄된 어둠 속에서 울리는 소리였다. 어딘가 불안정한 기분을 부채질하는 듯이, 잊어가는 기억의 밑바닥을 휘젓듯이 시끄럽게 계속 울렸다.

높고 낮게, 통주저음(通奏低音)처럼 끊임없이 울리는 굉음에 별생각 없이 귀를 기울이면서 신은 망각의 구렁에 잠겨가던 그 기억을 더듬었다.

서방국가간 고속철도, 취빙(鷲氷) 루트에 있는 용해기저 터널. 과거 기아데 제국과 로아 그레키아 연합왕국을 잇던 노선 중 일부를 복구하여 최근에 개통된 군사철도 도중에 있는, 세계에서 가장 긴 철도 터널이다.

〈레기온〉은 인류에게서 빼앗은 땅에 남은 모든 것을 자기의 작전 행동에 이용하지만, 그것은 인류도 마찬가지다. 전자가속포형 운용을 위해 보존, 보수되었던 옛 고속철도 노선은 가도회랑을 탈취한 지금 인류 측의 군사철도로 수복이 이루어졌다.

장교용 객차는 서로 마주 보는 형식의 박스 시트가 통로 양쪽에 주르륵 이어진다. 그 자리를 메운 것은 연방군의 쇳빛 군복을 입은, 하지만 그 이외의 색채는 가지각색인 에이티식스 소년병들.

그것을 깨닫고 어두운 차창에 시선을 주는 채로 눈을 가늘게 떴다.

11년 전 강제수용소로 호송되는 도중. 화물차 벽 너머로 들었던 소리와 똑같다.

그때는 가축용 화물열차에 꼼짝도 못할 정도로 꽉꽉 사람이 차고 사람의 열기와 부족한 환기로 숨이 막혔기 때문에 소리 말고는 모든 면에서 다르지만.

떠올려 보니 가슴속이 술렁이는 기분이었다. 영문도 모른 채 갑자기 욕설과 악의를 받았고, 어딘지 모르는 장소로 쫓겨났던 그때의 혼란과 공포는 지금 의식 밖으로 가라앉았을 뿐이지, 일단 되살아난다면 아직도 선명하다.

그때 아직 어렸던 신을 인파에게서 지켜준 양친의 얼굴이나 그때 형의 표정은 이렇게 더듬어 봐도 떠오르지 않는다.

——떠올릴 수 없는 게 아니죠? 떠올리고 싶지 않은 거죠?

갑자기 방울 울리는 듯한 목소리가 살아나서 무심코 한쪽 눈을 감았다.

──잃어버린 것을. 빼앗긴 것을. 그것들은 빼앗긴 게 아니라 애초부터 이 세계 어디에도 없었던 거라고, 계속 생각하기 위해서.

　──인간은 저열하다고, 계속 생각하기 위해서.

　……딱히.

　떠올리고 싶지 않고 자시고.

　기억을 못한다고 해서 딱히 불편할 것도 없다.

　"──신."

　시선을 돌리자, 맞은편 빈자리에 라이덴이 앉은 참이었다.

　"좀 있으면 로그보로드 시에 도착해. 연방과는 기온이 크게 다르니까 코트를 입고 내리래."

　"그래."

　이 열차는 터널을 통과한 직후에 있는 터미널까지만 주행 가능하다. 거기서부터는 궤간 규격이 다르기 때문에 열차를 통째로 갈아타야만 한다. 수천을 헤아리는 병력은 물론이고, 중량이 10톤이 넘는 〈저거노트〉들. 이걸 옮겨 싣는 데는 그만큼 시간이 걸린다.

　철도란 대규모 및 고속 수송이 가능한 교통수단이다. 그것은 즉 단번에 많은 병력과 병기를 고속 전개할 수 있는 수단이라는 뜻이기도 하다.

　아무리 오래된 우방이라고 해도, 〈레기온〉에 대치하는 동맹국이라고 해도. 타국에서 오는 차량을 직접 수도로── 한 나라의 목젖까지 보내줄 만큼 북쪽의 대국은 멍청하지 않다.

　"하지만 연합왕국이라……. 뭐랄까, 생각보다 멀리 와버렸네."

"······그렇군."

2년 전에는 86구에서도 나갈 수 없을 거라고 생각했는데.

열차는 지금 연방의 북서쪽 국경선, 용해산맥을 관통하는 기저 터널을 따라 이동하고 있다. 그 너머에 있는, 그들은 아직 모르는 이웃나라를 향하여.

로아 그레키아 연합왕국.

군비의 나라, 기름과 금이 나는 나라. 기아데 제국의 제일가는 우방이자 가상 적국. 제국이 멸망한 지금은 대륙 유일이자──마지막 전제군주국가.

그들의── 제86기동타격군의 다음 전장이다.

"──이번 작전의 목표는 우선 연합왕국 남방 전선의 〈레기온〉 지휘관기, 식별명 〈무자비한 여왕〉의 노획이야."

같은 장교라고 해도 영관급인 레나와 그레테, 아네트에게는 프로세서들과 다른 객차가 할당되었다.

상관의 권위를 유지하고, 또 기밀을 보호하기 위한 조치이기도 하다. 군 내부의 정보 공개 원칙은 '알 필요가 있는 자에게만 [need to know]'. 지휘관과 프로세서는 알아도 되는 정보의 레벨이 전혀 다르다.

일등객차에 비치된, 황갈색으로 잘 손질한 나뭇결무늬가 곱게 보이는 쪽매붙임 테이블 앞에 앉아서 아직 따뜻한 김이 나오는 홍차를 앞에 둔 채 레나는 고개를 끄덕였다.

"저번에 샤리테 시 중앙 터미널 제압작전에서 노우젠 대위가 목격한 〈레기온〉이 보낸 메시지——그 실마리인 듯한 지휘관형 말이로군요."

　그리고 〈레기온〉을 만든 부모인 옛 기아데 제국의 연구자 제레네 빌켄바움 소령의 생전에 유일하게 생산되었던 척후형 중 하나.

　제레네의 인사기록은 정변시의 혼란 속에서도 사라지지 않아서, 첨부된 얼굴 사진까지 남아 있었다. 정보부가 '메시지'의 유일한 목격자인 신에게 확인했고, 같은 얼굴이라고 생각한다는 대답을 얻었다.

　찾으러 오렴.

　지금은 없는 제국에 적대하는 세력을 끊임없이 섬멸하고, 교섭은 고사하고 포로도 잡지 않는 살육기계인 〈레기온〉이 그 적인 인류에게 말한 것치고는 너무나도 이해가 되지 않는 말.

　어쩌면 제국 귀족의 피가 진한 신의 외모가 트리거 중 하나였을지도 모른다. 〈레기온〉은 지금도 통제할 수 없는 자율병기지만, 그것은 폭주가 아니라 명령자를 잃었기 때문이다. 〈레기온〉들은 지금도 망국의 마지막 명령을 지키는 것에 불과하다.

　이미 몇 년이나 신규 명령이 수령되지 않은 상황을 〈레기온〉들이 이상하다고 판단하고 지휘권을 인계했을 새로운 명령자를 찾는 것이라면.

　"그녀를 노획하면 〈레기온〉에 대한 신규정보, 어쩌면 전쟁 종결의 실마리가 손에 들어올지도 모른다는 이야기입니다만."

　그녀에게 그럴 마음이 없더라도 제레네는 〈레기온〉 개발주임이었다. 긴급정지 코드나 관리자 권한 패스를 기억하고 있다면 그 것으로 충분하다.

"그래. ——연합왕국은 모든 조사에 입회하는 것과 정보 공개를 조건으로 연방에게 인도하는 것에 동의했으니까 노획, 무력화한 후에는 가지고 돌아와 줘. 중앙처리계만 살아 있으면 상태는 아무래도 좋아."

아네트가 고개를 갸웃거렸다.

"용케 연합왕국이 그런 조건에 동의했군요. 그 나라는 전제군주제니까 저들이 보자면 평민들밖에 없는 공화국이나 연방을 얕잡아볼 거라고 생각했습니다만."

"그럴 여유도 없어졌다는 소리겠지. 이 파견은 그들과의 기술 교환 목적도 있지만, 사실상 연방이 연합왕국을 지원하러 가는 셈이야."

"하지만 사실일까요. 〈레기온〉 전쟁 이전에는 북방의 올빼미로 두려움을 샀던 연합왕국이 함락 직전이라니……."

로아 그레키아 연합왕국은 현재 생존이 확인된 나라나 지역 중에서 기아데 연방에 버금가는 강국이다. 인구와 국토 면적을 보면 연방과 크게 차이가 벌어졌지만, 지난 대공세를 버텨내고 전자가속포형 토벌에 전력을 추출할 정도의 국력이 있었다.

그런 대국이 왜 지금 와서?

갑자기?

"딱히 이상할 것도 없겠지. ——〈목양견〉이 주력이 된 뒤로 어느 전선이고 나라고 한층 힘들어졌어."

대용 커피가 담긴 컵을 입으로 가져가면서 그레테는 말했고, 레나도 동의하면서 얼굴을 찌푸렸다.

〈목양견〉. 대공세에서 노획된 공화국 시민을 재료로 삼은 양산형 지성화 〈레기온〉.

역시 지난번 지하 터미널 제압작전 때 〈레기온〉은 거점 포기 전에 뇌구조의 데이터를 그들 군세의 중추로 전송한 모양이다. 그 작전 이후로 연방 및 주변국의 각 전선에서 〈레기온〉의 작전행동이 복잡해졌다는 보고가 올라왔다.

〈검은 양〉—— 손상된 전사자의 뇌구조를 흡수했기에 아무래도 성능이 떨어지는 〈레기온〉과 〈목양견〉이 교체된 것이겠지.

"예정대로 기술 교환은 나와 펜로즈 소령이, 전선 임무는 밀리제 대령이 담당하는 걸로 하겠어. 이번 작전이 완료된 뒤에 연합왕국 측의 부대 일부가 기동타격군에 편입될 예정이니까, 이 기회에 그들의 전력을 파악해 둬."

그렇게 말하고 그레테는 싱긋 웃었다.

"이번에야말로 4천 명 전원을 운용할 수 있게 될 테니까. 제86 독립기동타격군의 진가가 발휘되는 거야."

아네트가 고개를 갸웃거렸다.

"지원하지 않은 사람도 꽤 되네요. 에이티식스는 1만 명 남짓이 살아남아서 연방의 보호를 받았다고 들었는데요."

연방군에서, 에이티식스 프로세서들은 고등교육을 받으면서 종군하는 특별사관 대우를 받는다.

어렸을 적부터 강제수용을 겪은 그들은 초등교육도 제대로 받지 않았다. 그렇기 때문에 그들의 교육기간은 일반 특별사관보다 길게 잡았고, 형태도 통신 수강이 아니라 본거지 근처의 전용 학교에서 좌학을 하는 것으로 변경되었다. 정기휴양을 겸하여 요원이 4분의 1씩 일정 기간마다 교대로 학교를 다니기 때문에, 훈련으로 돌리는 부대도 계산하면 단번에 움직일 수 있는 프로세서는 최대가 4천 명에 그친다.

여담이지만, 통신 수강이 취소된 것은 처음에 보호된 신 일행 다섯 명이 대공세의 뒤처리나 기동타격군 설립 등에 쫓겨서 과제를 소홀히 한 탓도 있다나 보다.

하지만 듣고 보니 생존자는 1만 명이 넘는데, 실동인원이 절반이라고 하더라도 4천 명이라면 아무래도 계산이 맞지 않는다.

"애초에 정비 크루였던 사람들이 〈레긴레이브〉의 정비원이 된 것과. ……싸울 수 없는 아이와 싸울 수 없어진 아이, 싸우고 싶지 않아진 아이를 뺀 거야."

너무 어려서 아직 강제수용소에 있던 사람과 심신에 장애를 얻은 자, 종군을 원하지 않는 자를 제외한 숫자란 소리다.

"그 아이들은…… 저기…… 어떤 대접을."

연방도 10년가량의 〈레기온〉 전쟁으로 생긴 막대한 전쟁고아와 전상자의 보호가 문제가 된 모양인데.

"전문 시설이나 보호자가 맡게 되었어. ……에이티식스는 노우젠 대위의 경우와 마찬가지로 과거의 대귀족이나 정부 고관이 서류상의 보호자가 돼. 이름만 빌려주는 셈이지만, 그렇다고 해서 대충 하진 않아. 말 그대로 자기 이름을 거는 거니까."

군주제에서 민주제로 이행하여 10년쯤 된 기아데에서는 노블레스 오블리주의 정신이 짙게 남아 있다. 자선을 행하는 것도 그 중 하나다.

　신분제가 공식으로 철폐된 현재, 과거 귀족이었던 이들에게는 '하층민'과 자신들을 구분할 것이 그것밖에 없을지도 모르지만.

　레나는 안도의 숨을 내쉬었다.

　"그렇습니까. 그럼…… 다행이네요."

　"연합왕국과의 협동도 그렇고, 왕후귀족의 긍지와 체면도 도움이 될 때가 있는 거야."

　협동작전 후에 연합왕국이 기동타격군에 병력을 제공하는 것도 그런 '노블레스 오블리주'라고 한다. 그 지휘관이 객원사관으로 레나의 지휘 밑에 들어올 예정인 것도.

　현재 장성급인 자가 대령인 레나의 밑에 들어오기 위해서 일부러 중령으로 '강등' 하면서까지.

　"연합왕국 쪽의 지휘관은 왕족이었지요?"

　"그래. 제5왕자 빅토르 이디나로크. 18세라는 젊은 나이에 남방 방면군 총사령관을 맡은, 연합왕국군의 실력자. 왕립기술원의 부원장 중 한 명으로, 이능력을 갖는 혈통이기도 한 이디나로크 왕실에서 이번 대의 이능력자이기도 해."

　그레테는 대수롭지 않게 말했지만, 공화국 출신인 레나에게 이능력이란 아직 익숙지 않았다.

　오래된 가문 중에는 드물게 이능력을 잇는 혈통이 있고, 11년 전까지 고귀한 혈통이 지배하는 제국이었던 기아데 연방에서는 지금도 그런 혈통이 몇몇 남아 있다고 한다. 이능력자 중 일부가 종군하면서 현대기기와 마찬가지, 혹은 그 이상의 신뢰성을 얻는 특기병으로 중용된다고도 한다.

한편으로 공화국에서 이능력은 300년 전 혁명으로 신분제와 함께 소멸했다.

근친혼의 폐해를 내지 않으면서 혼혈을 피하려면 일족의 숫자와 함께 이를 지킬 재력과 권력이 필요하다. 혁명으로 영지와 징세권을 잃은 귀족 계급으로서는 도저히 유지할 수 없다.

기동타격군에는 신과 프레데리카라는 두 명의 이능력자가 소속되었는데…… 역시 레나의 상식으로 보자면 어딘가 어색하다는 느낌을 떨칠 수 없었다.

게다가 지난 작전 후에 이능력의 영향으로 크게 건강을 해쳐서 드러누웠던 신의 모습.

평소에 곧잘 보이던 모습이 아니라 〈목양견〉의 등장에 따른 특수한 사례였지만. 이능력이란 것이 그렇게 몸에 부담이 간다면…… 당연하듯 운용해도 되는 것이라고는 생각할 수 없다.

연합왕국의 이능력자에 대해 말할 때…… 그레테는 지금 '이번 대'라고 말했다.

그것이 한 시대에 두 명이 동시에 존재하지 않는다는 의미라면. ……그렇게 수명이 짧아질 정도로 폐해가 있는 것이라면.

"……그 왕실의 이능력이란 어떠한 것입니까?"

"〈레기온〉의 기초가 된 인공지능 모델, 〈마리아나 모델〉을 혼자 개발한 것이 당시 다섯 살이던 빅토르 전하라고 하면 이해하기 쉬울까. 그런 재능을 배출하는 혈통이라나 봐. 지금도 연합왕국의 펠드레스의 제어계 개발과 개량에 다대한 공적이 있고, ……한편으로는 시체의 왕, 살모사라는 별명으로도 불려. 왕위 계승권을 박탈당했다는 소문도 있고."

아네트가 놀라서 돌아보았다.

"바……박탈?! 반납이 아니라 박탈입니까……?"

"게다가 살모사라니……!"

대륙 서부 문화권에서 뱀이란 타락과 악마의 상징이다. 하물며 피와 살을 썩힐 정도로 강력한 독을 가진 살모사. 아무리 그래도 왕자 전하에 붙일 별명은 아니다.

"그러면서도 부여된 권한이 많고, 국왕 폐하나 친형제인 왕세자 전하에게는 사랑받는 모양이지만. ……연합왕국은 왕위 계승을 둘러싸고 왕세자와 측실 태생의 제2왕자, 제1왕녀가 다투고 있고, 빅토르 전하는 자파르 왕세자의 파벌. 명석하기로 이름 높은 왕세자의 심복으로 일컬어진다고 해."

"그 정도의 정보가 어디서……."

그레테는 담담하게 어깨를 으쓱였다.

"대령이 연방에 오기 전의 겨울에 이 노선이 개통되었고, 그 이후로 군을 주체로 한 극히 일부라고 해도 연합왕국과의 왕래가 재개되었는데."

"……예."

"그때부터 정보부원은 침입했고, 이전부터 들어가 있던 이들과의 연락도 수복되었어. ……아마도 서로가 말이야."

옛 기아데 제국과 로아 그레키아 연합왕국은 같은 전제군주국으로, 오래된 우방인 동시에 서로를 가상적국으로 간주하는 관계이기도 했다.

그것은 제국이 멸망하고 〈레기온〉 전쟁이 이어지는 지금도······ 변하지 않은 모양이다.

"그나저나 밀리제 대령."

무슨 날씨 이야기라도 하려는 듯한 투였기에 레나도 전혀 경계하지 않았다.

사실 눈치를 챈 아네트는 몰래 자리에서 일어났지만.

"당신과 노우젠 대위, 싸우기라도 했어?"

레나는 홍차를 마시다가 콜록거렸다.

"예······?!"

"최근 이야기하는 모습을 전혀 못 봤어. 공화국에서 돌아온 뒤로 계속."

"어어, 저기······."

도움을 청하여 아네트를 보았다.

아네트는 슬쩍 고개를 돌렸다.

"나는 몰라."

"사적인 일이니 깊이 캐고 들 생각은 없지만, 너무 길지 않아? 작전지휘관과 기갑부대 총대장의 소통 부족은 앞으로 있을 작전에 지장을 초래해."

"저기······."

그 뒤로.

──당신들은, 아직도 갇혀 있군요. 공화국에, 우리── 하얀 돼지에게.

──나는 그게, 너무나도 슬픕니다.

그렇게 말한 뒤로 신과는 전혀 대화를 하지 않았다.

피한다고 할 정도는 아니다. 업무상 필요한 대화는 한다. 그 이외의 대화가 안 될 뿐이다.

사무적인 연락이나 보고를 마치고 할 말이 없어졌을 때. 복도에서 뜻하지 않게 마주쳤을 때. 여태까지는 당연하다는 듯이 나누었던 잡담이 지금은 전혀 나오지 않는다. 부자연스러운 침묵이 있고, 그게 어색해서 그대로 대화를 끝내버린다.

그런 일이 여태까지 계속되었다.

그때 한 말이 틀렸다고는 생각하지 않는다.

하지만 꼭 그렇게 일방적으로 낙인찍듯이 말할 것까진 없었다는 생각이 들었다.

그때. 그 말을 들은 신은 순간 격앙한 기색을 보였지만 즉각 그것을 자제하더니, 그래도 조금 짜증 어린 투로 내뱉었다.

──잘은, 모르겠습니다만.

그 말에 어린 거리감과.

──그게 무슨 문제입니까. 레나.

곤혹스러움.

그것도 진심에서 나왔다.

레나가 뭘 걱정하는지── 게다가 레나가 뭘 슬퍼하는지. 그것조차 전혀 이해할 수 없다는 눈이었다.

말도 마음도, 하나도 통하지 않는 것처럼.

인간의 형태를 했을 뿐인, 천진난만하고 이질적인 마물처럼.

갑작스러운 말에 신도 혼란스러웠을 것이다. 그랬으면 좋겠다.

그렇게까지 자신과 그들은 다르다고. 같은 말을 하고, 같은 일을 하고, 같은 장소에 서서도, 서로를 이해할 수 없다고는── 생각하고 싶지 않다.

……아니.

그것만이 아니다.

그때. 붉은 눈동자는 분노를 띠고 거리감에 얼어붙었고, 이윽고 그것들 위에 이질적인 곤혹스러움을 덧칠했고── 그 너머에는 분명히 어린아이가 그러듯이 상처 입은 빛이 흔들리고 있었다.

뜻하지 않은 상대에게 한 대 맞은 것처럼.

설마 레나에게 그런 말을 들을 줄은 생각도 하지 않은 것처럼.

힘이 다해 죽는 순간까지 계속 싸우는 것이, 그러다 쓰러지는 곳까지 계속 가는 것이 에이티식스의 긍지이며 자유라고 예전에 레나는 들었다. 과거에 그들은 그렇게 말했다.

그것을 증명하듯이 그들은 연방에 이르러서도 최전선에서 계속 싸웠다.

그런 신에게.

──당신들은, 아직도 갇혀 있군요. 86구에.

지금도 86구에 있다고, 한 발짝도 나간 게 아니라고 말했다. 그것이 얼마나 큰 모욕이었을까.

그것밖에 남지 않은 그들의 긍지를, 걱정한답시고 짓밟았다.

상처 입혔다고…… 자각하고 싶지 않았다.

그리고 자각한 순간 레나는 맹렬한 자기혐오에 빠졌다.

말하자면 피했던 것도 도망친 것도 자신이라는 뜻 아닌가.

모욕했다는 사실에서. ……상처 주었다는 사실에서.

"……대령?"

애초에 2년 전에도 그러지 않았나.

그들의 곁에 섰다고 생각하며. 이해자가 되었다고 생각하며. 그런 주제에 사실은 그들의 이름이고 뭐고 알려고 하지 않고.

선의랍시고 일방적으로 자기 감정과 감상을 강요하고.

그런 주제에 상처 입히고.

"밀리제 대령."

하나도 변하지 않았다. 그 뒤로 배운 게 없다.

한심하다.

창피하다.

"대령."

……아니.

이러다가 혹시. 진짜로 나를 싫어하게 되면……?!

"저기, 레나, 좀 진정해 봐."

놀라 고개를 들자, 그레테와 아네트가 나란히 바라보고 있었다.

그래서 레나는 어느 틈에 자신이 머리를 붙잡고 테이블 위로 고개를 숙인 것을 깨달았다.

그레테가 쓴웃음을 지었다.

"……생각보다 심각해 보이는걸?"

"죄, 죄송합니다……."

"뭐, 당신들은 사실 이제 막 만났을 뿐이니까. 엇갈리는 것도 싸우는 것도 당연해."

그렇게 말하며 그레테는 평소처럼 꼼꼼하게 칠한 입술로 미소 지었다.

"노우젠 대위는 배속 기지로 직행하지 않고 우리와 함께 연합왕국 수도로 갈 테니까. 작전 때까지 이야기할 시간은 충분히 있어. 그동안 화해해 둬."

"……그러고 보면 너."

여전히 어두운 차창에 무심히 시선을 주는 채로, 잡담이라도 하듯이 라이덴이 말했기에 신도 경계를 태만히 했다.

"레나랑 싸우기라도 했어?"

반사적으로 돌아본 시점에서 이미 그의 패배다.

차창에 팔을 기대고 턱을 괸 모습의 라이덴이 시선만 이쪽으로 움직이더니 '역시나' 라고 하듯이 한쪽 눈썹을 찡긋거렸다.

"어떻게……."

"어떻게 알았긴. 너 말이지. ……설마 숨길 수 있다고 생각했어? 너 정말로 자기 일은 하나도 모르는구나."

놀랍다는 듯이 그렇게 말하는 데에는 미묘하게 짜증이 났다.

무심코 그 쇳빛 눈을 노려본 뒤에 탄식하며 신은 어두운 차창으로 눈을 돌렸다.

"……싸움이라고 할 정도는 아니라고 생각하는데."

싸움 정도가 아니라 진짜로 죽고 죽이는 난투의 경험도 적지 않은 신에게──86구에서는 전쟁을 시작한 제국의 혈통을 때로는 정말 끔찍하게 미워했다──의견이 엇갈리는 정도는 다툼 축에도 들어가지 않는다.

들어가지 않을 터였다.

"우리 에이티식스는 86구에 아직 갇혀 있다고 하더군."

라이덴은 한순간 침묵했다.

"……헤에."

불쾌하다는 듯이 눈을 가늘게 떴지만, 그걸 삼킨 것은 그 말을 한 사람이 레나였기 때문이겠지.

악의에서 나온 말이 아니다. 그걸 알기 때문에.

하지만 그걸 알면서도 거슬리는 것 또한 잘 이해할 수 있다. 왜냐면 그것은 신도 느낀 감정이었기 때문이다.

──나는 그게, 너무나도 슬픕니다.

그 말을 들은 순간에는 반사적으로 반발심이 일었다.

하지만 이어서 솟구친 것은 강한 곤혹스러움과 일말의 아픔뿐이었다.

물론 레나가 뭘 걱정하는지 이해하지 못하기도 했다. 하지만 그 이상으로 자기가 느낀 반발이 대체 무엇에서 유래하는가, 그걸 모른다는 것이 신을 진짜로 곤혹스럽게 했다.

인간을 저열하다고 생각하기 위해.

세계를 냉혹하다고 단정하기 위해—— ……?

그건.

그야, 당연하잖아.

인간도 세계도 그런 것이다. 세계는 인간을 위한 것이 아니다. 따라서 무관심하고 한없이 냉혹하다. 하물며 세계와는 달리 악의를 띠고 다른 이를 대하는 인간이라면 더더욱 그렇다.

강제수용소에서, 86구의 전장에서, 신은 그것을 배웠다. 그런 것에 불과하다고 거듭 깨닫게 되었다.

그 사실을 지적받아서…… 뭐가 그렇게 불쾌한 걸까. 단순히 사실을 들었을 뿐인데.

슬프게 해서—— 동정을 사서? 분명히 언젠가 그레테가 말했듯이, 동정을 살 일이 아니다. 하지만 그것도 지금은 아무래도 좋다는 것이 솔직한 마음이다. 일방적으로 얕잡아보기만 하는 상대가 어떻게 생각하든 알 바 없고, 거기에 어울려 줄 이유도 없다.

그렇다면…… 왜?

애초에 레나는 뭘 그리 슬퍼하는지도 신은 이해가 가지 않았다.

슬픔을 주고 싶은 마음이야 물론 없지만, 모르니까 대응할 수가 없다. 미묘하게 신을 피한다는 느낌도 들기는 했고, 실제로 제대로 대화를 나누지도 않았다.

그 결과 서로 폭탄을 대하듯이, 뭐라고 할 수 없는 어색한 상태가 계속되었다.

"——신. 어이."

정신이 들고 보니, 라이덴이 눈앞에서 손을 팔랑거리고 있었다.

꽤 오랫동안 생각에 잠겼던 모양이다. 시선을 돌려주자 라이덴은 쓴웃음을 지었다.

"뭐라고 할까, 너 정말 변했구나."

"?"

"아무것도 아니야."

귀찮다는 듯이 그런 말이 돌아왔다.

"뭐, 어차피 너라면 또 성대하게 〈언더테이커〉를 부숴먹겠지. 그럴 때라도 말해 둬. ……네 기체라면 분명히 행거퀸이니까."

행거퀸이란, 툭하면 고장을 일으켜서 격납고에서 정비를 받는 기체를 가리키는 은어다.

자잘한 출격은 몰라도 굵직한 작전에서는 반드시 〈언더테이커〉가 대파되었으니, 분명히 그런 야유도 피할 수 없다.

"……알드레히트 영감한테도 곧잘 그런 꾸지람을 들었지."

"그래……."

──사과하란 게 아니라 개선하란 말이다.

──그런 식으로 싸우다간 언젠가 죽어!

대공세 때 죽었다고 리토에게 들었다. 부하 정비 크루들도 같은 날에. 모두가.

아무런 느낌이 없는 건 아니지만, 그럴 거라고 희미하게 생각하기는 했다.

전장을 고향으로, 전우를 동포로, 싸우는 것을 긍지로 삼은 이들이 바로 에이티식스다.

에이티식스는 언젠가 죽는다.

그것은 백계종의 몸으로 그들 곁에 있기를 택한 그 나이든 정비 반장도 마찬가지다.

그래도.

"……살아남았어도, 좋았을 텐데."

이쪽을 보는 라이덴에게 시선을 주는 일 없이 말을 이었다.

"구원이 올 때까지 살아남았으면 가족들 사진만이라도 볼 수 있었을지도 몰라. 유해를 찾아내기는 어렵겠지만, 최후를 맞은 전장에 가는 정도는."

기억도 못하는 자신과 달리…… 아내와 딸과의 재회를 바라던 알드레히트에게는 그것만으로도 다소 구원이 되었을 텐데.

에이티식스는 언젠가 죽는 법이다.

하지만 그렇다고 해서…… 죽기를 바란 것도 아니다.

눈앞에서 죽어간 그 누구라도.

"……〈레기온〉 전쟁이 끝나면, 그런 성묘도 할 수 있을 테니까."

훅. 소리 내어 숨을 내뱉은 라이덴은 몸을 이쪽으로 내밀었다.

"실제로는 어때, 신? 네가 본 '제레네'란 녀석은 전쟁을 멈추고 싶어 하는 것 같았어?"

"……글쎄."

여성의 모습을 본뜬 그 유체 마이크로머신은 음성 출력 기능을 갖추고 있지 않았다. 당연히 목소리에 포함된 감정이나 생각의 뉘앙스가 전해지는 일도 없다.

전해진 것은 그저 말.

찾으러 오렴.

무슨 목적인지는 모른다. 신에게── 지금 살아있는 인간에게 하는 말인지도.

"교섭이나 정보 제공이라면 몰라도, 솔직히 그것만으로 전쟁 종결의 실마리라고 보는 건 비약이 너무 심해. 연합왕국 쪽에서 공개하지 않은 정보가 있다고 해도. ……이제 와서 그렇게 타이밍 좋게 쉽사리 이 전쟁이 끝나리라고는 생각되지 않아."

전화의 불길이 없었던 때를 거의 기억할 수도 없는, 대륙 어디든 도망칠 곳이 없는, 이 〈레기온〉 전쟁이.

다만.

"……하지만 혹시 전쟁이 끝난다면, ……그건 그거대로 좋다고 생각해."

──바다를 보여주고 싶다.

모르는 것을, 아직 본 적 없는 것을. 〈레기온〉에 갇힌 이 세계에 있어서는 볼 수 없는 것을, 그 사람에게 보여줄 수 있으면 된다. 자신이 싸우는 이유는 그거면 된다고 했던 말을 신은 지금도 잊지 않았다.

기대는 하지 않는다. ……그런 건 어차피 이뤄지지 않는다.

그래도 혹시나, 언젠가, 이 전쟁이 끝난다면.

라이덴은 잠시 동안 묵묵히 생각했다.

"그래. 혹시 전쟁이 끝난다면……."

말은 중간에서 끊기고 더 이상 이어지지 않았다.

이유는 좀 알 것도 같았다.

계속 싸운 끝에 전쟁이 끝난다면 좋겠다. 그런 생각까지는 할 수 있지만, 막상 그 광경은 아직 전장밖에 모르는 그들로서는 상상도 할 수 없으니까.

구우웅 소리를 내면서 열차는 갑자기 빛 속으로 뛰쳐나갔다.

20년 세월을 걸쳐서 뚫은 터널을 고속철도의 바퀴는 20분도 안 되어 주파했다. 어둠에 적응한 망막은 한순간 햇빛에 흐려졌다가 곧 적응하면서 바깥 풍경을 하얀 어둠 속에서 그려내었다. 두 사람은 말없이 창문 밖의 그 광경을 바라보았다.

두꺼운 방탄 유리는 투과율이 다소 낮아서, 풍경은 살짝 푸른빛으로 흐려졌다.

나라는 달라도 이 황량함은 변하지 않는 모양이다. 전선 뒤에 비전투원은 두지 않는다. 그곳에 살았던 사람은 집이고 고향이고 다 버리고 이동할 수밖에 없다.

은회색으로 두껍게 쌓인 눈과 자잘한 눈이 살짝 흩날리는 가운데, 하얗게 물든 눈의 평원 속에 버려진 지 오래인 폐허가 점점이 있는, 86구와 많이 비슷한 전쟁터의 적막함이—— 그대로 얼어붙은 것처럼, 아무도 없는 것처럼 끝없이 펼쳐져 있었다.

로아 그레키아 연합왕국, 로그보로드 시 터미널.

"—— 그럼 우리는 직접 배속지로 갈 테니까. 레비치 요새기지 랬나?"

"그래. ……귀찮은 일을 맡겨서 미안해."

"뭐, 일단 선임이니까. 구체적인 이송 문제야 참모인 영관님들이 해 주겠고. 너야말로 대령님과 레나의 호위, 열심히 해."

건들건들 손을 흔들며 환승열차로 가는 세오의 뒤에서는 〈저거노트〉의 컨테이너를 내리고 옮겨 싣는 작업이 시작되었다. 오늘 중에 부대 중 절반, 다음 이송으로 나머지 절반. 수천에 달하는 기동타격군의 모든 펠드레스와 차량이 연합왕국의 최전선, 레비치 요새기지로 간다. 경계관제형의 감시를 속이기 위해서, 휴양에 들어가는 부대와 교대하는 척하는 형태로.

그걸 지켜보던 신은 뒤쪽에 있는 로그보로드 시가지를 돌아보았다.

열차 안에서 들은 말처럼 용해산맥 기슭에 있는 이 지방도시는 눈이 흩날리는 추운 날씨였다. 현재 연합왕국에서 민간인이 사는 최남단이라는 로그보로드 시의 시가지는 등화관제 때문에 어두워서, 에너지 공급에 그리 여유가 없다는 사실을 묵묵히 말하고 있었다. 시가지 밖, 별빛을 받아 실루엣을 드러낸 거대한 돔과 사각형 건물은 한랭한 이 북쪽 왕국 특유의 지역난방용 원자력 발전소겠지.

버석, 하고 뒤쪽에서 플랫폼에 희미하게 쌓인 눈을 밟는 소리가 났다.

"……노우젠."

그쪽을 보니 차량부대의 기장을 단 소년이었다. 레나가 탑승하는 〈바나디스〉의 관제관 중 하나. 특별사관학교 동기인 엘윈 마르셀.

"퇴역한 거 아니었나?"

"어차피 이제 〈바나르간드〉에는 못 타. 대공세 때 다리를 다쳐서 말이야."

발소리를 들어보기로는 보행에 지장이 없는 듯한 오른쪽 다리를 내려다보며 마르셀은 내뱉었다. 그리고 그 어조 그대로 복합골절이었다고 말을 이었다. ……부러진 뼈가 살과 피부를 뚫었을 때, 신경도 일부 찢어졌겠지. 일상생활에 지장이 없더라도 영점 몇 초를 다투는 펠드레스 조종에서는 약간의 반응 지연도 치명적인 후유증이다.

"그보다 퇴역은 뭔 소리야? 너희 에이티식스랑 달리 보통 특별사관은 퇴역했다간 먹고살 수가 없어."

"편성 후의 제177사단 기갑부대 명부에서 안 보였으니까. 국영방송의 전사자 발표에서도 이름을 못 들었고, 그래서 퇴역한 줄로만 알았지. ……설마 기동타격군 차량부대의 명부에서 볼 줄은 몰랐지만."

"……의외로 신경 쓰고 있었네. 주위 사람은 아무래도 좋은 줄로만 알았는데."

희박한 관심이 부족한 그 느낌이 특별사관학교에서 처음 만났을 때부터 거북했다고, 마르셀은 생각했다.

지옥이라는 전장 앞에서도 초연한 모습이. ……마음속의 두려움을 읽고 비웃는 듯한 느낌이라서.

"……니나 말인데."

갑작스러운 이름에 신은 눈을 가늘게 떴다. 대공세 전에 죽었던, 두 사람의 동기인 유진. 그의 어린 여동생.

왜 오빠를 죽였냐는 말로 보낸 그 규탄은 찢어버렸기에 이미 어디에도 없지만.

"유진이 어떻게 죽었는지 가르쳐 주는 게 아니었고…… 앞날을 알 수 없는 그런 작전 전에 주는 게 아니었어. 유진이 죽어서 안타깝다고. 그저 그것뿐이었는데, 이상한 소리를 해버렸어. 녀석의 죽음을 누군가의 탓으로 몰고 싶어서, 네 탓으로 해버렸어. ……미안해."

깊게 고개를 숙였다. 신은 살짝 고개를 내저었다.

그리고 물었다.

"어떻게 지내?"

얼굴도 모르는 양친에 이어서 마지막으로 남은 오빠마저 잃은, 유진의 여동생은.

"음……. 뭐, 잘 지내. ……공화국 때문에 지금 본국에서는 백계종의 입지가 안 좋지만, 그 애는 오빠가 군인이었으니까. 괴롭힘도 안 당하고, 유진 일도 너무 집착하지 않는대."

신은 조용히 눈을 감았다. 집착하지 않는다. 오빠가 돌아오지 않는다고 알면서 계속 기다리는 것도 아니라면.

"그럼…… 다행이군."

마르셀은 다소 의외라는 얼굴을 하다가 희미하게 웃었다.

"……그래."

마르셀이 멀어지자, 조금 전부터 지켜보던 프레데리카가 다가왔다.

"······괜찮겠느냐. 저자가, 그······."

"신경 안 써. ······더 이상은."

신은 프레데리카가 미묘하게 눈을 흘기며 쳐다보기에 어깨를 으쓱이며 말을 덧붙였다.

그리고 그 작은 머리를 내려다보았다.

연합왕국 수도 아르크스 스티리에로 가는 것은 여단장인 그레테와 작전지휘관인 레나, 아네트 등의 몇몇 기술사관. 그리고 선임 전대장과 부장인 신과 라이덴, 시덴과 샤나, 그리고.

"이제 와서 하는 말도 그런데. 너는 아르크스 스티리에까지 따라와도 괜찮은 거야?"

애초에 타국의 군인과의 협동으로 이루어지는 이번 작전에 참가하는 것조차 괜찮은지 모르겠다.

아무리 〈레기온〉 전쟁 직전에 태어나자마자 즉위했기에 지금의 얼굴이 알려졌을 리가 없는 여제였다고 해도. 이능력은 그 핏줄에 따른 것인 이상, 국외에서 사람들 눈에 드러내도 좋다고는 생각하지 않지만.

프레데리카가 흥 소리를 내었다. 컨테이너를 옮기는 기계들의 작동음 때문에 이 거리가 아니면 목소리가 들리지 않는다. 도청 걱정이 없는 장소니까 이런 말을 꺼낸 것이라고 알았겠지.

"내가 여기에 있는 게 바로 그 답이니라."

걱정할 필요는 없다는 소리다.

"기아데 황실은 200년도 더 전부터 대귀족들의 괴뢰였다. 애초에 제국 여명기부터 유입된 이민족과의 혼혈이 이루어질 수밖에 없는 왕가였지. 황제의 얼굴이야 민초는 물론이고 하급 귀족들도 몰랐고, 황족의 이능력도 혼혈을 거듭하면서 흐려져서 흔적도 찾아볼 수 없다. 이디나로크의 '자수정'이라도 내가 여제 아우구스타라고는…… 생각도 못하겠지."

이디나로크의 이능력자를 대대로 그렇게 부른다고 덧붙였다. 새로운 인공지능 모델을 혼자서 개발해내는, 정말로 이상할 정도의 천재를 대대로 배출하는 혈통이라고.

"그렇긴 해도 서방 방면군의 장군 등 몇몇은 내 생존을 알고 있다. ……아니라면 키리야를 토벌하고 밀리제와 그대가 대화했을 때의 음성 기록을 장군들 앞에서 그대로 틀 리가 없지."

얼굴을 찌푸린 것은 그 장군들의 디브리핑에 동석하게 되었던 고문과도 같은 시간을 떠올린 탓이다.

두 번 다시 건드리고 싶지도, 돌이키고 싶지도 않은 기억이었던 탓에 여태까지 생각도 하지 않았지만, 듣고 보니 그때 그 음성기록이 그대로 재생된 것은 이상하다. 아무리 미션 레코더가 프로세서의 교신기의 음성과 외부에서 들어온 교신음성밖에 기록되지 않는다고 해도, 그와 함께 콕핏에 있던 프레데리카의 목소리를 하나도 못 잡는 것은 아니다.

그렇다. 그때 에른스트는 프레데리카의 이름을 불렀다.

"알고 있으니까 이제 와서 배신할 걱정은 없다고?"

"음, 그것보다도……."

프레데리카는 고개를 갸웃거렸다. 염려하듯이, 걱정하듯이.

"그대도 희미하게 느끼고 있겠지. ……그건 화룡이다. 이상만을 긍정하고, 그 완수를 위해서는 자기 몸도 세계도 불사르는 것을 개의치 않는──이 세상에 집착이라도 하면 그러지 않을 텐데, 그조차도 없는, 그런 용이다."

"……."

서류상의 양아버지가 때때로 보여주는, 평소의 선량함과 상반되는 표정.

걱정하는 듯하면서도 공허한 말. 겉치레뿐인 얄팍한 독실함.

언젠가 들었던 말에 아무렇게나 담긴 잔혹함.

──그런 이유로 아이를 죽이지 않고선 살아남을 수 없다면, 인류 따윈 멸망해버리는 편이 나아.

"혹시 나를 앞에 내세워 연방의 복권을 노린다면, 〈레기온〉 전쟁의 끝도 보이지 않는 이런 정세에서 욕망에 쫓겨 연방 전체를, 인간 세상 자체를 위험에 드러낼 만큼 인간이 어리석다면……그대로 멸망해버리는 게 낫다고, 그자는 그렇게 생각하고 있는 것이겠지."

✝

민주제로의 이행은 부의 이행과 분산이기도 하다.

그때까지 인구의 극히 일부인 왕후귀족에게 집중되었던 재화가 많은 민중에게 분산된다. 그것은 대다수 사람들의 생활 향상으로 이어지지만, 남아도는 재력을 아낌없이 부어서 만들어낸 휘황찬란한 사치품들은 민주제의 발달과 함께 모습을 감춘다.

역사 있는 강국이고 현대에는 유일한 전제군주제 국가인 로아그레키아 연합왕국은 그러한 왕후귀족의 멋을 아직도 지키며 계속 생산하는 마지막 나라다.

그 상징인 왕성, 현기증이 들 정도로 화려한 그것에 레나는 적지 않게 압도되었다.

안내받은 방은 손님을 맞기 위한 것이라고 해도 공용이 아니다. 하지만 햇빛을 뿌리며 내걸린 싸리나무와 넝쿨장미, 시계풀을 본뜬 수정 샹들리에, 잘 연마한 흑마노를 깔아놓아서 거울 같은 바닥. 가구는 죄다 흑단에 공작석 상감으로 통일했고, 북쪽인 이곳에서는 귀중할 커다란 장미가 수정이나 사금석 꽃병에서 아름다움을 겨루었다. 어두운 구석에서 혼자 녹색으로 빛나는 유리 공작, 무슨 사냥의 증거처럼 벽에 장식된 오팔 두개골은 어쩌면 진짜 공룡의 화석이 그렇게 변한 걸까.

새하얀 벽에 은으로 넝쿨풀 모양을 그리는 상감세공, 정신이 나갈 듯한 그 섬세함과 치밀함이 거기에 들인 막대한 시간과 수고를 소리 없이 말하고 있었다.

그것을 만들고, 모아서, 지금도 유지하는, 엄청난── 권력.

그 위압감.

밀리제 가문도 상응하는 자산과 전통을 가진 공화국의 명가였지만, 결국은 300년 전 혁명으로 지위와 징세권을 잃은 과거의 귀족일 뿐이다. 여기에 있는 호화로움은 말 그대로 격이 다르다.

표정에 드러내는 추태까지는 보이지 않았지만, 역시 마음이 다소 편치 않았다.

한편으로 가만히 시선을 돌려보니, 신은 평소와 전혀 다름없이 무관심한 침착함을 지키고 있었다.

　벽에 살짝 등을 기대고, 그런 버릇이라도 있는지 팔짱을 끼고 생각에 잠긴 것처럼 그 핏빛 눈을 감고 있었다.

　둘러보니 호위로 따라온 라이덴과 시덴도 비슷해서, 라이덴은 따분해하는 늑대처럼 하품을 참고 있고, 시덴은 바짝 졸라맨 타이가 답답한 듯이 만지작거리고 있어서, 딱히 압도당한 기색이 없었다. 따라 온 프레데리카를 보자면 마치 자기 집이라도 온 것처럼 고급 소파에서 푹 퍼져 있는 모습이었다.

　에이티식스의 가치관은 그들이 자란 전장과 그 일상이었던 전투에 무게를 둔다. 세간에서 일반적으로 중시하는 권위나 지위에 대해 두려움이나 위압감을 느끼는 일도 없는 모양이다.

　딱히 인테리어나 가구가 덤벼드는 것도 아니겠죠.

　그런 대답이 쉽사리 상상되어서 레나는 가볍게 웃음을 흘렸다. 기죽지 않느냐고 물으면 아마도 신은 그렇게 대답할 것이다.

　그들에게 두려운 것도 걱정해야 할 것도, 대치한 〈레기온〉이고.

　가치 있는 것은 살아남기 위한 기량이나 지식이고.

　인간 세상과 그 원칙 따위는 근본적으로 상관없을 것이다.

　어쩐 일로―― 아니, 레나가 처음 보는 예복 정장을 입은 것조차도.

　그렇게 생각했더니 긴장했던 마음이 조금은 풀어졌다.

　파견 임무에서 왕과 왕세자를 알현하는 것은 여단장인 그레테뿐이고, 아네트는 샤나를 호위로 데리고 기술원에 인사하러 갔고, 이제부터 제5왕자와 회합을 갖는 레나 일행도 어디까지나 서로 군인 신분으로 만난다는 명분이다.

그래도 상대는 왕족이다. 상응하는 옷차림이란 것이 있다.

레나는 물론이고 신 같은 프로세서들도 오늘은 술이나 기장이나 완장이나 가죽띠 같은 것을 죄다 장착한 연방군 정장 차림이었다. 평소에는 약장도 달지 않는데, 블레이저 왼쪽 가슴에 기장을 몇 개나 줄줄이 달고 있었다.

가만히 숨을 들이마셨다가 내뱉었다. 좋아.

"여러분의 정장, 처음 보네요."

응답까지 다소 시간이 걸렸던 것은 붉은 눈동자가 힐끗 이쪽을 바라보는 시간 때문이었을까.

"……그렇겠죠. 식전이 아니라면 입을 일도 없으니까요."

대답은 무뚝뚝하고 차가워서, 레나는 속으로 안도했다.

신의 평소 말투였으니까.

"식전?"

그 말에 답하는 목소리도 어딘가 자연스럽게, 평소와 다름없는 분위기로 나왔다. 좋아.

"입대식이나…… 수여식 같은 것입니다."

"아하."

전공이나 전상에 대한 격려나 위무, 사기고양의 목적으로 표창을 하는 것은 어느 군대고 같다.

배속된 지 얼마 안 지난 시덴은 몰라도, 연방군에서 2년의 경력을 가진 신과 라이덴의 기장은 뜻밖에도 숫자가 많았다. 아무래도 연공장은 아직 아닐 테니까 자격장이나 훈장이겠지. 두 사람 모두 〈레기온〉을 격파한 숫자가 탁월하게 많을 테니까 격파장 같은 것일까.

"보고 싶었어요. ……대통령 각하께 물어보면 사진이나 영상기록을 내주실까요?"

신의 서류상의 보호자인 연방 잠정대통령 에른스트 짐머만 씨는 아무래도 그런 기록을 적극적으로 남기기를 좋아하는 사람으로 보였는데.

아니나 다를까 신은 인상을 썼다. 엄청나게 싫은 기색이다.

"관두시지요. 봐서 재미있는 것도 아닙니다."

그렇게 말하는 걸 보면 뭔가 남긴 모양이다.

귀국하거든 물어보자고 레나는 생각했다. 에른스트에게 직접 묻는 건 아무래도 어렵겠지만, 그레테에게 물어보면 어떻게든 될 것 같다.

아무튼 오래간만에 나눈 잡담이 잘되서 레나는 속으로 안도했다. 다행이다. 미운털이 박힌 건 아닌 모양이다.

다음으로는 궁금하던 바를 물었다.

"저기…… 뭔가 걱정이라도 하는 건가요? 아까부터."

애초에 연합왕국령에 들어온 뒤로 계속 그랬다.

로그보드 터미널에 도착했을 때. 연합왕국 수도로 오는 차량 안. 왕성에 들어와서 준비된 숙소로 안내받은 어젯밤. 그때마다 시선이 엉뚱한 방향으로 향하곤 했다. 이 방으로 안내받은 뒤로도 그랬다. 뭔가를 신경 쓰고 있다. 인간의 귀에는 들리지 않는 소리를 들은 사냥개처럼.

"으음……."

그렇게 말을 꺼내다가 신은 잠시 입을 다물었다.

뭔가 곤혹스러워 하는 침묵이었다. 그 자신도 확신을 가지지 못하는 듯한 느낌.

"……〈레기온〉의 목소리가 근처에서 납니다. 정확한 숫자는 불명확하지만, 상당한 숫자가."

"예……?"

순간 소리를 지르려다가 레나는 다급히 자제했다.

구석에 서서 의아한 듯이 시선을 보내는 금발녹안의 취수종^{에 메 로 드} 시종을 곁눈질하면서 목소리를 낮추었다.

"왜 그걸 여태까지 말 안 했던 겁니까? 연합왕국에도 대위의 이능력 정보는 공유하고 있잖아요. 습격을 경고하는 정도는———."

무심코 목소리가 날카로워졌다.

단순히 〈레기온〉의 급습을 받는 것과 적습을 예상하여 준비를 갖추어 요격하는 것은 사상자의 숫자가 전혀 다르다. 신의 이능력만큼 정확하고 탐지영역이 넓은 색적능력은 어느 나라도 아직 갖추지 못했다.

신은 역시나 확신이 없는지, 곤혹스러워하는 얼굴이었다.

"너무 가깝습니다. 목소리의 거리를 보면 명백히 수도 안에 있군요. 제일 가까운 것은 이 왕성 안입니다. 침투했다고 생각하기는 어렵습니다."

아무리 그래도 일국의 수도다. 연합왕국의 최전선에서 수도 아르크스 스티리에까지는 거리도 상당하고, 거기에 상응하는 방비가 있다. 침투시킨다 해도 자주지뢰 하나 도달할 수 없겠지.

"길을 잃은 <ruby>방전교란형<rt>아인탁스플리게</rt></ruby>이라고 해도 숫자가 많으니까, 아마도 연구용으로 노획된 것이 아닐까요. 적어도 당장 전투가 벌어질 일은 없으리라고 생각합니다."

"──정확하진 않지만 완전히 틀리지도 않은 말이로군. 그 말처럼 위험은 없다. 무시해도 상관없어."

모르는 목소리가 말했다.

귀에 달콤하게 들리는, 의식 속까지 가만히 숨어드는 듯한, 연설에 익숙한 테너 목소리. 동년대 소년의 고음이 살짝 남은 목소리였다.

시종이 열어 준 문을 지나서 연합왕국의 자흑색 군복을 꼼꼼하게 챙겨 입은 소년이 들어왔다.

10대 후반의 소년 특유의 가느다란 체격. 연합왕국 왕후귀족들은 장발이 관습일 텐데도 머리를 짧게 쳤고, 북방민족 특유의 새하얀 피부와 호랑이처럼 날카로운 두 눈. 섬세함과 잔혹함을 겸비한 다소 중성적인 얼굴이 정말로 귀족적이다.

하지만 그 아름다움 앞에서 레나는 왜인지 검고 가느다란 뱀을 연상했다.

미끈대는 검은색의 비늘, 아름다운 벼락불 같은 눈동자.

인간의 정을 모르는 냉혈동물.

제왕의 자색 눈동자, 그 보석처럼 차가운 눈을 가느다랗게 뜨며 차갑게 웃었다.

"기다리게 했군, 제군. 나는 빅토르 이디나로크. 오늘부터 경들의 동료다. ……일단은 우리 일각수의 성에 온 것을 환영하지."

마노 바닥에 군홧발 소리를 뚜벅뚜벅 울리고, 그 자체로 우아한 옷자락 소리를 내면서, 왕자 전하는 걸어왔다. 가볍게 풍기는 것은 남방의 유향을 태운 냄새일까.

무심코 레나는 마땅한 예의도 잊고 바라보았다. 아름다운 얼굴, 그와 반대로 완전히 몸에 밴 군장의 위압감과 근엄함.

"정말로 왕자 전하가 직접── 오시는 거군요."

왕자 전하는 과장스럽게 한쪽 눈썹을 추켜세웠다.

"우리의 약점은 알 텐데. ……연합왕국은 〈레기온〉의 기반이 된 〈마리아나 모델〉을 개발한 곳이지. 가령 〈레기온〉 전쟁이 종결된다고 해도 그 뒤로 다른 나라들이 백안시할 가능성이 커."

"……."

〈마리아나 모델〉 개발과 〈레기온〉 전쟁에 직접적인 인과관계는 없다.

하지만 아마도 그 말이 옳겠지. 인간은 재난과 마주치면 그 원인을 찾는 법이다. 설령 그게 비약된 논리라도 자기가 당한 부조리함을 누군가의 탓으로 몰고 비난할 수 있도록.

"〈레기온〉을 개발한 제국의 후신인 연방보다는 그래도 낫겠지만. ……책임을 묻는다고 해도 인정하거나 답하지 않겠지만, 그런 소리를 듣지 않기 위한 성의는 보여야겠지. 민초들은 자국민도 지켜내지 못하는 정부보다는 구원의 손을 내민 다른 나라에게 머리를 숙이는 법이기도 하고."

그렇게 말하며 표표하게 어깨를 으쓱였다. ……군 생활이 긴 탓일까. 아까부터 거동이 별로 왕족답지 않다.

"그래서 왕족이 직접 순회공연을 한다. ……연방도 그렇겠지. 제86기동타격군. 타국 구원을 임무로 하는 소년소녀들의 정예부대. 같은 일을 땀내 나는 남자들이 하면 별로 아름답지도 않고 미담도 안 되지만, 비극적인 기원을 가진 앳된 소년병이라면 이야기는 다르지."

"……?!"

갑작스러운 말에 레나는 숨을 삼켰다.

연방시민의 일부가 에이티식스들에게 보이는 우월 섞인 연민은 보아서 알고 있다.

하지만 연방 정부조차도 그런 시선을 받는다는 전제로 타국의 동정을 부르기 위해 외교의 도구로 그들을 운용한다――?

인간은, 대체 어디까지.

갑작스럽게 차가운 목소리와 일그러진 미소가 되살아났기에 다급히 뿌리쳤다.

그럴 리는 없다. 인간은 그렇게 잔인한 존재가 아니다. 지금은 전시고, 궁지에 몰렸고, 추한 면만 보이는 걸지도 모르지만.

인간은. 세계는, 사실은――.

"전하……. 하지만, 그건……."

왕자 전하는 사교적으로 미소 지었다.

"음, 비카라고 부르면 돼. 경칭도 허식도 필요 없다. 군에서는 시간 낭비일 뿐이니까. 이쪽도 경들을 가문명으로 부르지. 그게 무례로 느껴진다면 고칠 테니까 말해 줘."

애칭으로 부르는 건 연합왕국에서는 아주 가까운 상대에게만 허락하는 행위다.

하물며 상대가 왕족이란 것을 감안하면 파격적인 대우라고 해도 좋지만, 이것은 친근함 때문이 아니라 그 말처럼 합리성을 중시한 결과겠지. 자기를 애칭으로 부르라고 하면서도 이쪽을 뻣뻣한 가문명으로 부른다니까.

상대에 맞춰서 자기소개를 하려고 입을 여는 레나에게 한 손을 들어 제지했다.

"허식은 필요 없다고 했을 텐데, 블라디레나 밀리제 대령. 경들의 자료는 연방이 공개했기에 사전에 읽었다. 일일이 이름을 댈 필요는 없어."

참고로 반대로 연합왕국은 그 자료를 공개하지 않았다. 적어도 레나에게는 오지 않았다.

"……뭐, 교류로서는 무례한 부류에 해당하겠지만, 그만한 여유도 없겠거니 하고 용서해 줘. 무엇보다도."

수도의 시가지를 내려다보는 커다란 창문. 밖을 보라는 재촉에 그쪽으로 시선을 주자, 왕자는 차갑게 입꼬리를 들어올렸다.

"보다시피 우리 연합왕국은 엄청난 위기상황에 처했으니까."

그렇다. 보다시피.

창밖에 무겁고 낮게 깔린 은색 구름과 늦봄인데도 하늘하늘 날면서 여러 색채로 내려서 쌓이는 하얀 눈.

연방에서도 꽃샘추위가 오는 시기는 지나갔고, 공화국이라면 성질 급한 여름 장미가 간간이 피기 시작할 시기. 아무리 북쪽의 대국이라고 해도 눈이 오는 한겨울일 리가 없다.

올려다본 레나의 시선 앞에서 구름은 때때로 은색으로 지상의 빛을 반사했다.

무수하게 많은 미세한 금속조각이 빛을 난반사하듯이.

무수한 나비가 날개를 흔들듯이.

"방전교란형———."

"그래. 하얀 상복의 여신에게 사랑받는 이 나라라도 이 계절까지 그녀의 베일에 갇힐 리가 없지."

연합왕국에서 겨울과 눈을 가리키는 표현으로 답하는 비카의 얼굴에는 웃음이 없었다.

북쪽 대지의 영혼마저 얼어붙는 겨울을 떠올리게 하는, 냉철한 시선.

"저 금속 구름——— 방전교란형의 초중층 전개 때문에 연합왕국은 급속하게 한랭화되고 있다. 수도를 포함하여 국토의 남부 절반 정도가 이미 놈들의 날개 밑에 있는 꼴이다."

방전교란형은 가시광을 포함한 모든 전자파를 교란하고 착란하고 굴절시키는 전자방해기다. 86구에서 전개될 때면 해가 가릴 정도의 은색 구름이 끼고, 보다 전개가 짙은 연방 서부전선에서는 최전선의 하늘이 항상 답답한 은색에 갇혔다.

하지만 이런 식으로 늦봄에 눈을 내리게 할 정도로, 그 정도로 태양광을 가릴 정도로 두껍고 광범위하게 전개한 사례는———.

"언제부터, 이렇게."

"경들이 〈목양견〉이라고 부르는 양산형의 지성화 〈레기온〉이 주력화한 뒤지. 즉 올봄부터인데."

역시——— 그런가.

"이대로 두면 남부의 곡창지대는 괴멸한다고 하는군. ……애초부터 태양의 은총이 부족한 나라다. 에너지의 주력은 지열과 화력, 원자력이지만, 전력 생산을 죄다 식량 생산에 돌리면 이번에는 방비가 못 버틴다. ……이대로 가다간 내년 봄이면 이 나라는 존재하지 않겠지."

가볍게 흔든 손에 반응하여 실내 중앙에 홀로그램 3차원 영상이 전개. 연합왕국의 국토를 간략하게 그린 입체지도. 이대로 현황을 설명한다고 짐작한 신이 다가가는 것을 시선 가장자리로 보면서 레나는 답했다.

"혹시 같은 수를 쓴다면 국토가 넓은 연방은 몰라도 그 이외의 국가는 못 버팁니다."

"그래. 그러니까 연합왕국을 시험장으로 삼았을 지금 단계에서 놈들의 의도를 꺾는다. 다행히 연방과 연합왕국의 목적지는 같다. ……경들이 찾는 〈무자비한 여왕〉은 〈레기온〉 제단(梯團) 안쪽, 방전교란형의 증산 거점인 용아대산 내부에 존재한다."

연합왕국의 전장인 용해산맥, 과거에 공화국과의 국경이 있던 곳 부근으로 표시가 바뀌었다. 용해산맥 안쪽에 자리 잡은 용아대산의 위용이 3차원 모델로 재현되었다. 생산거점은 내부에 있는 모양이다. 추정되는 적의 총량, 제일 가까운 전선과의 직선거리가 표시. 전선에서 직선으로 70킬로미터 남짓.

"용아대산 진군 및 제압. 그와 함께 〈무자비한 여왕〉의 노획이 이 협동작전의 목적이로군요."

"그렇지, '선혈의 여왕'. 경들은 달을 쏴서 떨어뜨려야 해."

용아대산이라는 이름처럼 하늘을 향해 솟구친 이빨 같은, 전형적인 빙하 침식형의 뾰족한 바위산을 바라보는 채로 레나는 입을 열었다.

"전하."

"비카다, 밀리제."

"실례했군요. 비카, 작전에 임하는 당신의 직할부대의 전력을 확인하게 해 주세요. ──연합왕국은 자율식 무인병기를 국방에 이용한다고 들었습니다."

그것이 국력면에서 연방에게 뒤지는 연합왕국이 영토를 지킬 수 있었던 이유라고 들었다.

비카는 야유하듯이 살짝 웃었다.

"반자율식이다. 〈레기온〉이라는 사례를 보면서 완전자율식 무인병기를 전선에 투입하는 멍청한 짓은 하지 않아. 애초에 연합왕국도 〈레기온〉과 동등한 자율성의 재현에는 이르지 못했고."

"그건…… 비카조차도 재현할 수 없다는 말입니까?"

"아니. 단순히 내게 그럴 뜻과 시간이 없다. 제대로 달라붙으면 할 수도 있겠지만."

왕자 전하는 태연히 그렇게 말했다.

조금 어려운 요리법을 말하는 듯한 분위기였지만, 거기 걸린 것은 그의 왕국의 국토와 국민의 목숨이다. 그것도 한둘이 아니다.

　그것을 태연히 '그럴 마음이 없다'라며 털어낸다. 레나로서는 평등을 내건 공화국에서는 보기 어려운, 고귀한 혈통의 잔혹함을 살짝 목격한 듯한 기분이었다.

　온기가 없는 고귀한 피.[블루 블러드]

　"경들이 말하는 무인기는 〈알카노스트〉라고 한다. 반자율식, 집단전 사양의 펠드레스. ……전군에서 그 비율은 유인식인 〈바르슈카 마투슈카〉와 반반이지만, 내 직할부대만큼은 거의 전기가 〈알카노스트〉다. 〈바르슈카 마투슈카〉는 내 것을 포함해서 지휘소 호위밖에 없군."

　"반자율……이라면 인간이── 지휘관제관이[핸들러] 원격으로 조작하는 것이로군요. 조작방법은 무선입니까? 방전교란형의 전자방해를 어떻게 돌파하죠?"

　"〈알카노스트〉는 경들이 지각동조라고 부르는 기술로[파라 레이드] 핸들러와 접속하고 있다."

　레나는 의아스럽게 눈썹을 찌푸렸다.

　지각동조는 인류 모두가 공유하는 집합무의식을 경유하여, 주로 청각을 동조하는 것으로 물리적인 거리, 장애를 초월하는 통신수단이다.

　그 자체는 아주 획기적인 기술이지만, 인류의 집합무의식을 경유하기에 인간 이외에는── 물론 의식 자체가 없는 기계와는 통신할 수 없다.

그럴 터인데.

"어뗗, 게……."

"음, 지금 보여주지. ──레르케, 있나?"

그리 크지 않은 부름에도 두꺼운 문 너머에서 대답이 돌아왔다.

"물론 곁에 있습니다."

"소개하지. 들어와라."

"옙."

문이 열렸다.

대화를 하기에는 다소 먼 곳에서, 사람의 실루엣이 빠릿빠릿한 동작으로 무릎 꿇었다.

"처음으로 존안을 뵙니다. 소신은 빅토르 전하의 검이자 방패. 근위기사 레르케라 합니다."

작은 새가 지저귀는 듯한, 높고 투명하고 아름다운 목소리가 말했다.

"공화국의 '선혈의 여왕' 님도, 연방의 '저승사자' 님, '늑대인간' 님, '애꾸눈 공주' 님도 그 무명을 그야말로 익히 들었습니다. 특히나 저승사자님에게는 꼭 한 수 지도편달을 부탁드리고 싶을 따름이옵니다."

거듭 말하지만 새가 지저귀듯이 아름다운 목소리가 말했다.

"또 그쪽의 사랑스러운 공주님에게는, 우리 하얀 설국에 잘 오셨다고 말씀드리겠습니다. 눈놀이라면 얼마든지 함께해드릴 테니, 사양 말고 말씀해 주셨으면 할 따름이옵니다."

끈덕지게 하는 말이지만, 아름다운 목소리가 말했다.

"……미안, 잠깐 기다려 줘."

가볍게 한 손을 들며 비카는 그 자리를 떠났다.

성큼성큼 그 인물에게 다가가더니, 무릎 꿇은 자의 머리 위에 대고 소리쳤다.

"레르케! 그런 식으로 말하는 것 좀 고치라고 했지!"

확 고개를 쳐든 것은 꼼꼼하게 땋아 올린 금발과 커다란 녹색 눈동자의 취수종 소녀였다.

그 나이는 비카, 그러니까 레나나 신과 비슷할 정도. 붉은색 천에 금색 술로 장식한 고풍스러운 군복을 입었고, 허리에는 의례용 검을 차고 있었다.

전체적으로 조그맣고 사랑스러운 얼굴, 가느다란 눈썹을 깐깐하게 곤두세우면서 반발했다.

"무슨 말씀을……. 전하, 무슨 말씀을 하십니까! 이것은 소신의 충성을 드러낸 바, 아무리 전하의 말씀이라고 해도 응할 수는 없사옵니다!"

"주인이 싫다는데 충성이랍시고 고집하는 놈이 있냐! 넌 바보냐, 일곱 살 꼬맹이!"

"좋은 약과 마찬가지로 충언이란 입에 쓴 것이옵니다, 전하! 고로 소신도 눈물을 삼키면서 일부러 전하에게 엄하게 대하는 것입니다. 그것을 의심하신다니, 소신은 그저 안타깝고……!"

비카는 머리를 싸쥐었다.

"으아아아아, 진짜! 한 마디 하면 두 마디로 대꾸나 하고……! 이 녀석의 언어를 조율한 건 대체 누구야……!"

"전하, 외람되지만 소신의 조정은 모두 전하께서 직접……."

"알고 있어! 지금 그건 푸념이다! 그냥 넘겨!"

"예, 실례했습니다……."

소녀는 순순히 고개를 숙였다.

왠지 어울리지 않는 그 모습이 우스워서 레나는 안 된다고 생각하면서도 웃었다.

시체의 왕이라고 하길래 어떤 인간인가 싶었는데, 사이좋은 종자와 장난치는 모습을 보면 정말로 평범한 동년배 소년이다.

"……뭐라고 할까. 평판과 실제는 역시 다르네요."

옆에 있는 신에게만 들리는 작은 목소리로 말했다.

대답은 없었다.

올려다보자, 신은 왠지 딱딱한 표정으로, 의심 어린 눈초리로 문 앞의 주종을 바라보고 있었다.

정확하게는 레르케라는 이름의 붉은 군복의 소녀만을.

"대위……? 왜……."

그 말을 가로막으며 신이 입을 열었다.

"……전하."

비카가 흥미롭다는 듯이 눈을 가늘게 떴다.

그 성질 고약한 호랑이 같은, 그 성질을 가장했을 뿐인 정 없는 뱀 같은 제왕색 눈동자.

"거듭 말하는데. 비카라고만 부르면 된다, 노우젠."

"그럼 비카. ……그것은 뭡니까?"

"대위……!"

그 말이 가리키는 게 레르케라고 깨닫고 레나는 나무랐다.

한편 비카는 희미하게 웃었다.

"호오. 역시나 저승사자라는 별명은 헛것이 아니로군. ……레르케."

"예."

"보여줘라."

"예."

레르케는 척척 일어나서, 기사가 투구를 벗듯이.

자기 머리를 떼어서 손에 들었다.

이때 잽싸게 한 걸음 물러난 레나를 나무랄 사람은 아무도 없으리라.

"뭐……?!"

프레데리카는 커다란 눈을 동그랗게 뜨고 얼어붙었고, 라이덴과 시덴도 기대고 있던 벽에서 몸을 뗐다. 어지간한 일에는 꿈쩍도 않는 신조차도 험악한 눈을 했다.

비카 혼자만이 태연했다.

"소개하지. 그녀는 인조요정 〈시린〉 1번기. 우리 연합왕국의 기술의 정수이자 호국의 핵심."

가볍게 흔든 손에 방 어딘가에 있던 센서가 반응한다. 날씬한 그 몸 옆에 홀로그램이 전개되었다. 이것이 〈알카노스트〉겠지. 〈저거노트〉보다 가냘픈, 장갑이 있는지도 의심되는 펠드레스의 3차원 화상. 크기가 작아서 사람이 한 명 간신히 들어갈 정도의 콕핏

이 동체에 있다.

"반자율 전투기계 〈알카노스트〉——그 제어용 코어 유닛이다."

에이티식스는 인간이 아니니까, 그들을 태우면 그것은 유인기가 아니라 무인기다.

공화국의 〈저거노트〉와——똑같은 발상이다.

레르케의 머리와 몸은 혈관이나 신경을 떠올리게 하는 튜브나 코드가 이어져 있었다.

"인간……입니까?"

비카는 쓴웃음처럼 실소를 흘렸다.

"이걸 보면서도 그걸 묻는가, '선혈의 여왕'. ……지금 노우젠은 뭐라고 했지? 왜…… 그만이 바로 알아봤다고 생각하지?"

레나는 숨을 삼켰다.

신은 〈레기온〉의 목소리를 듣는다. ——정확하게는 망국이 남긴 기계망령, 그 안에 갇힌 전사자의 목소리를 듣는다.

눈앞의 소녀의 모습을 한 것은 〈레기온〉이 아니다. 〈레기온〉은 인간의 형태를 취하지 않는다. 인간과 너무 비슷한 병기는 금칙 사항에 걸려서 만들 수 없다.

그렇다면 그녀는——.

레나가 답을 말하는 것을 제지하듯이 신이 입을 열었다.

"사망자의 뇌를. ……그 자체는 아니더라도 복제품을 중앙처리계로 쓴 건가."

핏빛 눈동자는 레나도 처음 볼 만큼 험악한 빛으로 비카를 노려보고 있었다.

〈레기온〉에 갇힌 동료들의 한탄을 듣고, 그중 한 명인 형을 없애기 위해 계속 싸운 신에게, 어쩌면 눈앞의 소녀는, 그것을 만든 연합왕국의 행위는 무엇보다 용서하기 어려운 모독일지도 모른다.

산 자와 죽은 자의 경계를 침범하는 짓은.

죽음으로 안녕을 얻은 이를 붙잡다가 전투를 위한 도구로 다시금 전장에 가두는 짓은——.

보통 사람이라면 몸을 사릴 만큼 차가운 시선이었지만, 비카는 꿈쩍도 하지 않았다.

"정답이다, 86구의 저승사자. 그녀의—— 그녀들의 중앙처리계는 인간의 뇌구조를 복제하여 재현했지."

우연일까. 아니면 그것을 모방한 걸까.

지성화된 〈레기온〉—— 〈양치기〉와 똑같다.

"잠깐만 기다려보세요. 원래 인간이라면. 그렇다면."

레나의 목소리는 본인도 알 수 있을 만큼 딱딱하고 날카로웠다.

연합왕국은 대륙에서 유일한 전제군주국이다.

국민은 모두 왕족의 자산이다.

"그 인간은—— 대체 어디서, 어떤 이유로."

비카는 재미있다는 듯이 고개를 갸웃거렸다.

"오만한 전제군주가 거부하는 백성들을 억지로 해체했다고? 애석하게도 이디나로크 왕가는 그렇게 어리석지 않아. 무의미한 압정 끝에는 단두대의 입맞춤이 기다린다는 정도야 배웠지. ……재료는 어디까지나 지원자뿐. 적출한 것은 전사한 뒤다. 엄밀하게는 죽기 직전이지만, 〈시린〉에 몸을 바치기로 사전에 지원한 군인이 부상자 판정에서 회생불능 판정을 받았을 경우에만 뇌구조 스캔 과정으로 돌려진다. 지원했다고 해서 구할 수 있는 생명을 스캐너로 보내는 일은 없고, 지원을 강제하는 일도 없어."

전장 같은 위험지대에서는 치료가 필요한 자에 비해 의사가 부족하다. 이런 경우 보다 많은 사람의 목숨을 효율적으로 구하기 위한 조치가 트리아지다. 생명에 큰 지장이 없는, 혹은 아직 유예가 있는 부상자를 나중 순서로 돌리고, 일분 일초가 급한 구명조치가 필요한 자부터 우선적으로 치료한다. 그걸 위한 부상자의 선별 조치.

그중에서 '블랙 태그(회생불능)'란 치료해도 살릴 수 없는 이들을 가리킨다. 붙는 태그가 검은색이라서 그렇게 불리는, 아직 숨이 있지만 이미 늦어서 조만간 죽을 자의 총칭.

"데이터화한 뇌구조는 인조세포로 재현되어서 기억 소거와 유사인격 입력을 마친 뒤에 〈시린〉의 두개골 안에 수납된다. 즉 그녀들은 전사자를 토대로 했지만, 전사자 자신은 아니다. 그런데도 들을 수 있다니 뜻밖이지만."

"하지만 왜…… 그런 짓을."

똑같이 전사자의 뇌를 이용한다고 해도 〈레기온〉은 병기다. 윤리도 정의도 갖지 않았다. 그러니까 그래도 이해가 간다.

하지만 비카는 인간이다. ……인간일 터이다.

"왜? 당연하지. 아무리 없애도 솟아나는 〈레기온〉에 비해 인간은 유한하다. 재생산에도 한도가 있다. 이 이상 죽는 숫자를 줄일 수 없다면, 이미 죽은 자를 재이용할 수밖에 없겠지. 늑대 사냥에는 늑대개를. 흡혈귀 사냥에는 흡혈귀를."

망령^{레기온}에는 망령^{시린}을.

오한을 동반하는 도착이고 모독이었다.

레나가 느낀 전율 따윈 전혀 모르는 듯이 비카는 웃었다. 뱀처럼. 정이라고는 모르는, 마음을 갖지 않은 동물처럼.

'시체의 왕'.

인정이 없고, 그래서 인류를 모르는——냉혈한, 죽은 자들의 왕.

"그런…… 그런 것이, 무인기, 입니까……?!"

"그렇게들 말하지. 하지만 익숙해지지 않으면 곤란해. 말해 두 겠는데, 연합왕국이 기동타격군에 공여하는 병력이란〈시린〉과〈알카노스트〉다. 내 직할부대니까."

그렇게 말하며 북쪽 대지의 왕자는 느긋하게 웃었다. 전율하는 레나도, 험악한 눈으로 바라보는 신도, 꿈쩍 않고 마주 보면서.

"우리가〈레기온〉을 몰아내든가, 놈들이 인류를 청소할 때까지. ……함께 잘 지내보세."

대륙 북서부에 권세를 자랑하는 대국의 왕성이다. 숙소로 주어진 이궁의 방은 쾌적하고 사치스러우며 아름답다.

86구의 강제수용소나 전선기지의 조악한 잠자리와는 하늘과 땅 차이가 나는 깃털침대에서 뒹굴면서 시덴은 참 멀리까지 왔다고 생각했다. 익숙지 않은 깃털침대라고 불편한 건 아니지만, 오래 있다간 몸도 마음도 무뎌지겠다는 생각은 슬쩍 들었다.

무슨 꽃이나 허브 향기가 품위 있게 나는 시트를 손바닥으로 누르며, 브리싱가멘 전대의 부장인 샤나가 드러누운 그녀의 위에 올라탔다.

"저기, 시덴."

눈도 주지 않으며 시덴은 대충 대답했다.

"으음."

"괜찮을까?"

"으음……."

무엇이? 라는 게 빠진 질문이었지만, 오래 알고 지낸 사이인 만큼 명시하지 않아도 안다.

아무래도 그건 너무 쇼크였겠지. 낮에 왕자 전하와의 만남 이후로 레나는 계속 말이 없었고, 숙소 거실의 소파에 앉은 채로 움직이지 않는 그 모습을 걱정한 신이 지금 곁에 있을 것이다.

"어쩔 수 없잖아. 여왕님이 택했으니까."

"하지만."

양쪽의 색깔이 다른 두 눈동자로 시덴은 마침 머리 위에 위치한 창문을 올려다보았다.

"저승사자가 좀 더 나쁜 녀석이었으면 고민도 좀 하겠지만. 뭐, 저거라면 괜찮아."

아슬아슬하게 허용하지 못할 것도 없다는 거지, 결코 인정한 건 아니지만.

"……언제 모든 게 끝나버릴지 지금도 알 수 없잖아. 여태까지랑 마찬가지라면, ……그럴 수 있는 동안은 그러고 싶은 녀석과 있게 해 줘야겠지."

†

"──이거 참 지독한 추위지만…… 번화한 곳이로구나! 전시의 도시라고는 생각할 수 없을 정도로."

연합왕국 수도 아르크스 스티리에는 연합왕국의 역사만큼이나 긴 역사를 가진 도시다.

번영과 발전, 전란을 거듭하면서 복잡하게 뒤얽힌 시가지와 수백 년 동안 다양한 양식의 건물이 뒤섞인 독특한 경관. 벽면을 밝은 색채로 선명하게 칠하는 경향은 1년 중 절반을 눈 속에 갇혀 지내는 북국의 풍토 때문일까.

오늘도 방전교란형의 구름이 햇살을 가로막고 눈이 다소 흩날리는 날씨지만, 메인스트리트를 오가는 수많은 사람들, 화려한 상점과 노점상이 모인 마켓.

공화국 군복 위에 연방의 검은 코트를 걸친 레나는 활기 넘치는 그 모습에 눈을 크게 뜨고 둘러보았다. 같은 코트 차림인 아네트나 그레테나 프레데리카, 호위로 따라온 라이덴도 신기하다는 표정이었다.

"조금 시간이 나니까 우리 나라의 수도를 보고 오게나. 여성분들은 쇼핑을 하고 싶을 테고."

해골처럼 바짝 마른 기술원 원장이 그렇게 말한 것은 오늘 아침 식사 후의 일이었다. 그건 배려가 절반이고, 나머지 절반은 외교의 일환이겠지. 10년 넘는 세월 만에 찾아온 다른 나라의 영관급 군인에게 자국의 여유와 번영──그것을 유지하는 군의 강건함을 슬쩍 과시하기 위해서.

됐다고 사양한 시덴과 샤나, 비카에게 불려간 신은 왕궁에 남았는데, 그럴 거면 군사박물관 견학은 어떠냐는 근위병의 말에 시덴과 샤나는 그쪽으로 갔다.

"역시…… 북방대국 로아 그레키아, 그 천년도읍이군요……."

"조금 숨을 돌리고 싶었으니까 원장의 배려는 고맙네. 역시 그 기술은 받아들이기에 저항이 좀 있어서."

"지각동조 쪽은 서로 수확이 있어서 다행이지만요. ……뭐, 지원자로 하고 안전에 배려한다고 해도, 인체실험 기록이 마구 나오는 건…… 좀 많이 그렇지만요……."

어정쩡한 쓴웃음을 나누며 그레테와 아네트가 말하는 것은 〈시린〉과 그 관련 기술 이야기다. 그 이야기를 들은 그레테는 도무지 연방에서는 이용할 수 없다 싶어서 머리를 붙잡았다.

아름다운 시가지를 구성하는 건물 중 일부는 병영이나 무기고, 왕도 방위사단 본부 같은 군사시설로, 오가는 사람들 중에도 연합왕국의 자흑색 군복을 입은 이가 많았다. 연방과 마찬가지로 이 나라에서도 군인은 어느 정도 경의의 대상인지, 젊은 양금종^{헬리오돌} 여군인에게 청자색 눈동자의 소근종^{아이올라} 장년 남성이 인사하고 지나갔다.

거리를 둘러보며 아네트가 말했다.

"자계종이 신민이고, 속령의 이민족이 예속민이랬나. 하지만 예속민이라고 해도 그냥 평범하게 생활하네."

자계종 순혈—— 신민 아이와 타민족인 예속민 아이가 당연하다는 듯이 같이 공놀이를 하고 있다. 카페의 한 테이블에 색채가 다른 두 사람이 커피와 대화를 즐기고, 시장 한구석에는 노점상인 천청종(셀레스타) 아줌마와 담등종(타페) 부인이 큰 병에 든 벌꿀의 가격을 놓고 격렬한 대화를 벌이고 있었다. 이윽고 흥정이 끝났는지 덥썩 악수하고 상품과 지폐를 교환하며 웃는 얼굴로 헤어졌다. '또 올게요.' '건강하세요.' 하고 서로 만족한 듯한 소리가 들려왔다.

전체적으로 예속민이 노동계급, 신민이 중산계급에 속하는 비율이 높고, 그렇기 때문에 복장이나 소지품에 질이나 격의 차이도 있지만, 예속민이 노예나 불가촉 천민—— 에이티식스처럼 열등종으로 대접받는 기색은 없다.

안내와 통역을 맡은 왕궁의 위병이 웃었다. ……연합왕국의 공용어는 연방이나 공화국과는 방언 정도의 차이밖에 없지만, 애초에 다른 문화권에 속한 피정복민인 예속민 중에는 전혀 다른 언어로 말하는 이도 있다.

"신민은 군역을, 예속민은 생산을 맡으니까요. 있는 그대로 말하자면 병역의 의무를 지느냐, 납세의 의무를 지느냐의 차이입니다. 작금은 전쟁 중이라서, 왕실에서는 예속민들의 지원 입대도 장려합니다만."

바로 저 사람이 그렇다면서 위병 하나를 가리켰다. 소위 계급장을 갓 단 듯한 스무 살 언저리의 비강종<ruby>루비스<rt></rt></ruby> 청년이 조심스럽게, 그러면서도 자랑스럽게 웃었다. 그렇다면 적어도 마땅한 자격을 가진 이에게는 고등교육도 개방되었을까.

비카의 말처럼 연합왕국은 전제군주국이지만, 압정을 펴는 건 아니겠지. 반란이나 내란의 불씨가 되는, 국민 사이의 반목을 부를 만한 필요 이상의 계급 격차도 없다.

그랑 뮬 건설도, 그걸 위한 자산 공출도, 병역도, 모두 다 에이티식스에게 떠넘긴 끝에 열등종의 낙인을 찍은 공화국과는 달리.

"……밀리제? 왜 그러나요?"

"아뇨."

모호하게 고개를 내저은 뒤에 레나는 고개를 갸웃거렸다.

"그런데. ……비카는 신에게 무슨 볼일이 있는 걸까요?"

코트를 입고 오라는 말이 있었던 만큼, 지하로 이어지는 그 계단은 매우 추웠다.

"왕국 최북단에 있는 설와연산. 거기서 왕국의 지하까지 이어지는 얼음동굴 깊숙한 곳에 만들어진 왕릉이다. 여기 얼음은 녹는 일이 없고, 그러니까 여름에도 아주 춥다. ……실수로 고용인의 아이가 들어왔다간 큰 소동이 나지."

그 자체가 푸르게 빛 바란 살얼음 같은 한빙석 계단은 완만한 나선을 그리며 지하 깊숙한 곳으로 이어졌다. 빛을 뿌리며 무지갯빛으로 반짝이는 여광조개의 상감조각.

연방군 제식의 트렌치코트는 대륙 북쪽에 위치하는 연방의 추운 겨울 참호전을 위해 만들어진 것이다. 방수성도 방한성도 대단히 뛰어나다. 하지만 숨을 쉴 때마다 폐부에 꽂히는 냉기에 신은 눈썹을 찌푸렸다.

　앞서가는 비카의 숨도 마찬가지로 하얗다.

　"……과거, 아주 먼 옛날에. 귀한 핏줄이란 바로 왕족이고, 왕이란 지상에 내려온 신으로 이능력을 가진 자였다. 염홍종의 정신감응, 야흑종의 무력, 백은종의 위압. 그 대부분은 혈통과 함께 세월 속에 흐려져 사라졌지만, 오래된 왕가나 귀족이 현대까지 권력과 혈맥을 남긴 땅은 다소 있다. 기아데 제국이나 우리 연합왕국처럼. 그중에서 자영종은 지능의 강화. 있는 그대로 말하자면 극단적인 천재가 태어나기 쉬운 혈통이란 소릴까."

（루비: 파이로프 / 오닉스 / 셀레나 / 아마티스타）

　울리는 발소리는 하나뿐이다. 신은 발소리를 내지 않고, 여기에 그 말고는 비카밖에 없다.

　지휘관인 그가 만날 일이 있다면 레나겠지만, 여기에 불려온 것은 신뿐이다. 장기말 정도로밖에 인식하지 않는 게 보통일, 일개 프로세서에 불과한 신만을.

　의도를 알 수 없다.

　〈시린〉을 보고 강한 혐오감을 품은 것도 있어서 질문하는 목소리는 아주 쌀쌀맞아졌다. 애초에 신은 권위란 것에 경의를 표할 필요를 느끼지 않는다.

　"……왜 그 말을 내게?"

　"? 경도 염홍종의 이능력자겠지. 마이카의 혈족이신 자네 모친을 포함해 모든 가족을 다른 에이티식스와 마찬가지로 박해로 잃었다고 들었다. ……다소 알고 싶을 줄 알았는데, 아닌가?"

"흥미는 없어."

"흐응?"

돌아보는 비카는 왠지 의아해하는 표정으로 이쪽을 올려다보았지만, 결국 다시 앞쪽을 보며 어깨를 으쓱였다.

"뭐, 애석하지만 경은 관심이 없어도 내 이야기에는 필요한 전제로군. 지루하겠지만 좀 어울려주게."

길게 이어지는 계단의 마지막 단을 비카가 내려갔다. 까…………앙, 하는 군홧발 소리와 메아리가 차가운 석조 공간에 녹아서 사라졌다.

오랜 세월을 겪은 통로치고 뜬금없는 최신식 금속문이 비카의 뭔가를 인증하여 자동으로 열렸다. 소리도 없이 흘러나오는, 계단에서의 그것과는 비교도 안 되도록 차갑게 얼어붙은 공기를 개의치 않으며 미끄러져 들어갔다.

"──우리 왕가는 자영종의 마지막 이능력 혈통이고, 동시에 사라져 가는 온갖 예지의 파수꾼이려고 한다."

어둠 속에 빛이 켜졌다.

투명한 빛이 그 공간을 찬란히 밝히며 빛났다.

그곳은 한없이 투명하고 푸른색으로 빛나는 얼음만으로 형성된 거대한 돔 안이었다.

얼음이 너무 두꺼운 탓에, 그 안쪽에 있어야 할 바위벽이 전혀 보이지 않았다. 한없이 투명하고 바닥이 보이지 않는 진한 청색.

이교의 예배당 같은 돔 천장에는 무수한 고드름이 맺혔고, 그것은 그 공간에서 안쪽으로 뻗은 얼음길로 이어졌다. 이런 장소에까지 있나 싶어서 기가 막힐 정도로 정교한 공작 날개 무늬가 공작석과 자수정으로 조각되어서 얼음벽 표면 곳곳에서 빛났다.

　하지만 제일 먼저 시선이 멈춘 것은 자연과 인공이 조화를 이룬 그런 모습이 아니다.

　돔의 얼음벽을 따라서, 그리고 안쪽 길 양편에. 수정덩어리처럼 줄줄이 놓여 있는, 이루 헤아릴 수 없는 얼음의.

　관.

　알 같은 모양의 은과 유리 세공. 하나같이 그 안에 한 명씩, 자흑색 군복이나 드레스를 입은 사람이 들어 있다. 대다수는 성인 사이즈지만 그중에는 아이나 아기도 있었다. 유해의 일부밖에 남지 않은 듯한 꾸러미나 유품만 든 관도 간간이 보인다. 내부는 투명도 높은 얼음으로 채워졌고, 레이저 조각으로 일각수의 문장이 새겨진 유리 표면에 살짝 성에가 맺혀 있었다.

　그 중심에서 비카는 돌아보았다. 은회색 코트의 자락을 살짝 펄럭이며.

　"그 상징으로서 유해를 보존하는 거지. 이디나로크의 직계는 전원이 이 얼음왕릉에 보존되고 있다. 초대 정도쯤 되면 아무래도 이미 미라인 모양이지만. ……어디 보자."

　그중에서 하나, 딱 그의 뒤에 있는 관을 한 손으로 가리켰다. 그 옆에는 아직 비어있는 관. 그 안에서 살짝 눈을 감고 물속에 떠 있듯이 두 팔을 펼친 여성의 관을.

"마리아나 이디나로크. ──내 어머니다."

　얼음 관에 봉인된 여성의 유해는 그 앞에 선 비카와 많이 닮았다.
　나이와 성별에 의한 차이가 없으면 빼다 박았다고 할 정도였다.
나이는 20대 후반에서 30대 초반, 연합왕국의 왕족의 정장인 듯
한 화려한 보라색 드레스를 입고, 훌륭하게 커팅된 보석을 박은
은 티아라를 이마에 쓰고 있었다.
　그 점까지 보았을 때 신은 위화감이 들었다.
　마리아나 왕비의 유해가 쓴 화려한 은 티아라.
　관을 쓰고 있는 것은 여기 잠든 이들 중 그녀뿐이었다. 게다가
장신구를 잘 모르는 신조차도 알 수 있을 만큼 위치가 이상하다.
아무리 그래도 눈 바로 위에 그런 것을 달지는 않는다.
　그리고 은색 광채 아래, 하얀 이마에 가로로 난 붉은 일직선.
　산 자와 달리 죽은 자의 상처는 낫지 않는다. ──절개된 상처는
영원토록 사라지지 않는다.
　비카는 희미하게 웃었다.
　"알아차렸나. ……그래, 어마마마의 유해에는 뇌가 없다. 13년
전에 내가 적출했으니까."
　그런 말을 들으면 모를 수가 없었다.
　〈레기온〉이 개발되기 2년 전. 그리고.
　마리아나.
　"마리아나 모델……인가."

"그래. 모든 인류의 재앙인 〈레기온〉. 그 토대가 된, 모든 것의 시작인 인공지능. 그 재료가 된 것이── 내 어마마마다."

정확하게는 그녀의 뇌가.

신은 살짝 쓸쓸함을 느꼈다.

그랬기에 레기온은 죽은 자의 뇌구조를 적출하여 중앙처리계의 대체품으로 삼는다는, 다소 비약한 발상을 했던 것이다. 그것이 상정한 대로 정확하게 기능한 것도.

애초에 인간의 뇌를 기초로 하여 인간의 뇌를 재현하려고 한 것이라면.

하지만.

"……왜?"

짤막한 질문에는 사실 수많은 의문이 담겨 있었다.

왜, 그런 것을 만들려고 했나.

어머니의 유해를 망가뜨리면서까지. 생사의 경계를 침범하면서까지.

유체라고 해도 어머니를── 실험대로 삼으면서까지.

비카는 담담하게 어깨를 으쓱였다.

"만나고 싶었으니까."

동갑이라는 연령과 수려한 외견과 달리. 조그만 아이 같은 목소리와 어조였다.

"어마마마는 나를 낳은 직후에 돌아가셨다. ……난산이었고 출혈이 너무 많았다. 그 자체는 출산인 이상 일어날 수 있는 일이고, 아바마마의 조사로도 아무런 사건성이 없다고 확인되었다. 다만."

그렇게 말하고 비카는 뒤에 있는 관 속 어머니를 올려다보았다.

어쩌면 그를 만진 적도 없을지 모르는 그 하얀 손.

"나는 어마마마의 목소리도 모른다."

조용히 흘러나온 말은 주어진 적도 없었던 뭔가에 굶주려 갈망하고── 그렇기에 너무나도 적막하게 울렸다.

"아무리 이디나로크의 이능력자라고 해도, 태어난 직후의 일을 기억할 수는 없지. 아바마마나 자파르 형님, 유모들은 기억하는 데까지 어마마마의 이야기를 해 주셨지만, 그걸로 메워질 공백이 아니었다."

"……."

"──하지만, 그렇다면."

씨익. 그때 얇은 입술이 갑자기 처절하고 흉악한 웃음을 띠었다.

추억에 잠긴 채로 제왕색의 두 눈동자를 빛내며 비카는 웃었다. 마물처럼. 악귀처럼.

13년 전. 지금으로서는 상상도 할 수 없을 만큼 어렸던 비카도 똑같은 웃음을 띠었을 것을 왜인지 알 수 있었다.

그 천진난만할 정도의 웃음.

"모른다면, 잃어버렸다면, 되살리면 된다. 그렇게 생각했다. ……어마마마의 유해는── 뇌는 그 기억과 인격과 함께 여기에 보존되어 있었으니까……!"

망집.

마땅히 있어야 할 제어가 없다. 인간의 유해를 파헤치고, 그 기억과 인격을 기계 그릇에 가두고, 생사의 이치를 비튼다. ……그런 금기를 범하는 것에 대한 죄악감도 두려움도, 그 제왕색 눈동자에는 추호도 존재하지 않는다.

선악의 구별도.

그저 자기 욕망만을 절대시한다.

그——냉혈함.

느껴본 적도 없는, 오한과도 비슷한 두려움과 전율을 신은 느꼈다. 자기 눈으로 볼 수 없는 자기 표정이 험악함을 띠고 있음을 자각했다.

눈앞에 있는 것은, 인간이 아니다.

인륜과 도리도 아랑곳하지 않고, 그저 자기 욕망만을 위해서 움직이는—— 순수하고 티 없는 괴물이다.

꾹 억누르면서 물었다.

"……그래서?"

비카는 가볍게 어깨를 으쓱였다.

"그래. 실패했다."

산 자와 죽은 자가 만나는 것은 불가능하다.

그 이치를 뒤엎는 것은 아무리 비카라도 불가능했다.

"어마마마의 뇌는 헛되이 사라지고, 나는 왕비의 유해를 망가뜨린 죄로 왕위 계승권을 박탈당했다. 그런 건 애초부터 필요 없었으니 상관없지만…… 그때는 아직 어마마마를 체념할 수 없었다."

자신이 너무 어렸기 때문에 실패했던 걸까.

지식이 부족하니까, 이론에 구멍이 있으니까—— 뭔가를 그르쳤으니까 실패했다고.

그때의 비카는 아직 세계를 그런 식으로 생각하고 있었다.

올바른 방법으로 올바르게 실행하면 올바른 결과가 나온다고.

세계란 그런 식으로 정밀하게, 정확하게 돌아갈 터라고. 순수하게 그렇게 믿었다.

분명히 잘될 터였다고.

"그래서 공개 네트워크에 모든 데이터를 업로드했다."

그것이 여러 나라의 군사 밸런스를 뒤흔들지도 모르는 행위임을 그때는 생각도 못하고.

막내라고 해도 비카는 당시 대국의 왕자다. 이름도, 고작 다섯 살이라는 나이도 공개되었다. 제대로 된 논문의 형태도 취하지 못한 그 문장과, 죽은 자의 부활이라는 황당한 목적도 있어서, 대부분의 연구자들은 어린 왕자 전하의 장난이라며 제대로 읽어보지도 않았지만.

"그리고—— 제레네 빌켄바움 소령과."

"그래. 몇몇 나라에서 말을 걸어온 괴짜 중 하나가 그 여자였다."

작성자의 나이와 유치한 문장에 현혹되지 않고, 그 새로운 인공지능 모델의 유용성을 알아차린 자 중 하나가 그 당시 황립군사연구소에서 자율병기의 연구에 임했던 제레네였다.

"제레네가 뭘 연구하는지는 알고 있었다. 그녀가 무슨 생각으로 자율병기를—— 〈레기온〉을 연구했는지도. 하지만."

그것이 자기 자신에게 칼날을 들이댈 때까지. 제국 이외의 모든 국가에 이빨을 드러낼 때까지.

자신이 원해서 취한 행동의 귀결을 이해하지 못했다——.

"선전포고 때는 이미 제레네가 이 세상에 없었다는 모양이지만. ······간접적이라고 해도 경에게서 조국을, 국가를 빼앗은 것은 나다. 미운가?"

가볍게 두 팔을 펼쳤다. 옷자락이 흔들리는 기색을 보면 권총 같은 것도 없고, 호위 한 명도 데리고 있지 않은 무방비함.

아마 그 나름대로의 성의겠지. 왜냐면 비카는 신을 불러낼 때 권총 휴대를 막지 않았으니까.

86구에서의 습관이 아직 남아서 휴대하고 있는 권총. 익숙한 그 무게에 의식을 주면서 대답했다.

"──아니."

공화국을 조국이라고 생각한 적은 없다.

가족도, 그들이 있을 때의 정경도, 이미 거의 기억하지 않는다.

빼앗겼다고 표현한다면 맞는 말이겠지.

그래도 신에게 그것들은······ 이미 잃어버린 것도 아니다.

애초부터 그런 것은 없었던 것이나 다름없다── 그런 이상 원망할 이유도 없다.

미워할 만큼 정이 있는 것도 아니다.

"빼앗겼다고 생각하지 않고, ······가령 그렇더라도 그것은 당신과 관계없어."

"······참 아무래도 좋다는 것처럼, 애초부터 필요 없었다는 것처럼 말하는군. 경은 원래 나와는 달리 가지고 있었던 주제에."

비카는 쓴웃음과 함께 고개를 흔들었다. 보라색 눈동자에 한순간 희미한 선망과 질투가 스쳤지만, 눈을 깜빡이는 것으로 지워버렸다.

"자, 경에게는 아무래도 좋을 내 참회는 이걸로 끝. 본론은 여기부터다. 공화국 86구의 목 없는 저승사자."

그때 비카의 표정을 뭐라고 형용해야 할까.

애원과도 비슷하고, 공포와도 같은. 단죄를 바라며, 희망을 바라는. 긍정의 답과 부정의 말을 비슷하게 고대하면서 동시에 두려워하는, 그러면서 묻지 않을 수 없는── 그런 얼굴.

"여기에. 어마마마는 아직 계신가──?"

어머니의 사후의 안녕을 바라는 동시에── 그래도 아직도 어머니를 만나고 싶다고 생각한다.

그것 때문에 부른 건가. 기묘하게 공허한 기분으로 신은 생각했다. 죽어서도 남아 있는 망령의 한탄을 듣는 그의 이능력. 그것이 있으면 모친이 아직 이 장소에 있는지 알 수 있으니까. 죽은 뒤에 파헤쳐진 어머니라도 사후의 안녕을 얻었을까. 아니면 다시금 도전하면 어머니를 되살릴 수 있을까. 그것을…… 알 수 있으니까.

그렇게 집착할 일일까? 막연히 그렇게 생각했다. 신은 어머니의 얼굴을 기억하지 못한다. 떠올릴 수 없는 것에 미련도 없다.

그런데도 목소리도 모르고 만진 적도 없는 모친에게.

이렇게도 집착하고.

눈앞에서 신은 고개를 흔들었다.

옆으로 내저었다.

"아니."

형이나 카이에, 많은 에이티식스 전사자들이 전장에 머물러 있던 것은 그들의 뇌구조가 중앙처리계로 〈레기온〉에 흡수되었기 때문이다. 죽어서 돌아가야 하는데 갇혀서 남겨졌기 때문이다.

미련이나 집착. 하물며 애정 같은 게 아니다.

정으로 이치를 뒤엎을 수는 없다.

그런 것으로 남을 수 있을 만큼── 이 세계는 죽은 자에게도 산 자에게도, 그 누구에게도 다정하지 않다.

프레데리카의 적을 없애려던 키리야는 전자가속포형이 격파되는 동시에 소멸했다.

형도── 그만큼 끝까지 기다려 주었던 형도 중전차형<ruby>디노자우리아</ruby>이라는 그릇을 잃은 뒤로는 사라졌다.

이미 없다.

어디에도.

"그건 단순한 유해다. 목소리는 들리지 않아. ……당신의 어머니는 이미 거기에 안 계신다."

"그럼 레르케는?"

갑작스럽게 이어진 질문에 신은 눈썹을 찌푸렸다. ──레르케?

"〈시린〉들은 어떻지? 그 '목소리'는 들었겠지? 레르케는── 그자들은 그 몸속에 있겠지. 그 안에서 그자들은── 마땅한 죽음으로 돌아가고 싶어 하나?"

"……. 그래."

그에게는 무인기의 파츠에 불과할 자들을 왜 신경 쓰는 건지 생각하면서 이번에는 고개를 끄덕였다. 그 목소리라면 들리니까.

절규도 괴로움도 아닌 조용한 한탄이지만. 그래도 사실은 만난

적 없는 소녀의 목소리가. 수많은 낯선 병사의 목소리가.

"돌아가고 싶다고. ……계속 울고 있다."

비카는 담담하게, 희미하게, 쓰게 웃었다.

자조 같은 웃음이었다.

"……그런가."

그걸 보며 신은 물었다. 여전히 눈앞의 이 상대에게는 이해도 공감도 할 수 없지만.

"나도 질문해도 될까?"

비카는 의외라는 듯이 눈을 깜빡였다.

"……그래. 내가 답할 수 있는 거라면."

"그렇게 해서라도 목소리도 모르는 어머니를 만나고 싶나?"

유해를 절개하는 것에 기피감이 없는 건 이해했다.

하지만 인간의 시체. 성인 여성 1인분의 질량이다. 하물며 두개골은 단단하다. 고작해야 다섯 살이었던 비카 본인이 옮겨서 절개했을 리는 없겠지만── 그 정도의 수고를 하면서까지 만나고 싶다고 생각하는 걸까.

목소리도 모르는── 아무런 기억도 남지 않은, 그저 어머니일 뿐인 누군가와.

비카는 잠시 놀란 기색을 보였다.

"그건…… 그렇군. 수단은 어찌 되었든, 자식은 부모를 생각하는 법이다. 만날 수 없다면 더더욱…… 반대로 묻겠는데 경은."

그런 말을 꺼내며 비카는 눈을 가늘게 떴다.

"만나고 싶지 않나?"

"죽은 자와는 만날 수 없다."

그것이 신의…… 망령의 목소리를 듣는 능력을 가진 그가 아는 엄연한 세계의 이치다.

목소리는 들린다. 하지만 그것은 죽는 순간에 지른 비명이다. 대화는 할 수 없다. 의사소통도. ……아무리 서로 원하더라도.

산 자와 죽은 자가 교류할 일은 결코 없다.

"과연, 그래서 떠올리고 싶지도 않은 건가."

신은 날카로운 눈을 했다. 또 그 말인가.

──떠오르지 않는 게 아니죠.

──떠올리고 싶지 않은 거죠.

"……왜, 그렇게 생각하지?"

"돌아가신 모친의 계보에도 흥미가 없다. 빼앗겼는데도 원망하지도 않는다. 무엇보다도 건드리고 싶지도 않고, 건드리지 말아 달라, 얼굴에 그렇게 써 있으니까. 거기에 건드리고 싶지도 않고, 보고 싶지도 않고, 의식하고 싶지도 않은 상처라도 남아 있는 것처럼."

"……."

상처. 같은 건.

비카는 다 안다는 듯이 웃었다. 오히려 자비로울 정도로 차갑고 냉담한 웃음이었다.

"경이 그걸로 족하다면 타인인 내가 뭐라 할 수는 없겠지. ……부모가 자식에게 전할 수 있는 것은 극단적으로 말해 이런 삶을 살았다는 하나의 시범 케이스겠지. 그것조차도 잊히는 것을

긍정한다면야——옳거니, 경의 부모는 경과 두 번 다시 만날 수
없겠어."

제2장 백조의 요새

연합왕국 남방 전선, 레비치 관측기지.

난공불락을 판에 박은 듯한 요새다.

사방은 고저차가 최대 300미터, 최소라도 100미터나 되는 깎아 지른 절벽. 남북에 긴 마름모꼴의 정상부를 가진 바위산 위에 준 엄하게 버티고 서 있다. 특유의 순백색 바위는 지금도 투명하고 가파른 얼음과 눈으로 두텁게 뒤덮여서 경사졌고, 바위벽 정상은 강화 콘크리트와 장갑판의 성벽에 둘러싸였다. 북쪽 정점에서는 또 100미터 가까운 높이의 바위산이 솟고, 그곳을 지지대로 삼은 두껍고 튼튼한 바위들이 날개를 펼친 백조처럼 정상부를 뒤덮는 천장을 이루었다.

게이트와 거기에 이르는 등반로는 후방, 군단 본부로 향하는 북 서쪽 경사면에만 만들어졌고, 그것이 또 이상한 급경사 속에서 몇 번이나 구불거리면서 천천히 오르는 언덕길이었다. 짐승의 내 장처럼 꿈틀대는 등반로를 내려다보는, 게이트 주위의 무수한 총 좌들에 자리 잡은 위압적인 포구.

"──원래는 국경성채의 하나다. 지금은 탄착 관측기지로 운용 하고 있지."

정상을 뒤덮는 바위 천장은 썩어버린 날개처럼 군데군데에 구멍이 나 있다. 눈 오는 날의 일몰 시간, 연한 붉은색으로 물든 양달을 따라, 비카는 레나 일행을 선도하며 걸었다. 아주 오래전에 빙하가 바위산을 깎아내고 만들었다는 경이로운 조형.

뒤따라 걸으면서 레나는 요새기지의 지상구역을 둘러보았다. 용아대산으로 진군하는 작전에서 기동타격군의 거점이 되는 이 요새.

원래 성채였다고 그랬는데, 격벽으로 세밀하고 구분된 내곽이 계단식으로 배치된 오래된 요새 특유의 구조. 사령탑인 북쪽 바위산을 향해 반시계방향으로 올라갔다. 관측탑으로 이용된다는 첨탑은 북쪽 바위산 내부를 파서 만든 것으로, 거기서 보이는 것은 요새 주변의 광경.

완만하게 내려가면, 여기서는 보이지 않지만 북쪽에 연합왕국군 포병진지와 남쪽의 경합구역, 동서의 연합왕국군 기갑부대의 병영이 나온다. 주위는 몇 킬로미터에 걸쳐서 눈 덮인 평야지만, 그 너머는 부자연스러울 정도로 갑작스럽게 침엽수림으로 변하고, 아득히 먼 곳에는 용해산맥의 능선. 연합왕국 최후의 보루라는 북쪽 산맥과 지금은 〈레기온〉의 소굴로 변한 남쪽.

희미한 햇살을 가리는 바위천장, 그리고 내곽을 비좁게 나누는 두텁고 높은 격벽 때문에 지상구역은 숨이 막힐 듯이 어둡고 좁다. 주욱 둘러보며 신이 눈을 가늘게 뜬 것은 만에 하나 여기서 전투가 벌어졌을 경우를 상정한 걸까.

"탄착 관측……입니까."

"이 요새 주변이 이 일대에서 제일 높으니까. 과거의 성채와 마찬가지로 항공공격에는 어쩔 도리가 없지만, 다행히 〈레기온〉은 하늘을 전장으로 삼지 않는다. 이런 오래된 요새도 상황에 따라서는 아직 써먹을 수 있지."

〈레기온〉은 대공전력을 가졌어도 항공전력을 갖지 않는다.

비행형 〈레기온〉은 병기를 탑재하지 않고, 관측사례를 보면 장거리 미사일 같은 것도 갖고 있지 않다. 아무래도 그것도 그들에게 부여된 금칙사항인 모양이다.

그래서 이런 수법도 채용되었을까.

올려다본 은색과 납빛 하늘. 늦봄인데도 하늘에서는 여전히 눈이 하늘하늘 내리고 있었다.

왜인지 관측탑의 3층 부분에 설치된 입구로 들어가서 좁은 계단을 빙글빙글 돌아 3중 방폭 격문을 지나 지하 거주구역으로 들어가자, 간드러진 소리가 맞아주었다.

"돌아오셨습니까, 전하."

"그래, 지금 왔다, 류드밀라."

달려온 것은 이상할 정도로 선명한, 타오르는 듯한 빨강머리를 가진 장신의 소녀였다. 그리고 주위에 있던 붉은 군복 차림의 소녀들이 뒤따랐다.

연합왕국의 군복은 자흑색에 목깃까지 단추를 꼼꼼히 채우는 방식이다. 붉은색의 고풍스러운 군복은 〈시린〉 전용 군복이다.

즉, 여기 있는 소녀들은 모두가 인간이 아니다.

염색으로는 재현할 수 없는, 유리처럼 투명한 청색이나 녹색이나 핑크색 머리. 인조뇌 깊은 곳까지 박혀 있을 지각동조^{파라레이드}, 사고제어용 유사신경 결정이 이마에서 진한 보라색으로 반짝였다.

주위를 둘러보며 레나는 눈을 깜빡였다.

이토록 인간으로 보이는 소녀들을 만든 비카의 이능력이라고 할 수밖에 없는 재주도 대단하고, 그런 힘에 과연 아무런 대가도 없는 건지도 신경 쓰이지만. 그보다도.

"여성……뿐이로군요."

"남자 같은 걸 만들어봤자 땀내만 날 뿐이니까."

레나의 차가운 시선을 아무래도 비카도 알아차린 모양이다.

"농담이다. 적어도 절반은. ……그녀들을 처음 도입할 때는 아직 전선에 성인 남자밖에 없었다. 그것과 차별하기 위해 소녀의 모습으로 했는데, 지금은 여자도, 소년병도 투입할 수밖에 없는 전황이지. 일단 머리칼 색깔도 바꿔두었던 게 정답이었군."

애초에 인간형으로 하지 않으면 되는 것 아닌가……? 라고 한순간 생각했지만, 레나는 자기 생각을 부끄러워했다.

기계니까. 인간의 뇌를 복제한 것에 불과하니까. 가짜라고는 해도 인격이 있는 것을 부품 취급해도 된다니.

애초에 그럴 필요가 있으니까 일부러 관리도 자세 제어도 귀찮은 인간형으로 했겠지.

이를테면 자기가 어느 날 갑자기 추하고 거대한 벌레가 되었다고 하면.

혼란스럽다, 절망한다 정도의 정신상태가 되는 게 아니다. 여섯 개의 다리, 등의 날개, 겹눈의 시야에 더듬이라는 감각기. 인간과는 죄다 다른 감각에 인간의 뇌는 견딜 수 없어서 순식간에 발광하겠지.

……레이도.

소중한 남동생이라고 하면서 〈레기온〉으로 변해서 재회했을 때는 바로 그 신을 죽이려고 했던 그 청년도 어쩌면 그랬던 걸까.

인간과는 너무나도 다른 〈레기온〉의—— 중전차형^{디노자우리아}의 몸에 미쳐버려서 살육기계의 본능에 잡아먹히고. 애타도록 만나고 싶었던 동생을 죽이려고 했던 걸까…….

그러한 견해를 비카에게 물어보고 싶기도 했지만, 신 앞에서 할 말이 아니다. 개인명을 숨겨도 총명한 그라면 알아차리겠고, ……설령 모른다고 해도 해도 될 이야기라고는 생각하지 않는다.

힐끗 시선을 보내자 마침 신이 입을 열었다.

"……외모상의 차이는 군복과 머리 색깔, 이마의 신경결정이 전부인가?"

"전투 중의 구조 활동을 말하는 거라면 기본적으로 기체가 다르고, 최악의 경우 손을 잡아당겨보면 알지. 그녀들은 거의 기계야. 그걸 알 수 있을 만큼 무겁다. 뇌구조는 제조공장에 마스터 데이터가 있고, 전투기록도 정기적으로 백업하고 있으니까 저버려도 상관없다. ……그리고."

비카는 불손하게 웃었다.

"얕보지 마라, 저승사자. 전투를 위한 존재인 그녀들이 그 전투에서 인간보다 못할 것 같나?"

"――아, 신. 라이덴과 프레데리카도. 오늘 여기로 이동이었구나. 잘 다녀왔어……라는 말도 이상한가. 아무튼 오래간만."

줄줄이 놓인 긴 테이블 구석에서 세오가 살랑살랑 손을 흔들고, 그 맞은편, 이쪽에 등을 돌리고 앉아 있던 앙쥬와 크레나가 돌아보았다. 연방군의 쇳빛 군복과 연합왕국의 자흑색 군복이 뒤섞인 레비치 요새기지의 제3식당.

요새기지의 기지 기능은 바위산 속 지하층에 집중되었고, 여러 개의 식당도 모두 지하 거주구역에 자리 잡았다. 널찍하고 밝고 천장도 높지만, 창문이 하나도 없는 탓에 압박감이 잇는 직사각형 공간.

그림 재능을 유감없이 발휘해 천장 가득 그린 푸른 하늘과 그린 사람이 떠올린 풍경일 것이 분명한 사방의 해바라기 꽃밭이, 마치 형무소 같은 발상이라고 신은 생각했다.

각각의 식판을 놓고 앉은 그와 라이덴, 프레데리카에게 크레나가 고개를 갸웃거렸다.

"그레테 대령님하고 아네트였던가? 기술소령은 왕도에 남는다고 들었는데. 레나는 어딜 갔어?"

"연합왕국 지휘관과 막료들 회식에 갔어."

"지휘관이니까. 그런 교류도 있다나."

"아하……. 그러고 보면 연방에 왔을 때도 그랬지."

그렇게 말하면서 앙쥬가 테이블 중앙에 있는 작은 병들 중 하나를 열었다. 빵에 바르는 잼이나 벌꿀. 베리를 추천한다고 말하며 어깨를 으쓱였다.

여유가 없다는 말은 사실인 모양이다. 86구만큼 심하지는 않지만, 식판의 요리 중 절반 이상이 생산 플랜트의 합성배양품이라서 맛이 별로다. 이런 상황에서 식량 생산이 괴멸하게 되면……정말로 올겨울을 넘길 수 없겠지.

밍밍한 식사를, 사워크림으로 조린 고기와 매시드 포테이토를 묵묵히 먹는데, 다른 테이블의 목소리가 괜히 귀에 들어왔다.

이 기지의 병력은 제86기동타격군의 프로세서를 제외하면 〈시린〉이 태반을 차지하지만, 그렇다고 해서 인간이 전혀 없는 것은 아니다. 〈시린〉의 핸들러는 물론, 기지의 경비에 임하는 보병이나 정비 크루, 발령소 요원에 기지의 고정포를 다루는 포술반.

자계종만이 군역을 지는 연합왕국의 법대로 태반이 보라색 눈동자의 군인들을 보면서 라이덴이 눈썹을 찌푸렸다.

"왕도에서는 신민과 예속민의 차이가 의무뿐이라고 그랬는데. ……속으로는 그렇지도 않은 것 같군."

군복에도 식사 메뉴에도 차이는 없지만, 자계종과 다른 색채의 민족은 같은 테이블 앞에 앉지 않는다. 쓱 보기론 예속민의 계급장은 병졸에서 부사관까지, 같은 신민이라도 소근종과 담등종 사이에는 계급 차이와 반목이 있는 모양이다.

그리고 자계종 군인들이 그 이외의 사람들에게 보내는 차가운 눈빛과 말.

예속민만이 아니라 드디어 타국인까지 우리의 전장에 들어오다니 한탄스럽다. 용맹한 우리의 선조들에게 죄송스럽다. 지휘관은 아직 공화국이나 연방의 귀한 혈통이라고 하지만.

흥미 없다는 듯이 턱을 짚고 무시하면서 세오가 말했다.

"여기는 공화국과 달리 지위 높은 민족이 병사구나. ……왠지 이상한 느낌."

"……? 연방에서도 그렇지 않더냐. 연방에서도 귀족은 전사다. 특히나 지금도 사관에는 원래 귀족이었던 자가 많지 않느냐?"

예부터 군역과 참정권은 대등한 것이었다.

싸우는 자만이 정치에 낄 권리를 갖는다. 전사가 농부 위에 선다. 그런 시대에 종군은 의무가 아니라, 오히려 일종의 특권이기까지 했다고 한다.

"그렇긴 하지만, 그게 아니라. ……뭐라고 할까, 연방은 일단 고를 수 있잖아. 연합왕국은 공화국처럼 타고난 색깔로 지위나 역할이 정해지는데…… 그 역할이 반대인 게 이상한 느낌."

"……"

그러니까 신은 문득 생각했다.

민족의 타고난 색채로 역할이 정해진다. ──태어난 시점에서 해야 할 의무가 결정된다.

그런 국가니까 전투를 위해 전사자를 이용한다는 발상이, 전투만을 위한 기계인형이 용인되는 걸까.

신민이란 싸우는 자니까. 그 시체 또한 전투를 위해 바쳐야만 한다고.

때마침 10대 초반 정도의 핑크색 머리 소녀가 연합왕국 군인의 테이블로 다가갔다. 어린 얼굴에 어울리지 않게 무표정하게. 핸들러인 듯한 청년이 웃어 주지만, 미소 하나 짓지 않고 무슨 보고를 하더니 빙글 발길을 돌려서 떠나갔다. ……〈시린〉은 식사를 하지 않는다. 에너지팩을 함부로 소비하지 않으려고 작전과 훈련 이외의 시간은 원칙적으로 전용 격납고에 있다고 들었다.

"……〈시린〉에 대해서는?"

"일단 들었어. 아, 저거라는 식으로 말하면 핸들러가 싫어해서 귀찮으니까 조심해. 무슨 애인이나 여동생처럼 엄청 귀여워하니까."

"이 나라는 핸들러가 무인기를 소중히 하네."

진심으로 기분이 상했는지 크레나가 내뱉었다. ……그 마음은 모를 것도 아니다.

전제군주제의—— 자유도 평등도 없는 연합왕국에서는 핸들러가 기계 소녀들을 인간처럼 대하고.

자유와 평등을 표방하는 공화국은 에이티식스를 무인기 취급하며 제대로 지휘관제도 하지 않았다.

그 아이러니함은 아마 에이티식스인 그들밖에 모른다.

레나조차도.

인간은 인간을 물건이나 가축으로 다루면서, 물건이나 가축을 인간처럼 소중히 여긴다.

그—— 한없이 아이러니한, 인간이란 존재의 잔혹함을.

비카는 레나를 맞아들이며 어깨를 늘어뜨렸다.

"슬슬 소등 시간인데. ……이런 시간에 남자 방에 혼자 오다니 너무 무방비하지 않나, 밀리제. 이런 때라면 노우젠이라도 데려와야지."

"남에게…… 특히나 노우젠 대위에게는 들려줄 수 없는 이야기이기에. ……부디 사람을 물려 줄 수 있겠습니까, 비카."

신도 자기 방으로 돌아갔을 이 시간을 택한 것도 그 때문이다.

비카는 그걸 무시하고 실내로 시선을 주었다. 독서나 글을 쓸 때는 안경을 쓰는 모양인지 지극히 심플한 디자인의 안경을 벗으면서 말했다.

"레르케. 누구라도 좋으니까 노우젠 이외…… 그렇지, 이다 경이면 될까. 그녀를 불러와라. 아, 거기 자네. 레르케가 돌아올 때까지 그 문이 닫히지 않도록 거기 서 있어라."

"옙." "알겠습니다, 전하."

"비카……!"

비카는 레나의 항의를 무시했다. 지나가던 병사가 문을 등지고 서고, 레르케가 복도 저편으로 척척 걸어갔다.

시간이 꽤 지난 뒤에 서둘러 샤워를 한 듯한 시덴이 레르케와 함께 나타났다.

그걸 보고 비카는 미묘한 얼굴을 했다.

"휴식을 방해해서 미안한데…… 경은 대체 뭘 한 거지?"

시덴은 왕자 전하의 앞인데도 귀찮다는 듯이 고개를 돌리며 머리를 긁적였다.

"자유시간에 뭘 하든지 내 마음이잖아. 그래서 무슨 일로……
이건 물어볼 것도 없나."

"그래. 잠시 밀리제의 곁을 지켜다오. 경도 여성이지만, 적어도
나보다는 강하겠지."

"좋은 말이네, 왕자 전하. 치고받는 싸움이라면 그렇겠지만, 그
럼 그 손의 굳은살은 뭔데?"

"사냥은 왕족의 교양이니까."

"오오, 무서워라. 사냥감이 되지 않게 구석에 얌전히 있을게."

시덴은 호들갑스럽게 두 손을 들었다. 넉넉히 다섯 명은 앉을 수
있을 소파에, 안내에 따라 잘 길든 사냥개처럼 얌전히 앉았다.

레나는 예의 바르게 앉고, 낮은 테이블을 사이에 두고 마주 보는
위치에 비카도 앉았다.

일단 안쪽으로 사라졌던 레르케가 하얀 도자기 잔을 가져와서
나전세공 테이블에 착착 놓은 뒤에야 비카는 입을 열었다.

"그래서? 노우젠에게 들려주고 싶지 않다면 그거겠군? ……다
만 왜 나지? 나는 딱히 그거를 잘 모르는데?"

"아뇨. 오히려, ……내가 아는 사람 중에서는 비카가 제일 잘 알
테니까요."

공화국에서는 이미 사라졌고, 연방에서는 군사기밀이라는 높
은 벽이 감추고 있다.

"이능력에 대해서."

비카는 표정을 지웠다.

"노우젠 대위의 〈레기온〉의 목소리를 듣는 이능력. 로젠폴트

보좌관의 지기의 현재와 과거를 보는 이능력. 그것들은 군사적으로 유용합니다만…… 그걸 가진 당사자에게 해가 되는 일은 있습니까?"

이디나로크의 이능력자인 비카에게도.

그렇다면 그에게 묻는 것도 잘못일지도 모르지만.

"으음……. 그거 말인가. 그야 없는 자에겐 그렇게 보일지도 모르겠군."

비카는 대수롭잖은 듯이 긴 다리를 꼬았다.

"원칙으로는 그렇지 않다. 이능력이란 아득한 옛날, 귀한 핏줄이 바로 왕이었을 시대에 민초의 지도자가 되기 위해 필요했던 능력이다. 이능력자에게는 오감과 마찬가지로 당연한 감각이며 기능이다. 눈이 보이는 생물이 눈이 보이는 탓에 몸이 망가지나? 마찬가지다. 그 대가라고 할 만한 것은 없다."

"노우젠 대위처럼 선천적인 능력에서 변질된 경우도?"

"그런가? ──그래, 그런 거였군. 마이카 혈족의 능력치고 묘하게 발현했다 싶긴 했는데."

질문하는 시선을 하는 레나에게 비카는 '그자의 어머니 쪽 일족이다.' 라고 설명을 덧붙였다. 제공된 신의 인사 파일에 그런 기록이 있었던 모양이다.

"분명히 그런 사례는 거의 없지만…… 다만 때때로 수면이 길 때가 있다면 어느 정도 무의식중에 스스로 부담과 휴식의 밸런스를 잡고 있겠지. 스스로 몸 상태가 이상함을 호소한다면 몰라도, 지금 고민한다고 어떻게 될 것도 아니다만."

"그건…… 그럴지도 모르겠습니다만."

비카는 살짝 고개를 갸웃거렸다.

커다란 뱀이 처음 보는 작은 생물을 흥미 깊게 관찰하는 듯한 눈이었다.

온도가 없다. 정이 없다.

"아니, 경, 혹시 영향이 있다고 한다면 어쩔 생각이었지?"

허를 찔려서 레나는 눈을 깜빡였다.

"예?"

"애초에 그걸 물을 거면 왜 노우젠을 데려오지 않았지? 악영향이 있을지도 모른다고 생각한다면 오히려 동석시키는 게 자연스럽겠지."

"……어어, 하지만."

피할 수 없는 죽음을 앞두고도 도망치지 않는 것을 존재증명으로 삼은, 계속 싸우는 것을 긍지로 삼은 에이티식스는—— 그중 하나인 신은.

"노우젠 대위는…… 그래도 전장을 떠나지 않을 테니까요."

비카는 한 차례 천천히 눈을 깜빡였다.

"그건…… 싸우다가 망가진 가련한 에이티식스는 멀쩡하게 판단할 수 없을 테니까, 대신 정상적이고 올바른 인간인 경이 판단해 준다는 의미인가?"

레나는 번쩍 고개를 쳐들었다.

마주 바라보는 그 표정과 안색 때문일까. 비카는 입가를 씨익 움직였다.

안쪽부터 번쩍번쩍 빛나는 듯한 보라색 눈동자를 보면서, 웃는 게 아니라고 깨달았다.

"경, 제법 오만하군. 그야말로 하얀 상복의 여신이야."

연합왕국의 1년 중 절반을 가두는 눈의 여신.

인간의 마음 따윈 거들떠보지 않는, 아름다우면서 무자비하고 오만한——.

"과연, 경은 더러움을 모르는 새하얀 처녀설이겠지. 하지만 그렇다고 해서 다른 색깔을 더럽다고 단정할 권리가 있나? 그야 노우젠은…… 여기 있는 번견도 포함하여 에이티식스들이 결여된 부분이 있다고 해도."

반사적으로 바라본 곳에서 시덴은 전혀 흥미 없다는 듯이, 대접받은 홍차를 홀짝이고 있었다.

진짜로 아무래도 상관없다고 생각하는 걸 왠지 모르게 알 수 있었다. 눈앞에서 결여되었다는 소리를 듣는데도.

"그건…… 그렇, 습니다만. 하지만……."

갑자기.

치솟은 감정에 레나는 무릎 위에 올린 손을 꾹 움켜쥐었다. 가슴 속이 꽉 죄어드는 듯해서 눈앞이 어질어질했다. 감정에 막혀서 숨을 쉴 수 없을 것만 같았다.

간신히 알았다.

비카에게 이런 질문을 한 그 이유를.

"노우젠 대위는…… 신은. 내버려 두면 자기 자신을 한없이 깎아먹을 테니까……."

계속 그게 무서워서.

"〈목양견〉이 투입되고. 정신을 차리고 있을 수 없는 날이 계속되고. 그런데도 금방 익숙해진다면서. 그야 물론 군의관의 임무 복귀 허가도 나왔습니다만, 하지만 혹시 만에 하나, 또 부담이 늘어나게 된다면⋯⋯."

망령의 목소리는 정말로 신에게밖에 들리지 않는다.

신의 고통을 레나는 공유할 수 없다.

혹시 또 부담이 늘어나는 일이 생기면. 어쩌면 이번에는 알아주지 못해서, 신이 스스로를 계속 갉아내도록 방치할지 모른다.

그것이⋯⋯ 무섭고. 불안해서.

그렇게 되기 전에 뭔가 할 수 있기를 바라며.

"⋯⋯그렇다고 해도."

비카의 목소리는 조용했다.

"경이 혼자서 걱정해 봤자 어떻게 되는 게 아니지. 걱정이라면 일단 본인에게 말해 봐라. 그래도 의심이 든다면⋯⋯ 다음에는 데려와라. 뭐, 되는 만큼은 도와주지."

"⋯⋯예."

그리고 비카는 소파 등받이에 몸을 맡기고 고개를 갸웃거렸다.

"그보다, 남 걱정만 하는데, 경은 오히려 자기 걱정을 해야 하지 않나? 그 국기에 비해 흰색만 좋아하는 경의 조국 말인데."

레나는 입을 다물었다.

"⋯⋯역시 알고 있었습니까."

"당연하지. 경을 받아들이기 위해 내가 병사들을 얼마나 다독였다고 생각하나. ……공화국은 〈레기온〉 개발에 무관계하지만, 현재 가장 미움과 경멸의 대상은 공화국이다. 어느 나라에서도 지금 공화국은 동포를 죽이는 악마의 나라이니까, 경은 어디서 싸우든지 그 오명을 짊어지는 꼴이 된다. 만회의 기회일 기동타격군에 고작 장교 몇 명밖에 파견하지 않는 태만한 조국의 오명을. ……경이야말로 남 걱정이나 할 때가 아닐 텐데?"

"……."

"레이드 디바이스 관련으로도 앙리에타 펜로즈의 제공 자료를 훑어보았다. 에이티식스를 사용한 인체실험의 결과도. ……부담이 너무 심하면 사용자의 뇌와 정신에 영향이 간다. 그걸 안다면 아무리 그래도 1개 여단 규모와의 동조는 지나친 것 아닌가?"

"여단 규모라고 해도, 내가 동조하는 건 전대장뿐이니까요."

"그것만 해도 몇 명이지? 전대 규모의—— 소규모 전투밖에 모르는 그들을 운용하기 위해서 기동타격군은 전대를 기본으로 상당히 변칙적인 편성을 취했겠지. 연합왕국에서는 그 인원과 동조하는 작전행동을 하지 않는다. 연방에서도, 하물며 공화국에서도 아니겠지? 말해 두겠는데, 나는 예외다."

차가운 제왕색 눈동자로 그렇게 말했다. 천년에 걸친 이능력자의 계보. 세계를 뒤바꿀 수 있을 정도의 발명을 아무렇지 않게도 하는 이디나로크 혈통의 보라색 눈동자로.

"지각동조란 이능력을 갖지 않은 자에게 이능력을 재현하는 기술. 방금 비유로 말하자면 인간에게 억지로 자외선을 보여주는 꼴이다. 그거야말로 어떤 악영향이 미칠지 모르지."

"그건…… 하지만 나는 지휘관입니다. 그러니까 그건."

에이티식스들과 함께 싸우기 위해, 필요한.

"각오한 일이니까요."

비카는 성대하게 한숨을 내쉬었다.

"타인에게는 성녀 같은 자선을, 그것도 괜한 참견일지도 모른다고 벌벌 떨면서 베풀려는 주제에, 자기 자신에게는 그런가. 거참 못 봐주겠군. ……레르케."

"예. ……그렇게 말씀하시면서도 전하께서도 참 다정다감하시군요."

"닥쳐, 확 그 모가지를 뽑아버린다, 일곱 살 꼬맹이."

킥킥 웃으면서 레르케는 침실인 듯한 안쪽 방으로 물러나더니 뭔가를 가지고 돌아왔다.

비카가 그걸 받더니 휙 하고 던져주었다. 곧바로 붙잡지 못해서 레나가 허둥지둥하고 있자, 보다 못한 시덴이 제대로 시선도 주지 않으면서 옆에서 손을 뻗어서 붙잡았다.

"사고지원 디바이스 〈찌카다〉. 〈시린〉의 핸들러를 위해 개발된, 지각동조의 부담을 줄이기 위한 디바이스다."

〈매미의 날개〉.
      찌 카 다

그 이름이 주는 인상과 달리, 연보라색을 띤 가느다란 은실이 정교한 레이스 무늬를 그리는 초커 형태의 디바이스였다. 중심에는 희미한 보라색 유사신경결정이 박혀 있고, 잘 보면 은실은 그 신경결정에서 가는 실을 자아내듯이 이어져 있었다.

"아쉽게도 연합왕국군에서 제식 채용되지는 않았지만, 안전은 확인되었다. 쓰이지 않은 이유도 단순히 병사들이 싫어했기 때문이다."

싫어해?

"……비카도 씁니까?"

"아닌데?"

이상한 침묵이 흘렀다.

"저기…… 지각동조의 부담을 경감하기 위한 디바이스라고 했지요?"

"그렇긴 한데, 나는 안 돼. 핸들러 녀석들은 더더욱 안 되고."

"어째서?"

비카는 한없이 진지하게 말했다.

"남자가 그런 걸 해서 어쩌라고?"

"흐음."

무슨 말인지 모르겠다.

비카는 레나의 손에서 일단 〈찌카다〉를 집더니 옆에서 끌어당긴 정보단말과 연결해서 뭔가를 입력하고(그동안은 아까 벗었던 안경을 끼고 있었다), 안경을 벗더니 다시금 레나에게 휙 던져 주었다.

"초기화했으니까, 저기 대기실에서 한 번 달아 봐라. 계측수치를 토대로 조정해 두지. ……안심해, 자기 방에 감시 카메라 같은 건 달지 않는다."

"예……. 저기, 고맙습니다."

"목에 차면 알아서 기동한다. ……아, 그리고."

대기실 문을 닫을 때 돌아보자, 비카는 고개를 쓱 돌렸다.

"찰 때 좀 특이한 구석이 있는데. 뭐…… 잘해 보도록."

지하에 있는 이 기지는 레나가 들어간 대기실을 포함하여 전체적으로 소리가 통과하기 어려운 자재로 만들었지만. 잠시 후.

[엣…… 꺄아아아아아아악?!]

그 방음 효과를 살짝 상회하는 레나의 비명이 사령관실의 정적을 살짝 흔들었다.

그걸 흘려들으면서 시덴은 추가로 받은 홍차를 홀짝였다. 그게 보기 안 좋은 행동이라는 것은 연방에 온 뒤로 배웠지만, 고칠 마음도 없었다.

그 자세로 눈만 움직여서 그 물건의 원래 주인을 바라보았다.

레나가 대기실에 들어간 뒤 시덴은 그 물건에 대해 비카에게서 설명을 들었지만.

"……만일을 위해 확인하겠는데, 위험한 물건 아니지?"

비카는 대기실과 반대편 벽을 바라보면서 귀를 꼭 막고 있었기에, 테이블 가장자리에 있는 메모지에 적어서 내밀었다.

"그래. 동물실험도 운용시험도 충분히 했다. 제식 채용되지 않은 것은 아까 말했듯이 병사들의 평이 나빴기 때문이야."

"뭐……. 그렇겠네."

이야기만 들었지만 시덴도 사양하고 싶었다.

대화 중임에도 귀를 틀어막고 있는 비카에게 레르케가 의아한 눈치로 고개를 갸웃거렸다.

"그런데 전하. 왜 그런 자세로 계십니까?"

"넌 그런 것도 모르냐? 알겠어? 나는 아직 죽고 싶지 않아."

"흐음."

"이런 꼴을 그 목 없는 저승사자에게 들키면 내 목도 날아간다고."

"그럴 수가."

레르케는 그 에메랄드빛 눈을 치떴다.

"그럼 저승사자님은 선혈여왕님에게 마음이 있으신 건가! 그건 또 의외인……."

비카와 시덴은 동시에 그 금색 머리를 힘껏 때렸다.

하지만 두 사람 다 나란히 손이 아파서 팔짝거렸다.

애초에 레르케의 두개골은 금속으로 만들어졌다. 그걸 때렸으니 꽤 아플 수밖에.

"아니……. 넌 머리가 녹슬었냐, 이 바보야?"

"하필이면 이런 곳에서 큰 소리로 떠들다니. 아니, 그걸 이제 알았냐, 이 일곱 살 꼬맹이."

"며……면목이 없사옵니다……."

다행히 꺄악꺄악 비명을 지르는 레나의 귀에는 닿지 않았던 모양이다.

기지 거주구역 중에서 프로세서들에게 할당된 방.

넷이서 사용하는 방은 지하다 보니 공간에 제약이 있어서 좁았다. 2층 침대 위쪽 칸에서 책을 읽던 신은 문득 멀리서 소리가 들린 듯해서 고개를 들었다.

〈레기온〉의 소리 없는 아우성과는 다르다. 어딘가 멀리서——.

"……지금 무슨 비명이 들리지 않았나?"

미묘하게 레나의 목소리 같은 느낌도 들기는 했는데.

그 말에 라이덴은 침대 아래쪽 칸에서 고개를 들었다. 잠시 귀를 기울인 뒤에 고개를 내저었다.

"……아니?"

잠시 뒤에 새빨개진 얼굴과 다소 흐트러진 군복 차림으로 레나가 나왔다. 아마 비카가 왕자 전하만 아니었으면 따귀 한 대라도 날렸겠지.

비카도 그걸 눈치챈 기색이었지만, 한없이 실실대는 모습으로 레나에게 말했다. 진짜로 수상쩍도록 상쾌한 목소리로.

"도움이 되어서 참으로 다행인데, 여왕 폐하?"

"…………!"

'우와, 지금 여기에 신이 없어서 다행이다?!' 라고 시덴이 무심코 생각했을 정도로 무시무시한 눈초리로 레나가 왕자 전하를 쩨려보았다.

내미는 손을 향해 〈찌카다〉를 내던지고 분연히 발길을 돌렸다.

"실례하겠습니다, 비카."

"그래, 푹 쉬도록."

부끄러움과 분노로 거칠게 또각또각 발소리를 내면서 걷던 레나도 분노가 가라앉자 대신 치밀어 오른 것은 어디 구멍에라도 들어가고 싶어지는 후회와 혐오였다.

──그건 가련한 에이티식스는 제대로 판단을 내릴 수 없을 테니까 그런 건가?

또 저질렀다.

"……시덴. 나는……."

돌아보지도 않고 물었다. 뒤에서 따라오는 시덴이 한쪽 눈썹을 추켜세우는 기척.

"오만, 한가요?"

시덴은 대수롭잖은 듯이 코웃음을 쳤다.

"이제 와서 무슨 소리?"

레나가 흠칫거려도 개의치 않고 말을 이었다. 그저 본심을 그대로 말할 뿐이라는 듯이.

"나는 내키는 대로 살고 있어. 그건 왕자님이든 신이든 마찬가지잖아. 너도 멋대로 하면 되고, ……그러다가 충돌하는 거야 뭐 그러는 거지."

"……하지만."

충돌하는 것은. 서로 이해하지 못하는 것은, 나는.

✝

레비치 요새기지, 제8격납고.

지하 최하층에 만들어진 요새기지 최대의 격납고에 기동타격군과 연합왕국의 병력이 질서정연하게 정렬했다. 캣워크의 그림자 속에 묻힌, 대기 상태의 〈저거노트〉들.

"──흠, 태반이 처음 보는 얼굴이군, 연방의 제군. 연합왕국 남방 방면군, 빅토르 이디나로크다. 계급은 복잡하니 기억 안 해도 된다. 어차피 조만간 바뀔 거니까. 직접 경들의 지휘를 맡지는 않겠지만, 뭐, 상관 중 한 명이라고 생각해다오."

한순간 미묘한 분위기가 에이티식스들 사이에 떠돈 것은 아마도 '누구야?' 라든가 거기에 준하는 의문 때문이겠지. 투영된 작전도 옆에 말없이 선 레나와 그 앞에 선 비카를 번갈아 보는 사람도 몇 명 있었다.

불경하다면 불경한 시선에 연합왕국군의 부장이 불쾌한 눈치로 게슴츠레한 눈을 하는 한편, 비카는 레나를 흘깃 보고 어깨를 으쓱이는 여유를 보였다. 역시나 북쪽 대국 왕가의 일원에 남방 방면군 사령관을 맡기도 하는 소년이다. 수천 명을 넘는 병력 앞에서도 전혀 주눅 든 모습을 보이지 않았다.

참고로 비카는 〈시린〉과 핸들러의 총괄부대 대장으로, 지휘계통상으로는 작전지휘관인 레나의 밑에 들어가는 동시에 이 기지에서는 기지사령관으로 최고의 지휘권을 갖는다.

"본 작전은 제86기동타격군과 남방 방면군 제1기갑군단의 협동작전이다. 작전 목표는 본 기지보다 남방으로 70킬로미터, 〈레기온〉 지배영역 내. 용해산맥, 용아대산 안에 있는 〈레기온〉 거점의 완전 제압이다."

군단 구역의 간략적인 지도 위에 배치된 연합왕국의 부대와 대치하는 〈레기온〉 부대 중 생산거점을 알리는 아이콘 하나가 붉게 강조되었다. 확인된 〈레기온〉의 거점 중에서 최심부에 위치하는 대규모 거점. 연합왕국과 연방, 공화국의 국경을 이루는 천연 장애물이자 지금은 〈레기온〉 지배영역으로 변한 용해산맥 남부의, 아마 대(對)연합왕국 전선 사령부 중 하나.

"주공은 기동타격군이 맡고, 이를 제1군단이 지원한다. ——구체적으로는 제1군단이 양동으로 〈레기온〉 전선거점을 습격하여 〈레기온〉 전선부대, 예비부대를 유인하여 구속. 그 틈에 기동타격군이 진출하여 용아대산 거점에 침입, 제압한다."

설명에 맞춰 연합왕국군 기갑부대의 심볼이 비스듬히 이동. 정면의 부대를 일부러 우회하면서 각각 다른 전선거점을 향해 침공했다. 방어를 위해 〈레기온〉 전선부대, 후방의 예비부대가 움직여서 생긴 빈틈에 요새기지에서 용아대산 생산거점에 이르는 진군 루트가 표시되어 깜빡였다.

다만 문제의 생산거점 내부 지도가 표시되지 않았다.

이 거점은 〈레기온〉 지배영역이 된 뒤로 〈레기온〉들이 건조한 생산시설이다. 인류 측에 지도 같은 게 있을 리가 없다. 몇 차례 척후를 보낸 적이 있지만, 가까스로 거점이 용아대산 내부에 만들어졌다는 것을 알아냈을 뿐이라고 했다.

"또한 해당 거점의 지휘관기, 식별명 〈무자비한 여왕〉은 노획을 우선시한다. 초기형……이라고 말해도, 겉모습으로는 모르겠군. '하얀'(아마이저) 척후형이다. ……어디까지나 추측이지만, 해당 기체는 〈레기온〉에서 인류에게 어떠한 정보를 제공하려고 할 가능성이 있다. 그것이 이 전쟁의 종결과 이어지는 지극히 중대한 정보일 가능성도. 고로 노획한다. 다소 파괴해도 되지만, 중앙처리계는 무사히 남겨라. ……설명은 다 했는데, 질문 있나?"

[즉, 말하자면 〈레기온〉을 끌어낸 틈에 돌입해서 어떻게든 적을 해치우고, 내친김에 적 여왕벌을 잡아오라는 작전인가……. 정말 어느 나라고 엉성하네.]

86구에서는 태반을 차지하는 요격작전과 달리, 침공작전에는 그만한 준비가 필요하다.

용아대산 공략작전에서 공격 방면을 기만하기 위한, 작전 전의 양동으로 하는 위력정찰. 그 도중에 세오가 투덜거린 말에 신은 시선을 들었다. 눈을 뒤집어쓴 침엽수림 안, 밀집한 나무들 틈새를 쐐기 대형의 소대로 나아가는 스피어헤드 전대의 행군 도중. 전대 전체는 아니고 신과 라이덴, 크레나와 앙쥬만이 연결된 동조 속에서 나온 말이었다.

연이은 산맥을 주전장으로 삼는 연합왕국의 전선은 연합왕국군과 〈레기온〉 쌍방이 산의 고지에 자리를 잡고, 그 틈새의 계곡이나 저지를 경합구역으로 삼고 치고받는 상태다. 이 구역도 예외가 아니라서, 사흘 후에 있을 공략작전에서 진군할 길과는 전혀 다른 방향으로 들어간 스피어헤드 전대도 얼마 전까지는 완만한 경사를 내려갔다가 지금은 다소 급경사를 등반하고 있었다. 레이더 스크린에 비치는 주위의 3개 전대와 몇 킬로미터 앞에서 정찰하는 〈알카노스트〉의 마크, 더 광범위한 작전지도 위에서는 근처를 진군하는 연합왕국 기갑부대의 〈바르슈카 마투슈카〉들.

나무 사이를 나아가는 〈저거노트〉는 하나같이 주포를 경량 고정식 포탑으로 바꾸었고, 겹겹이 쌓인 눈을 뚫고 빙판을 딛기 위해 기다란 강철제 발톱을 다리에 장착했다. 기나긴 겨울 동안 계속 쌓인 눈이 자체의 무게로 딱딱하게 얼어붙은 얼음에 강철이 파고드는 날카로운 파쇄음.

동조를 통해 레나가 물었다.

[노우젠 대위. ……고기동형^{포닉스}은 아직 용아대산 거점에서 움직이지 않습니까?]

"그런 듯합니다."

소리를 앗아가는 눈의 정적마저도 뚫고 들리는, 전선 저편의 무기질한 기계의 절규에 의식을 향하고 대답했다.

지난 작전에서 조우했고 놓쳤던 신형 〈레기온〉이 연합왕국의 전장에 있는 것은 기지에 부임한 직후에 알았다. 제압 목표인 용아대산의 〈레기온〉 거점, 거기 어딘가에 있는 모양이란 것도.

'제레네'의 메시지를 가지고 있던 것은 고기동형이고, 그 제레네일지도 모르는 〈무자비한 여왕〉은 용아대산 거점의 지휘관이다. 그야 함께 있는 게 당연하겠지.

FRIENDLY UNIT

[우군기 소개]

기아데 연방은 국토의 대부분이 초원, 황야이고, 거기서 개발된 펠드레스는 한랭지대, 사막지대 등에 대응하지 않았다. 이번 연합왕국 파병에 맞춰 적설 및 빙점하 운용에 대한 대책을 시행한 것이 본 사양이다.

[N A M E]

〈XM2 레긴레이브〉

빙설지대 사양

[추가장비]
빙설지대용 아이젠 × 4 (다리 끝)

※ 그 외에 포탑 선회기구를 생략한 일부 경량화나 가동부 동결을 피하기 위한
여러 대책이 시행되었다.

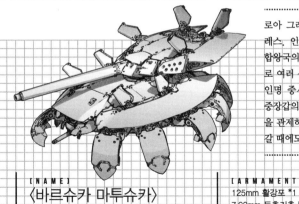

로아 그레키아 연합왕국제 펠드레스. 인원의 소모가 격심한 연합왕국의 내정을 반영하여 단기로 여러 상황에 대응할 필요성과 인명 중시의 사상으로 중무장, 중장갑의 기체가 되었다. 〈시린〉을 관제하는 핸들러가 전선에 나갈 때에도 본기에 탑승한다.

[N A M E]

〈바르슈카 마투슈카〉

[S P E C]

[제조원] 왕속기술원 제6공창
[전장] 7.0m / 전고 2.7m

[A R M A M E N T]
125mm 활강포 *1
7.92mm 동축기총 *1 (포탑 우측에 장비)
14mm 선회기총 *1
40mm 그레네이드 런처 *8

[역시 용아대산 거점의 방위임무를 맡았다고 생각하는 게 타당하겠군요. ……용아대산 공략작전 최대의 장애물이 되겠어요.]

"대응은 예정대로 하면 문제없다고 생각합니다만."

[예. 하지만 만일을 위해 이 양동에서 귀환하거든 조금 더 확실하게 맞춰 보죠.]

"라저."

한편, 세오에게는 라이덴이 대답했다.

[고철들이 우세고, 주도권을 빼앗긴 건 어느 나라도 마찬가지겠지. 거리와 상황과 전력 격차를 생각하면 저번 전자가속포형 토벌작전 때보단 나아.]

[거점 내부의 지도가 전혀 없는 만큼 척후는 죄다 〈알카노스트〉가 담당하는 모양이고. 앞으로도 그런 위험한 임무는 그녀들에게 맡기면 된대. ……하지만.]

앙쥬는 아무래도 어깨를 으쓱이는 듯했다.

[비슷한 또래의 여자애 모습인 만큼 조금 복잡한 심정이야. 눈 속을 야전복 차림만으로 태연하게 걷는 것도 보았지만.]

신 일행이 여기서 기만행동을 하는 동안, 용아대산 공략작전 때 기동타격군이 가야 할 진격로를 복수의 〈시린〉이 정찰하고 있다. 〈알카노스트〉라면 들킬 거라는 이유로 〈시린〉만으로.

신의 이능력으로는 〈레기온〉과 〈시린〉을 구별할 수 없다. 〈레기온〉 집단을 통과하여 그들의 지배영역에 흩어진 〈시린〉의 위치는 이미 감지할 수 없지만.

……전자가속포형을 관측한 연합왕국의 무인기도.

거기까지 생각하고 눈을 가늘게 떴다.

──적재중량은, 그렇군…… 가녀린 소녀가 들 수 있는 정도라고 생각해 주면 되겠군.

전자가속포형 대책회의 자리에서. 연합왕국의 왕세자는 자신들의 무인기를 가리켜 그렇게 말했다고 한다. 작전이 끝난 뒤에 에른스트에게 들었다. 왕세자 전하는 군사회의 자리에서도 우아하시더라고 쓴웃음을 지었다.

그게 아니었다.

그때의 무인기도 아마 〈시린〉이다. 비유가 아니다. 적재중량을 소녀에 빗댄 것은 단순한 사실이다.

펠드레스와 비교해서 작은 만큼 탐지망에 걸리기 어렵다. 하지만 휴대 가능한 중량도 인간 정도라고 생각하면, 통신기재와 예비 에너지팩을 짊어지면 무기류를 가져갈 수 없다. 〈레기온〉 지배영역에 있는 전자가속포형의 소굴, 크로이츠벡 시까지 침투시키려면 착란이나 돌파용도 포함해서 상당한 숫자의 〈시린〉을 투입하고── 그대로 전부 다 잃었겠지.

사상자가 나오지 않는 인도적인 작전. ……전사자 0의 인도적인 전장.

〈시린〉은 이미 죽은 이들이다. 그러니까 그것도 완전히 틀린 말은 아니라지만──.

계속 조용히 있던 크레나가 말했다.

[아니…… 뭔가 좀…… 으스스해.]

다섯 명뿐인 동조임에도 불구하고 〈시린〉들에게 들리는 것을 두려워하듯이.

[험담 같아서 싫긴 한데…… 말하자면 시체를 움직이는 거나 같잖아. 저기…… 이해도 안 가고, 무서워.]

세오는 고개를 갸웃거리는 눈치였다.

[으음, 그렇게 신경 쓰여? 〈레기온〉과…… 〈검은 양〉이나 〈양치기〉랑 큰 차이 없잖아. 인간의 뇌를 복제해서 인간 같은 그릇에 넣었을 뿐이잖아.]

[그것뿐이라는 레벨이 아니야…….]

[그런가…….]

세오는 잠시 생각하듯이 침묵했다.

[아니, 〈시린〉은 그렇게 인간답지 않잖아. 숨도 안 쉬고, 움직임에 약간 시간차가 있고, 표정 패턴이 정해져 있고, 눈의 초점도 안 맞고. 다소 인간답고 말도 잘하는 자주지뢰란 느낌인데.]

신으로서는 전혀 관심도 가지 않던 차이점을 당연하다는 듯이 열거했다. 그림을 그리는 게 취미인—— 대상의 관찰이 습성인 세오다운 감상이다.

크레나가 〈시린〉들을 으스스하게 여기는 것도 같은 이유 때문이겠지.

크레나는 저격수다. 그리고 저격이란 정지 목표를 노려 쏘기만 하는 게 아니다. 아무리 고속의 전차포탄이라고 해도, 거리에 따라서는 착탄까지 영점 몇 초에서 1초 정도의 시간이 걸린다. 그만한 시간이면 목표도 이동한다. 인간이든, 〈레기온〉이든.

명중하려면 이동 방향이나 거리를 예측해야만 하고, 그러기 위해서는 극히 사소한 예비동작도 간파하는 관찰안이 필요하다. 그 것을 익힌 크레나에게는 인간과 〈시린〉의 차이점이 무의식중에 눈에 들어오겠지.

[실제로 껍질을 인간형으로 했을 뿐이지, 속은 거의 펠드레스라 나 봐. 억지로 인간 크기와 형태에 욱여넣는 바람에, 가동시간도 출력도 상당히 제한이 있다나.]

[눈과 귀 이외의 감각은 없고, 배 속도 동력계와 냉각계뿐이라 고 그래. ……밥도 안 먹고, 잠도 안 잔다…… 대체 어떤 기분일 지 상상도 잘 안 가.]

[아니, 기분이라는 게 진짜로 있는지도 의아스러운데.]

[세오.]

[응?]

세오가 놀라면서도 입을 다물었다. 라이덴이 말없이 이쪽을 살 피는 기척.

하지만 신도 왜인지 이해하지 못했다. 눈을 한 차례 껌뻑였다가 아하, 하고 깨달았다. 형 이야기인가.

전사하여 목을 빼앗기고 〈레기온〉이 되었던 형, 레이.

그렇게까지 신경 쓸 건 없다고 막연하게 생각했다. 그 중전차형 은 형의 망령이었지만, 형의 생각이나 의식을 그대로 남기고 있 었는지는 신도 모른다. 손이 닿지 않아 〈레기온〉에게 끌려갔던 수많은 동료들도.

그러니까 복제되어 기계화된 뇌구조를, 인간이 아닌 마음없는 기계로 간주하는 것에도 딱히 기피감이 없다.

다만.

문득 신은 생각에 잠겼다.

그 말처럼 〈시린〉은 〈검은 양〉이나 〈양치기〉, 〈목양견〉과 큰 차이가 없다. 죽은 이의 뇌구조를 재현하기만 한, 시체조차도 필요 없는 기계의 망령.

그래도.

죽은 뒤에 빼앗긴 머리라도, 그 복제라도, 신에게는 형이었다.

그렇다면 마찬가지로 전사자의 뇌구조를 토대로 한 레르케는. 〈시린〉들은——.

한편, 스피어헤드 전대의 대장들과 지휘계통이 다른 비카는 그들과 항상 지각동조로 연결된 것은 아니라지만, 직속 상관과 그 막료라면 이야기는 다르다.

"……듣고 있지 않다고 생각하는 걸까. 멋대로 떠들어대는구나, 녀석들."

소년들의 잡담을 들으면서 프레데리카가 쓴웃음을 지었다.

신이 미리 주변에 전개된 적기가 없다고 확인한 정찰행이다. 실제 작전행동 때 가는 길도 아니고, 그렇다고 경계를 게을리하는 것도 아닌 모양이지만, 잡담을 주고받을 여유도 있는 모양이다.

레비치 요새기지, 지상구역. 기지의 발령소가 아직 〈저거노트〉와의 데이터링크에 대응하지 않기 때문에 이쪽에서 지휘를 하게 된 〈바나디스〉 안이었다.

그 지휘관석에서 레나는 어깨를 추욱 늘어뜨렸다.

"정말이지……. 지휘계통이 다르다고 해도, 언제 연합왕국 인원이 동조할지 모르는데."

〈바나디스〉의 옆에는 만일을 위해 나온 〈키클롭스〉 이하 브리싱가멘 전대와 〈바르슈카 마투슈카〉가 한 대 서 있었다.

125mm 포의 장포신을 짊어졌어도 전차형이나 〈바나르간드〉보다 키가 작고, 굵고 짧은 다리가 열 개 달린 묵직한 외관. 중기관총 두 정과 나란히 달린 척탄발사기로 마물의 성처럼 무장하고, 동물의 겨울털처럼 창백한 장갑과 하얗고 둔하게 빛나는 광학 센서가 옛날이야기에 나오는 털북숭이 괴물, 트롤을 떠올리게 한다.

같은 펠드레스라고 해도 운동성에 주안을 둔 기종이 아니다. 지면 상황이 극단적으로 안 좋은 연합왕국의 전장에서 발을 멈추고 매복했다가 일격으로 적을 해치우는 사격전을 기본으로 한 설계 사상의 기체다.

장갑에 그려진 퍼스널마크는 사과에 휘감긴 뱀.

식별명 〈가듀카〉. 지휘통제를 위해 통신과 연산능력을 증강한, 비카의 전용기다.

손님만 내보낼 수는 없다면서 함께 나와서, 지금은 레르케와 함께 공략작전의 진군로를 가는 척후 〈시린〉들을 관제하고 있다.

"하지만 조금 의외네요. 이들은 같은 처지인 〈시린〉들에게 공감을 품을 거라 생각했는데요……."

마찬가지로 '무인기의 부품'이라는 처지, 전투를 강제당하는 처지인 에이티식스들은.

하지만 실제는 오히려 정반대. 크레나의 노골적인 혐오는 극단적인 부류라지만, 세오는 쌀쌀맞은 분위기, 라이덴도 생각하는 바는 있는 모양이지만 기본적으로 무관심이다. 앙쥬가 다소 동정적인 정도일까.

살펴보기론 그들 이외의 에이티식스들도 대개가 처음 보는 으스스한 기계를 멀찍이서 지켜보는 듯한 분위기다.

"그대도 같은 박해자라고 해서 마녀 사냥이나 민족학살의 독재자에게 친근감을 품지는 않겠지. 같다는 것은 공감의 이유가 되지 않고, 애초에 같기나 할까. 저들에게도 그렇다. ……그대도 처음에 〈시린〉과 만났을 때는 질겁하지 않았나."

레르케와 처음 만났을 때 말인가.

그때 프레데리카는 잔뜩 얼어붙었고, 그대로 이야기가 끝날 때까지 회복되지 않았던 것은 싹 무시하고 있다. 레나는 살며시 미소 지었다.

"……그렇군요."

"그렇지. ……허나, 흐음."

프레데리카는 고개를 갸웃거렸다.

"좋은 기회일지도 모르겠군."

레나가 내려다보니, 프레데리카는 담담히 홀로스크린을 올려다보고 있었다.

"〈시린〉이란 무엇인가. 전장에서 추구하기에는 너무나도 거리가 먼 질문이지만, 저들에게는 중요한 물음이 되겠지. 그것들은 인간인가, 인간이 아닌가. 인간이 아니라면 과연 무엇이 인간과 다른가. 인간이란 어떤 존재인가, 무엇이 인간을 인간답게 하는가. ……그것은 언젠가 저들이 스스로를 생각할 때 중요한 질문이 될 테니까."

"……."

레나는 문득 생각했다.

그러고 보면 기동타격군은 〈레기온〉 중점 제압을 맡고, 타국 구원을 위해 대여되는 부대다.

돌격작전이란 소모가 심한 임무다. 연방이 전쟁 후에 조금이라도 유리해지기 위해, 타국에게 은혜를 베풀고 동정을 사는 프로파간다 부대라는 것도 맞는 말일지 모른다.

하지만── 그와 동시에, 혹시나.

단순히 에이티식스들을 싸우게 할 뿐이라면 불필요한 전용 학교와 교육기간. 증원된 정신건강반과 면밀한 카운슬링 프로그램. 게다가 커다란 도시 옆에 지어진 본거지 기지.

그것들과 마찬가지로 타국 구원이라는 임무 그 자체도 연방 나름대로의 배려 중 하나일지도 모른다.

전장밖에 모르는 에이티식스에게, 〈레기온〉 전쟁의 끝도 보이지 않는 지금 정세에서도 조금이나마 새로운 세계를 보여주기 위한──.

"자기가 무엇을 통해 인간이 되는가. 바꿔 말하자면, 그래, 무엇을 위해 자기가 사는가 하는 것일까. 그것을 묻기 위해서는── 좋은 만남이 될지도 모르겠군."

전방, 〈알카노스트〉의 정찰부대를 이끄는 레르케에게서 지각 동조로 정시연락이 들어왔다.

　죽은 이인 그녀와의 동조는 인간을 상대로 할 때라면 느껴지지 않는 냉기 같은 것이 섞인다. 이것도 경원시되는 이유일까. 크레나나 전대원들이 꺼림칙한 분위기로 침묵하는 것을 느끼면서 신은 대답했다.

　몇 가지 보고와 연락을 주고받은 뒤, 마지막에 레르케가 문득 말했다.

　[그런데 여러분. 한 가지 질문을 해도 되겠습니까?]

　"음? 그래."

　승낙하자 레르케는 다소 자세를 가다듬는 눈치였다.

　[공화국의 만행에 대해서는 소신도 전해 들었습니다. 여러분에 이티식스가 공화국 붕괴 후에 연방에 보호받은 것도. ……그런데 왜 다시 군에 들어갔습니까? 혹시 연방도 시민권의 대가로 군역을 부여했던 것입니까?]

　크레나가 울컥하여 즉답했다.

　[강제당해서 싸운 적은 없어.]

　성미에 거슬렸다는 듯이 날카로운 어조와 목소리로.

　[연방한테도, 공화국의 하얀 돼지들한테도, 한 번도. 우리는 스스로 선택했어. 목이 졸리는 날을 기다릴 거면 싸우다 죽겠다고. 죽을 때까지 싸우겠다고. ……얕보지 마.]

[…….]

레르케는 그 서슬에 기가 죽은 눈치였다.

[이거 실례를 저질렀습니다. 하찮은 새가 재잘댔다 생각하고 부디 용서해 주십시오. ……하지만, 그렇다면…….]

그 직후.

다리의 진동 센서에 반응. 경고 화면이 떴다.

한발 늦게 금속판을 맞부딪치는 듯한 무겁고 단단한 굉음. 전차형의 120mm 전차포 소리.

용아대산 공략작전 시의 진격로── 〈시린〉들이 척후로 나간 방향이었다.

[들켰나, 이런……! 적의 초기위치는 저승사자님이 경고해 주셨는데!]

지배영역과 경합구역에 우글대는 〈레기온〉의 한탄의 소리가 단숨에 높아졌다. 부대별로 뭉쳐 있었던 모양인 그들의 기척이 프로그램된 공허한, 하지면 격렬한 살의로 물들었다.

그중 하나, 여기서는 아직 먼 한 무리의 함성이 의식 구석에 걸렸다.

공격행동 직전의 특유의 함성. 하지만 거리가 멀다. 지평선 저편, 〈레기온〉 지배영역 안이다. 장거리포병형^{스코피온}? 하지만 그렇다고 해도──.

"큭……! 각기 산개, 무장 선택을 주포에서 부무장^{기총}으로 변경. ──대령님!"

깨닫고 소리쳤다. 지금 감지한 이것은 장거리포병형이 아니다.

"교전 개시. ……증원이 예상되면 기갑부대에도 경고를!"

✝

전선에서 후방 30킬로미터. 〈레기온〉 지배영역.

숲 틈새에 있는 설원에 그 〈레기온〉들은 다리 겸용의 무수한 반동흡수용 스페이드를 꽂아놓고 있었다.

관절을 모두 고정하여 자기 몸을 대지에 고정하고, 짊어진 레일을 전개, 늘린다. 바람을 가르며 90미터에 달하는 기다란 레일의 끝을 북쪽으로——연합왕국과의 전선 쪽으로 향했다.

대기하던 척후형이 레일 위에 올라갔다. 7.6mm 범용기관총을 버리고 14mm 기총으로 바꾼 대경장갑 사양. 레일에 장치된 스타팅 블록과도 비슷한 셔틀과 다리를 접속하고 준비하듯이 몸을 엎드렸다. 보라색 번개가 파직 하고 뱀이 기듯이 레일 위를 달렸다.

레일을 짊어진 이 〈레기온〉은 장거리포병형이나 대공포병형(슈타첼슈바인)과 마찬가지로 전선에 나오는 병종이 아니다. 그런 포병형과 비교해서 숫자가 적은 특수지원형이니까, 인류에게는 아직 그 존재가 목격되지 않았다.

제레네 빌켄바움 이하, 황립군사연구소에서 구상과 설계 단계까지 진행되었던 지원용 〈레기온〉의 개발 코드는.

전자사출기형(젠타우어)이라고 한다.

†

그 말을 들은 레나는 귀를 의심했다.

"교전?! ——앞에 있는 정찰부대를 뛰어넘어서 적이 온다는 말입니까?!"

보통이라면 복병을 의심하겠지만, 신에게 그런 일은 있을 수 없다.

지각동조 너머에서 비카가 칫 하고 혀를 차는 게 들렸다.

[아마도 노우젠이 옳아. 별동 기갑부대가 지금 갑자기 적과 마주쳤다는 모양이다. ……무슨 수를 쓴 거지?]

듣고 있던 마르셀이 숨을 삼켰다.

"사출기입니다! 척후형이나 자주지뢰 같은 것들이 날아오는 일이 있습니다!"

"날아서……?! 아……!"

레나는 그걸 깨닫고 이를 갈았다. 연방의 전투기록에서 본 적이 있다. 극히 드물게 보고되는 경량급 〈레기온〉의 공수작전과 그것을 행한 것으로 유추되는 미확인 캐터펄트형 〈레기온〉, 전자사출기형.

캐터펄트는 주로 항공모함에 부속되어서 부족한 활주로 길이를 보충하여 전투기를 이륙속도에 도달시키기 위한 장치다. 증기나 전자력으로 셔틀을 고속사출하고, 그것에 접속한 항공기를 배 밖으로 쏘아낸다. 난폭한 수단이지만, 무장한 전투기를 몇 초 만에 시속 300킬로미터 가까이 가속시킬 수 있는 엄청난 출력을 자랑하는 장치이기도 하다. 그보다 가벼운 척후형이나 더욱 경량인 자주지뢰를 쏘는 거야 일도 아니다.

마르셀은 얼굴을 쓰디쓰게 찌푸렸다.

"특별사관학교의 정찰연습에서 비슷한 기습을 받은 적이 있습니다. 노우젠 대위와 유진이…… 그때 대위와 버디였던 동기가 함께였죠. 피해가 아주 컸습니다. 경량급이라고 해도 갑자기 포위당하게 되니까, 마주치면 위험합니다."

†

사람의 귀에는 닿지 않는 소리로 울부짖고.

길고 긴 한 쌍의 창을 짊어진 전자사출기형들이 그 창 같은 전자 캐터펄트를 일제히 가동시킨다.

발사된 셔틀은 10톤 넘는 척후형을, 1개 소대급의 자주지뢰를 담은 투척용 캡슐을 견인하고 90톤의 레일을 순식간에 달려갔다. 레일 끝, 최고속도에 달하는 동시에 잠금장치를 해제. 투척된 경량급 〈레기온〉은 상승하면서 증설된 로켓 부스터에 점화. 불길의 꼬리를 끌면서 더욱 높은 곳으로 상승했다.

순식간에 필요고도에 도달하고 연소가 끝난 부스터를 자동 분리. 중력에 이끌려 추락하기 전에 이번에는 접혀 있던 일회용 투명 날개를 전개한다.

모든 것에 지배의 손을 뻗는 별의 인력이 그들을 붙잡았다. 펼친 날개가 낙하의 바람을 붙잡고, 대기를 찢으며 활공에 들어갔다.

얼어붙은 하늘에서 눈에 덮인 지상으로. 〈레기온〉들은 입력된 좌표를 향해 똑바로 강하를 개시했다.

†

지상 근처에서 글라이더를 분리한 〈레기온〉이 다리를 펼쳐 착지했다. 척후형은 여섯 개의 다리로, 분리와 동시에 열린 캡슐에서 튀어나온 자주지뢰는 동물처럼 네 다리로 섰다.

눈안개와 땅울림이 얼음과 눈의 나무 사이로 퍼졌다. 색적을 담당하는 척후형이 그 고감도 복합 센서로 주위를 살피고——.

그 직후.

"——사격 개시."

신의 호령과 동시에 엎드려 있던 〈저거노트〉들이 일어서서 격투 암의 기총을 일제사격.

척후형도 자주지뢰도 대인전용 기종이다. 캐터펄트로 투척이 가능한 정도라서 장갑은 가볍고 얇다. 튼튼한 차량의 엔진을 쉽사리 찢는 중기관총탄의 폭풍을 견디지 못하여, 적과 조우했다는 보고도 보내지 못한 채로 벌집이 되어 쓰러졌다.

망령들의 울부짖음이 모두 사라진 것을 확인하고 신은 다음 〈레기온〉의 강하 예측 위치로 의식을 돌렸다.

포물선을 그리는 장거리포병형의 포격과 달리, 활공중의 자세제어로 착지지점을 변경 가능한 공수강하는 낙하 위치를 잡기 어렵지만, 이 숲의 전장이라면 이야기는 다르다. 착륙에는 어느 정도의 공간이 필요하다. 수백 년은 되었을 침엽수가 울창하게 우거진 이 숲에 그런 장소는 결코 많지 않다. 활공 궤적을 추적할 수 있는 신이라면 목표장소의 예측도 간단하다.

"──리토, 방위 330. 미치히, 전대 정면. ……착지하는 대로 쏴라."

[라저.]

[알겠습니다!]

숲의 나무들의 벽을 뛰어넘어서 중기관총이 물어뜯는 듯한 포효가 울렸다. ──다만 숫자가 많았다. 요격하는 동안에도 다른 한탄이 나무 사이에 늘어났다. 일부를 미끼로 삼아서 그 이외를 진군시키는 〈레기온〉 특유의 비정한 계산.

슬슬 손이 부족해지나.

그걸 알아챈 것처럼 지각동조가 기동하고 비카가 말했다.

월권행위지만, 그걸 신경 쓰는 사람은 레나를 포함하여 아무도 없다.

[노우젠. 캐터펄트는 이쪽에서 없애지. 경들은 착륙한 놈들에게 집중해라.]

목소리 너머로 희미하게 포성이 연이어 울렸다. 곡사포의 포격음이 다수. 요새기지의 고정포겠지.

캐터펄트인 듯한 놈들의 목소리가 끊겼다. 고폭탄 사격에 날아간 거라고 판단하고, 신은 주위의 적기에 의식을 되돌렸다. ……과연, 숙련도가 높다. 이 산맥에서 10년 동안 〈레기온〉의 침공을 막아낸 군대답다.

"──라저."

[──포술반이 〈가듀카〉에. 제압 완료입니다.]

"그대로 대기. 요청이 있는 대로 원호해 줘라."

[분부대로.]

기지의 포병부대장이 올린 보고에 고개를 끄덕이며 비카는 그의 근위에게 의식을 돌렸다.

"레르케."

[옙.]

공화국이나 연방이 지각동조라고 부르는 특수통신을 통해 바로 응답이 돌아왔다. 행군 도중 그녀에게 지시를 맡겼던 〈시린〉들이 차례로 그의 장악 하에 들어왔다.

보통 핸들러들이 한 번에 관제 가능한 〈시린〉의 숫자는 1개 분대 4기에서 중대 60기 정도. 그에 비해 비카는 연합왕국군 전체를 봐도 누구도 도달하지 못하는 1개 대대 200여 기의 동시관제가 가능하다.

"보여줘라."

"맡겨 주시길, 주인님."

그녀의 〈알카노스트〉── 식별명 〈챠이카(갈매기)〉의 콕핏에서 레르케는 답했다. 깜빡이지 않는 녹색 눈동자에 비치는 모노크롬 광학 스크린의 희미한 빛.

인간과 헷갈릴 정도를 재현하려고 비카도 꽤 고생했다는 인조 안구.

하지만 사실 기능과 구조는 펠드레스의 광학 센서와 다르지 않다. 주인의 목소리를 듣는 귀도. ……미각이나 후각, 온도나 통증을 느끼는 것까지는 재현되지 않았다.

우리는 결국 인간의 모습을 본떴을 뿐인 기계다.

인간이 아니다.

"〈시린〉 1번기, 레르케—— 명에 따르겠습니다."

요격을 피해서 합류를 이룬 〈레기온〉들이 솟아나듯이 어두운 숲에서 기어나온 직후.

[──협공하겠습니다. ……이쪽을 쏘지 마시길!]

〈알카노스트〉가 나무들 틈새에서 날카롭게 튀어나오고, 동시에 레르케의 경고가 무전과 지각동조 양쪽을 통해 울렸다.

그럼에도 불구하고 신이 한순간 반응한 것은 〈알카노스트〉에게서 들리는 망령들의 한탄 때문이다. 마취로 의식을 빼앗고 적출했다는 전사자의 뇌가 남긴 마지막 목소리. 귀로 들려오는 것이 아닌 조용한 목소리를 타고, 돌아가고 싶다고 절절하게 계속 한탄하는 망령들의 목소리.

역시 싸우기 껄끄럽다고 혀를 한 번 찼다. 구별이 가지 않는다. 특히나 이렇게 적과 아군이 뒤섞인 난전에서는.

얼음 전장에 특화된 〈알카노스트〉들은 얼어붙은 대지를 개의치 않는 기민한 움직임으로 산개, 세 방향에서 〈레기온〉 부대 최후 열에 접근했다.

〈바르슈카 마투슈카〉와 마찬가지로 다섯 쌍, 10개의 다리, 하지만 비교도 되지 않게 가느다랗고 긴 절지동물의 다리. 장갑의 존재가 의심스러울 정도로 작은 동체 콕핏 탓도 있어서 유령거미를 연상케 하는 외관이다. 눈 그림자에 녹아드는 창백한 색깔과 얼음동상 같은 그 외관에 어울리지 않게 거대한 105mm 구경 단 포신의 건 런처.

콰직, 하고 강철 발톱이 얼음을 꿰뚫는 독특한 발소리를 울리며, 자잘한 도약으로 나무들 틈새를 누비며, 혹은 굵은 가지를 타고 올라가 나무 위를 질주한다. 〈저거노트〉보다도 기체 중량이 가벼운 모양이다. 고기동 전투에 주안을 둔, 〈레긴레이브〉에 가까운 설계사상.

후방에서, 또 나무를 올라간 위에서. 얼음거미들은 그쪽을 돌아본 〈레기온〉들을 겨울의 굶주린 야수처럼 공격했다.

공수부대를 모두 사출하기 전에 전자사출기형을 포격으로 없앴다면, 남는 것은 전투능력이 비교적 낮은 척후형과 자주지뢰다. 숫자만 너무 많지 않다면 역전의 에이티식스들이 그리 쉽게 당할 상대가 아니다.

한편 별동 기갑부대는 〈레기온〉 공수부대만이 아니라 원호로 몰려온 전차형 주체의 〈레기온〉 기갑부대를 상대로 다소 고전하는 모양이었다.

"──노우젠 대위. 별동대가 돌파당했습니다. 2개 중대 규모. 이쪽은 근접엽병형, 전차형이 포함된 통산편성입니다. 주의를."

[라저, 대령님. 요격에 나가겠습니다. ……크레나, 원호를. 라이덴, 이쪽은 맡기지.]

[레르케, 2개 소대를 데리고 따라가라. 한 수 배워라.]

[분부대로.]

〈바나디스〉의 메인 스크린 안, 〈저거노트〉와 〈알카노스트〉의 혼성부대가 이동을 개시. 머지않아 〈레기온〉 2개 중대와의 전투가 시작되었다. 〈레기온〉의 진로 측면으로 미리 돌아가서 매복, 일부러 선두를 통과시킨 뒤에 옆구리를 물어뜯고 찢는 신의 상투 전술.

같은 전황을 〈바르슈카 마투슈카〉의 콕핏에서 보고 있었는지, 지각동조 너머로 비카가 말했다.

[……놀랍군. 범용사냥기, 그것도 유인기로 이 정도까지 하나.]

그것은 분명히 감탄을 띤 목소리라서, 레나는 소리 내지 않고 살짝 웃었다. 연구반과 정비 크루는 설원전 대응을 잘해 주었고, 에이티식스들의 기량이 감탄을 사는 것도 자기 일이 아니지만 기뻤다.

[〈알카노스트〉의── 무인기의 기동전에 어깨를 나란히 할 오퍼레이터는 연합왕국 전체에도 몇 없다. 그것도 급조한 설원 사양으로 말이야. ……여유가 있으면 〈시린〉의 교관을 좀 맡기고

싶군. 녀석들은 부서져도 대체할 수 있는 만큼 기량을 닦아야 할 상황에서 무턱대고 돌진하는 경향이 있지.]

"고맙습니다. 하지만 이쪽도 놀랐습니다. ……정찰부대 40기에 척후 8기를 설마 혼자서 조작하다니——."

[각기의 사소한 판단은 어느 정도 〈시린〉이 한다. 격파 우선도나 진군 경로는 이쪽에서 지시해야만 하지만. ……경이 86구에서 에이티식스들의 지휘를 잡았을 때보다 사소한 지시를 더 내린 정도야.]

"그런 비카의 눈으로 볼 때 〈레긴레이브〉에 불만이나 불안한 점은 있습니까?"

비카는 몇 초 정도 생각했다.

[가능하다면 조금 더 설원 장비의 미세조정을 하고 싶군. 공략작전까지 아직 며칠 있고, 시간을 내서 조정시킬까. ……뭣하면 에이티식스들에게 〈알카노스트〉를 몰게 해볼까? 그러고서 그들의 의견도 들어보는 편이 좋겠는데.]

의외의 제안에 레나는 눈을 깜빡였다.

"탈 수 있는 겁니까? 그러니까…… 인간이?"

[무엇을 위해 〈시린〉들이 인간형이라고 생각하지? 호환성이 없으면 탑승자나 기체가 부족해졌을 때 난처하겠지. 오퍼레이터가 전장에서 기체를 상실했을 경우 근처에 있는 〈시린〉이 기체를 넘기는 경우도 있고. ……우리 연합왕국의 전장은 맨몸으로 장시간 보내기에는 너무 가혹하지.]

그것은.

대륙 최후의 전제군주 국가의 지배자 중 한 명, 인정이 없는 뱀의 말치고 다소 위화감이 있는…… 순수하게 인명을 아끼는 말이었다.

[애초에 전장 자체가 인간이 있어야 할 장소가 아니다. 가능하면 〈시린〉들로만 오퍼레이터를 채우고 싶은데, 핸들러가 되려면 적성 문제도 있고…… 병사들은 병사들대로 긍지와 혐오가 있다. 으스스한 기계인형들에게 왕국의 운명을 맡기고 싶지 않다는 말을 하니 어쩔 수 없지.]

슬픔이나 애통함과는 다르지만…… 목장 주인이 가축의 손실을 아쉬워하는 것과도 다른 느낌.

"……비카. 질문 하나 해도 되겠습니까?"

[응?]

"레르케 말입니다만. 어째서 그녀는──그녀만큼은 인간 모습 그대로입니까……?"

인간과 헷갈리는 금발도, 이마에 유사신경결정이 존재하지 않는 것도.

호위 임무도 겸한다지만, 다른 〈시린〉처럼 평시에 전원을 끊고 격납되는 것이 아니라 왕궁이나 개인실에 데리고 다니는 이유도.

[──으음…….]

비카는 처음으로 모호하게 말을 흐렸다.

[미안한데…… 그 대답을 꼭 들어야 하겠나……?]

기동력이 높은 기갑병의 격돌이다. 정면에서의 포격을 서로 피하는 기갑전은 필연적으로 적과 아군이 뒤섞이는 난전의 양상을 띤다.

바닥이 불안정한 눈 속 전장은 백병전에 특화된 신의 〈언더테이커〉에게 다소 불리했다. 근접전투는 피하며 색적과 미끼 역할에 힘을 기울이고, 동료들이 구축하는 포위망에 적기를 유인하는 것을 담당했다. 유산탄과 기총사격, 저격과 포격의 파상공격이 얼음을 깨뜨리며 돌진하는 전차형을 희롱하며 격파하고, 눈 덮인 삼림에서도 종횡무진 고속기동을 보이는 근접엽병형을 몰아넣어서 두들겼다.

그 옆에서 〈알카노스트〉들도 4기 분대로 〈레기온〉과 대치하고, 기본에 충실한 분단과 각개격파를 거듭했다.

역시 〈레긴레이브〉와 같은 경장갑 고기동전 사양, 그것도 〈언더테이커〉에 가까운 근접전투 주안의 기종인 모양이다. 성형작약탄(HEAT)과 대전차 미사일을 같은 포신에서 사출 가능한 105mm 단포신 건 런처를 사용하며, 가까운 거리에서의 포격으로 차례로 〈레기온〉을 매장했다.

다만.

[——소모를 전제로 하는군.]

라이덴이 그렇게 중얼거렸다.

기총에 다리가 날아가면서도 여러 대의 〈알카노스트〉가 전차형에게 달라붙어서, 대머리독수리들이 먹잇감을 산채로 찢듯이 일제사격을 날렸다.

원호를 맡은 근접엽병형들의 발을 묶기 위해서 홀로 그 진로 앞을 가로막는다.

　나무 위까지 추격해 온 근접엽병형에게는 몸을 던져 상대를 붙들고 십여 미터나 자유낙하하고, 자주지뢰들을 끌어들여서 열 대 이상을 몸에 매단 기체가 마지막으로 근처의 전차형에게 돌진하여 함께 날아간다.

　에이티식스나 연방의 〈바나르간드〉 부대처럼 여럿이 연대하여 〈레기온〉에게 대치하는 것과도 다르다. 처음부터 미끼나 지연, 자폭 돌격에 부대의 일부를 사용하는 전제의 작전으로 행동한다. 어떤 〈시린〉도 거기에 대해 의문이나 공포를 품지 않는 만큼 과감하고 주저함이 없다.

　소모품이라는 것을 받아들인 존재.

　[이 녀석들은 운용을 좀 생각하는 게 좋을지도. 이런 식으로 소모하다간 공략작전 자체는 몰라도 돌아가는 길이 위험해져.]

　"음……."

　대답하다가 떠오르는 바가 있어서 말을 끊었다. 왼쪽 앞, 급커브를 그리며 나무 뒤로 사라지는 샛길 끝. 〈알카노스트〉들과 붙었던 〈레기온〉 일부가 그 방어를 돌파하는 것을 그의 이능력이 포착했다. 날카롭게 바라본 시선 끝에서 전차형 두 대가 길을 따라 모습을 보였다.

　전차형의 센서 감지력은 낮다. 커브길 끝에 〈언더테이커〉가 있다고 탐지하지 못했는지, 다른 방향을 경계하던 포구가 잠깐의 공백 후에 선회. 하지만 조준했을 무렵에는 최대전속으로 돌진한

〈언더테이커〉가 그 코앞까지 접근해 있었다.

쓰러진 나무를 발판으로 삼아 낮고 날카롭게 뛰쳐나가서 첫 전차형과 엇갈리면서 측면에 참격. 그 뒷다리를 발판 삼아서 다음 전차형의 포격을 도약하여 회피. 포탑 윗부분에 앙갚음이라는 듯이 88mm 포탄을 갈겼다.

두 전차형이 나란히 쓰러지는 것과 눈안개를 피우며 〈언더테이커〉가 착지한 것은 거의 동시.

다급히 쫓아온 〈알카노스트〉가 멍하니 멈춰서는 것이 광학 스크린에 잡혔다.

거기 그려진 퍼스널마크는 하얀 바닷새. 〈챠이카〉── 레르케의 기체다.

[……이럴 수가. 역시나 86구의 저승사자님이로군요……. 인간이 혼자서 전차형을 압도하다니.]

"그쪽에 남은 〈레기온〉은?"

[예? ……아, 부대원들이 정리하고 있습니다. 죄송합니다. 우리의 부주의로 번거롭게 하여서.]

그렇게 말하면서 〈챠이카〉의 푸르스름한 광학 센서는 두 전차형의 잔해를 두리번거렸다.

양쪽 다 완전히 기능 정지한 것을 확인한 뒤에 그 푸르스름한 빛이 이번에는 〈언더테이커〉를 돌아보았다.

[용케 무사하군요. 인간의 힘에 부치는 그런 야생마를 몰고서도.]

"익숙하다."

신은 담담하게 말했다.

싫어도 익숙해지지 않으면 죽는 것이 86구의 전투였고, 익숙해지지 못한 이는—— 몸이 따라가지 못한 자는 싸우지 못하고 죽었다.

[익숙하다……. 과연. 그렇다면 86구는 정말이지 가혹한 전장이었겠군요…….]

숨을 내뱉는 기능도 없는데 탄식하듯이 말한다. 〈챠이카〉의 광학 센서가 다시금 〈레기온〉들의 잔해로 향했다.

[……저승사자님, 혹시.]

새가 지저귀는 듯한 그 목소리는, 그때.

어디까지나 대수롭지 않은 일처럼 천천히 물었다.

[혹시 인간의 몸을 버려서 더 나은 전투성능을 얻을 수 있다면. 저승사자님은 버리겠습니까? 계속 싸우기 위해서.]

한순간 무슨 소리를 들은 건지 알 수 없었다.

그리고 이해한 순간 신마저도 전율을 느꼈다.

"무슨 소릴——."

[순환기 쪽에 보조박동기관을 추가하고, 하반신을 수축력 강한 인공근육으로 바꾸면 블랙아웃을 막을 수 있지요. 혈액을 인공배양된 것으로 교체하면 산소 운반의 효율이 오릅니다. 애초에 충격에 약한 내장은 현대의 고기동 전투에 방해만 될 뿐. ……연합왕국에서는 모두 실험단계긴 해도 가능한 기술입니다. 뇌의 연약함만큼은 어떻게 할 수 없습니다만, 우리 〈시린〉은 그것마저도 극복했지요. ——얻을 수 있다면 그 힘을 갖고 싶습니까? 끝까지 싸우기 위해.]

"……."

그것은, 정말로.

〈레기온〉과 싸우기 위해서── 그들과 싸우고 이기는 것만을 위해서라면, 유용한 수단이겠지.

인류를 〈레기온〉이 압도하는 것은 그들이 싸움만을 위해 만들어진 존재이기 때문이다. 전투에는 쓸모없는, 혹은 불리한 기능만을 가진 인간이 존재 그 자체가 전투에 특화된 〈레기온〉과 비견할 수 있을 리가 없다.

그러니까 그것들을 모두 버리면. 전투에 불요한 장기를, 전투에 맞지 않는 피와 살을 모두 버리고, 보다 효율 좋은 기계로 교체하면, 분명히 승률은 오르겠지.

하지만── 그래도.

무엇을 지키는 것도 아니고, 손에 들어오는 것도 아니다. 그저 싸우는 것을 긍지로 삼은 에이티식스인 신조차도.

맨몸을 버리면서까지. 그렇게 하면서 싸우고 싶다고는── 생각하지 않았다.

대답할 수 없는 신에게 레르케는 웃었다.

아주 살짝 조소가 섞인 웃음이었다.

동시에 담담하게, 안도가 섞였다.

[……허언입니다. 잊어 주시길.]

"너……."

기계 소녀는 희미하게, 엷게 웃었다.

[적이 옵니다, 저승사자님. ……잊어 주세요.]

합류한 〈저거노트〉와 〈알카노스트〉는 머지않아 〈레기온〉 공수부대의 토벌전으로 들어갔고, 한발 늦게 연합왕국군 기갑부대도 〈레기온〉 기갑부대의 격퇴에 성공했다.

눈과 얼음 위에서의 전투 사이에.

[──죽음에 환장한 괴물 새가.]

프로세서가, 연합왕국군의 오퍼레이터가 흘린, 기이하게도 똑같은 그 말을 듣는 이는 없었다.

흩어지는 가루눈처럼 희미한 망령의 한탄에 반사적으로 눈을 돌리자, 거기에 쓰러져 있는 것은 〈레기온〉이 아니라 〈알카노스트〉의 잔해였다.

정말 못 해 먹겠다는 마음에 방아쇠에서 손가락을 떼며 신은 한숨을 쉬었다. 애초에 똑같이 죽은 자이기 때문에, 신은 〈레기온〉과 〈시린〉의 한탄을 구분할 수 없다. 물론 〈저거노트〉의 시스템은 〈알카노스트〉를 아군 기체로 판정해 주지만, 이런 식으로 반파된 기체로는 그것도 어렵다.

한탄이 들리는 이상, 콕핏 안의 〈시린〉은 아직 죽지 않았다.

끌어내 줄 여유는 있나.

주위에 바로 접근할 〈레기온〉이 없는 것을 확인하고, 신은 〈언더테이커〉의 캐노피를 열었다.

〈알카노스트〉의 캐노피를 여느라 다소 고생했지만, 그건 캐노피가 정면이 아니라 등쪽 장갑이 올라가는 형식이었기 때문이다. 정면 방어를 생각하면——승무원 보호를 제일로 생각하면——이래야 하겠지만, 신의 감각으로는 솔직히 탐탁지 않은 설계였다.

긴급용 공통 패스코드를 입력하자, 압축 공기가 빠지는 소리와 함께 캐노피가 올라갔다. 비좁은 콕핏 안에서 상체를 비틀고 이쪽에 어설트 라이플——연합왕국군 제식인 7.92mm 구경——을 들이대던 〈시린〉이 멋쩍은 듯이 총구를 내렸다.

소녀치고 큰 키에, 지나치게 붉은 머리칼. 식별명은 분명히 류드밀라라고 했나.

"실례했습니다, 노우젠 대위. 자주지뢰에게 걸렸나 싶었기에."

그렇다. 등쪽 장갑을 캐노피로 삼은 경우, 혹시 적이 그걸 열면 승무원은 뒤에서 공격받는 형태가 된다. 시트 때문에 발사각도 한정되니까 움직임이 빠른 〈레기온〉에게는 대응할 수 없다.

"당연히 경계해야겠지. 신경 안 써도 돼. ……움직일 수 있나?"

신이 내민 손에 류드밀라는 놀란 뒤에 쓴웃음을 지었다.

"저희 〈시린〉은 구조가 필요 없는 기계장치라고 전하게 들으셨을 텐데."

"연방과 손을 잡을 정도로 여유가 없는 전황 아닌가? ……적어도 망가지지도 않은 것까지 파기하고 새로 만들 상황은 아니겠지."

대답하지 않고 류드밀라는 한층 쓴웃음을 지었다.

이쪽에게 내미는 가느다란 손을 잡아당겨서, 반파된 〈알카노스트〉에서 끌어내었다.

들은 대로 무겁다.

그리고 만져보니 확실히 알 수 있는, 차가운 손바닥이었다.

살아있는 게 아닌 존재의 무기질한 온도.

그녀는 원래 젊은 남성이었던 모양이다. 눈앞의 소녀와는 전혀 다른 저음이 육성이 아닌 목소리로 계속 한탄했다.

돌아가고 싶다고.

〈레기온〉과 다른 다수의 〈시린〉들. ……지금은 이미 없는 형의 망령이나 아직 전장에 약간 남은 전우들의 망령들과 마찬가지로.

"……아니면."

무심코 그 질문이 입에서 튀어나왔다.

신 자신도 생각도 하지 않은 질문이었다.

"사실은 구조를 원치 않았던 건가?"

이대로 방치되어서 파괴되는 편이.

원래 있어야 할 죽음을 맞는 편이 나았다──라고.

류드밀라는 순간 눈을 치떴다가 웃음을 터뜨렸다.

"설마요. 이 몸은 연합왕국의 방패이자 검."

진심으로 자랑스러워하는 목소리이며 표정이었다.

조국을 갖지 않는 에이티식스인 신은 물론이고, 연방에서 만난 몇몇 군인들과도 공통점이 없는 말이며 감정이었다.

도구로 태어나서, 그것을 받아들이는 것이 아니라 오히려 자랑스러워하는 자.

인간이 아닌 자의 긍지.

"스러진다면 그때는 우리 조국의 적과 함께. 저희는 그걸 위해, 죽어서도 전장에 남기를 바란 자니까요."

……그 안에 갇힌 망령은 다른 소원을 말하며 한탄하고 있건만.

"──대충 정리된 모양이네. 슬슬 철수할까."

적이 사라진 전장을 둘러보고 앙쥬는 말했다. 수없이 겹친 나무들이 시야를 가리는, 눈과 얼음 전장. 왼쪽 나무들 너머에는 커다란 계곡이 있고 일대의 물이 거기로 흘러드는지 콸콸 흘러가는 물소리가 바위벽에 울렸다. 높이가 상당한 절벽인 듯했다.

어디까지나 기만, 양동으로 행한 위력정찰이다. 적 부대와 접촉하고 전투가 벌어진 시점에서 목적은 달성했다고 할 수 있다. 전자사출형의 배치가 있다고 알아낸 것도 수확이겠지.

[노우젠 대위님의 색적에서, 이 근처에 남은 적은 없나?]

10미터 정도의 거리를 두고 〈사지타리우스〉를 모는 더스틴이 물었다. 소대 중에서 아직 숙련도가 부족한 공화국인인 그와 앙쥬는 버디를 짜고 행동했다.

아무튼 앙쥬는 어깨를 으쓱였다.

신의 이능력이 포착한 〈레기온〉의 위치를 그대로 공유하는 것은 신 근처에서만 의미가 있다. 지각동조로 전하는 망령의 위치는 신을 기준으로 하기 때문이다. 그뿐만이 아니라.

"신참에게 한 번은 하는 말이지만. ……신 군을 너무 의지하지 않는 편이 좋아. 신 군의 이능력은 분명히 무서울 만큼 정확하지만…… 그렇다고 언제나 모두에게 경고할 수 있는 게 아니니까."

혹시 언젠가 신을 잃는 사태에 빠졌을 때. ……그만을 믿고 있다가는 그 이후에 싸울 수 없어지니까.

과거에 86구에서는 끝까지 했던 말을 앙쥬는 도중에 삼켰다. 그 때는 분명히 종군하고 5년 이내에 죽을 터였다. 그렇게 정해졌으니까 할 수 있는 말이었다.

지금은 그렇지 않다.

그렇다면 말하지 않는 편이 낫고, 말하고 싶지 않다.

그 과묵한 동포 소년이 죽는 것을 상상하고 싶지도 않고――의외로 그것과 비슷한 사태에 종종 빠지기 때문에 더더욱――입 밖에 낸 말은 진실이 되는 힘을 숨겼다고 하니까.

카이에게 들은 말이다.

86구 제1전투구역, 그 최종처분장에서 머리를 빼앗겨서 〈검은 양〉으로 변한 동료.

더스틴은 그 말을 천천히 음미하는 기색으로 생각한 뒤에 끄덕였다.

[……하긴. 너무 기대기만 하면 대위님도 힘들겠고.]

앙쥬는 살짝 눈을 치뜬 뒤에 미소 지었다.

더스틴은 원래 공화국의 건국제에서 연설을 맡을 만큼 우수한 학생이었다고 한다. 실제로 꽤 이해력이 좋고, 항상 배운 것보다 더 많은 것을 스스로 생각하려고 한다.

그래도 공화국 사람인 더스틴이 에이티식스인 신을 걱정하는 것은 의외였다.

"그래. 너무—— 혹사시키지는 마. ……음."

대화 도중에도 끊지 않았던 주변 경계에 뭔가가 걸렸다. 시야 한 구석, 나무들 너머. 절벽 아래로 내려가는 뭔가. ……숲에 사는 동물일까, 아니면.

[내가.]

"부탁할게. ……신중하게."

그 말에 〈사지타리우스〉가 발을 옮겼다. 총격을 경계하여 몸을 낮추고 천천히 들여다보았다.

[——뭐지……?]

"소위? 보고는 정확하게……."

[〈레기온〉은 아니야. 그렇게 보이는 녀석은 없어. 다만…….]

데이터 링크를 통해 〈사지타리우스〉의 광학 센서 영상이 전송 되었다. 더스틴이 응시하기 때문에 자동으로 줌업된 화면.

무시무시할 만큼 고저차가 있는 절벽이었다. 아득히 아래에서 소용돌이를 일으키며 강이 흐르고, 아주 오래전에 빙하를 깎아내 어서 삐죽삐죽한 바위벽이 좌우에 떡하니 솟구쳤다.

그 바위벽 곳곳에.

"포탄……?!"

120mm 전차포탄일까, 아니면 155mm 포탄일까. 둥근 약협 밑부분만 간신히 보이는 포탄이 간격을 두고 일렬로 주르륵 묻혀 있었다.

약협이 남은 이상, 시험사격 같은 걸로 쏜 포탄이 아니다. 누군 가가—— 아마도 〈레기온〉이 어떠한 목적으로 묻은 것이다.

그 신관부분을 연결하는 끈 모양의 물체를 깨달은 순간, 앙쥬는 소름이 좌악 돋았다. 이건──.

"예거 소위, 물러나! 대령, 신 군, 조심해!"

지각동조를 다시 연결하는 시간도 아까워하며 소리쳤다. 〈사지타리우스〉의 시야에 뭔가 비쳤다. 복잡하게 깎인 바위벽 틈새로 기어나온 자주지뢰가 〈저거노트〉를 인식하고 끈에── 화약을 연결한 도화선에 손을 뻗어서 고성능 폭약인 그 몸에 껴안았다.

"퇴로에, 덫이──!"

순간 섬광과 충격파를 뿜으며 자주지뢰가 자폭. 도화선을 따라서 불이 포탄 신관에 도달하고 인화하여 차례로 유폭했다.

두 사람이 서 있는 일대가── 침엽수림과 얼어붙은 대지가 순식간에 무너졌다.

†

아무래도 어지간히 떠내려온 모양이다.

쓰러진 나무나 흙이 겹겹이 쌓인 강가로 간신히 기어 올라가서, 캐노피를 연 탓에 반쯤 침수된 〈저거노트〉를 보면서 앙쥬는 한숨을 내쉬었다.

"……다친 데는 없어, 소위?"

"간신히."

〈레긴레이브〉였던 게 다행이었다. 설계와 구조가 엉망이고, 캐노피와 본체 사이에 틈새가 있던—— 방수성이라고는 눈 씻고 찾아봐도 없었던 공화국의 그 알루미늄 관짝이었으면 지금쯤 익사했든가 동사했겠지.

그래도 기어 나올 때 조금 젖었다. 정신을 잃었던 동안에 해는 저물었고 눈은 그쳤지만, 한층 차가워진 대기 속에서 당장에라도 얼어붙으려는 머리칼을 털며 돌아보았다. 어디든 좋으니까 조금이라도 바람을 피할 곳이 없을까.

깎아지른 절벽으로 둘러싸인 계곡 밑의 강변, 절벽에 파묻힌 듯한 모습으로 통나무 오두막이 있어서 일단 그 안으로 피난했다. 사냥꾼의 오두막이었을까. 연합왕국의 겨울산에서 사냥하는 며칠 동안 지내기 위한 설비.

실내는 조악했지만 튼튼한 구조고, 단칸방 안쪽에 있는 커다란 난로도 아직 쓸 만해 보였다. 운이 좋다.

"여기서 구조를 기다려야 하나?"

"그럴 수밖에 없겠지. 〈저거노트〉는 에너지가 바닥났고, 지각 동조도 지금은 쓸 수 없고."

기온은 영하고, 레이드 디바이스는 금속제다. 자칫하면 동상을 입는다.

"여기라면 눈도 바람도 피할 수 있고, 동사할 일은 없을 거야. ……음."

그 사실을 깨닫고 탄식했다. 콕핏에는 개머리판을 접을 수 있는 어설트 라이플이 있었기에, 홀스터에 담긴 권총과 함께 가져오긴 했지만.

"자주지뢰라면 모를까, 다른 〈레기온〉이 오면 좀 힘들겠네."

"——조난."
"——이라고 해야겠군."

여름이라고 해도 눈 덮인 산에서 소수가 고립되었다. 신은 물론이고, 평소에는 불손할 정도의 여유를 무너뜨리지 않는 비카의 표정도 딱딱했다.

레비치 요새기지의 회의실. 앙쥬와 더스틴, 두 사람이 절벽에서 떨어진 것을 인식하면서도, 보급 사정과 지배영역의 〈레기온〉의 공격 발기 징조 때문에 철수할 수밖에 없었기에 돌아오자마자 긴급회의를 열었다.

라이덴도 세오도 크레나도 기갑탑승복^(판처 야케) 차림으로, 최소한의 보급이 끝나고 방침이 정해지는 대로 수색에 나갈 태세였다. 불안한 얼굴인 레나와 험악한 표정의 비카가 지형을 살피며 수색 범위를 검토하고 있다.

깊은 계곡으로 떨어져서 〈저거노트〉의 신호는 잡히지 않고, 지각동조도 연결되지 않는다. 두 사람의 생사조차 확인할 수 없는 게 현재 상황이다.

거만하게 콧방귀를 뀌면서 프레데리카가 일어섰다.

"그대들 모두 잊은 모양인데, 이럴 때야말로 내가 나설 때가 아니겠느냐."

레나가 앗 소리를 내었다.

"로젠폴트 보좌관의 이능력이면 두 사람의 위치를 알 수 있겠네요."

"음, 맡겨 두도록 하여라, 밀리제. 미아가 된 언니와 더스틴 녀석이 어디에 있는지 찾아내 주지."

납작한 가슴을 한껏 펴면서 프레데리카는 '눈'을 전개했다——.

하지만.

"옳지, 찾았다! 여기는……. …………."

침묵이 깔렸다.

너무나도 긴 침묵이 깔렸다.

"…………여기는 어디지?!"

숨을 참아가며 다음 말을 기다리던 레나가 힘이 쭉 빠져서 엎어질 뻔했다.

신은 탄식하며 물었다. 그러지 않을까 싶긴 했는데.

"프레데리카. 일단 주위에 뭐가 보이지?"

"어어……."

프레데리카는 열심히 주위를 둘러보는 모양이었다. 붉은 빛을 살짝 빛내는 채로 작은 머리를 이리저리 움직였다.

"……눈이 보이는구나! 그리고 산도!"

그야 그렇겠지. 애초에 설산 한복판이니까.

"목표가 될 만한, 뭔가 눈에 띄는 것은?"

"으음, 으음, 두 사람은 낡은 오두막에 있고…… 오른쪽에 커다란 나무가 있다."

그야 그렇겠지(이하 생략).

오두막이라는 것도 아마 사냥꾼의 오두막일 텐데, 그런 건 의외로 곳곳에 있으니 큰 도움이 되지 않는다.

"별은 보여?"

"보이기는 하는데, 별을 보는 법을 몰라서……."

그도 그런가.

"북극성……도 알 리가 없나. 설명하면 찾을 수 있겠어?"

"어어, 저기…… 별이 너무 많아서, 어느 게 어느 건지……."

그렇다. 완전히 글렀다.

설산에서의 전투 경험, 잠복 경험, 고립된 상태로 조난할 뻔한 경험도 있는 신은 대충 그럴 거라고 생각하고 있었다. 설산이란 곳은 자기가 있는 장소를 도무지 특정할 수 없는 법이다.

참고로 비카는 조금 전부터 테이블에 엎어져서 꿈틀꿈틀 경련하고 있었다.

아무래도 너무 웃다가 소리도 안 나오는 모양이다.

"오케이. 그럼 열심히 찾는 수밖에 없군."

"미안하구나……."

프레데리카가 풀 죽어서 어깨를 늘어뜨렸다.

그 작은 머리를 가볍게 탁탁 두드려주는 동작은 신으로서 완전히 무의식중에 한 것이었다.

"두 사람이 무사하다, 별이 보인다…… 맑다는 걸 안 것만으로도 충분해. 저쪽이 눈보라라면 찾을 수도 없지."

"……음."

간신히 웃음을 거두고 비카도 일어섰다. 그래도 아직 눈가에 눈물이 맺혀 있었지만.

"그렇기는 해도 맑은 날의 밤은 춥지. 서두르지 않으면 위험할 거다. ……이쪽도 사람을 보내지. 최대한 빨리 찾아야겠군."

콕핏에서 가져온 서바이벌 키트의 방수 성냥과 고형 연료, 오두 막 구석에 남아 있던 장작으로 난로에 불을 피우자, 일단 할 일은 없어졌다.

젖어버린 탑승복은 벗어버리고, 대신 서바이벌 키트에 있던 담 요를 걸친 앙쥬는 아직 불이 잘 타오르지 않는 난로를 바라보았 다.

전장에서 고립되거나 조난하는 것도 86구에서는 종종 있는 일 이었다. 그러니까 서둘러 피난처를 찾았지만, 그렇게 조급해지거 나 불안하게 생각하지는 않았다.

다만.

앙쥬는 입술을 다물었다.

그때는…… 첫 전대에서부터 계속 함께였던 사람이 항상 곁에 있었다.

지금은 없다.

어디에도.

"……에마 소위?"

"아니. ……음, 그냥 앙쥬라고 불러. 동갑이었지?"

바라본 곳에서는 더스틴도 마찬가지로 겉옷을 벗고 담요를 두른 모습이었다. 흔들리는 불꽃이 비치는 은색 눈동자.

백계종 특유의 은색 색소의 눈.
알 바

그 색채를 갖고 있었으면.

자신도 어머니도 강제수용소로 쫓겨나지 않았을 거라고, 그나 레나를 보면 때때로 생각하게 된다.

하얀 돼지로서 벽 안에서 살고 싶었던 것은 아니다.

86구에서 만난 동료들은 하나같이 둘도 없는 존재다.

그래도 강제수용소와 86구로 쫓겨나서 갇히는 게 좋았냐고 한 다면…… 결코 좋지 않았다.

월백종으로밖에 보이지 않는 겉모습으로, 거의 월백종과 구분
아뒬라리아
이 가지 않는 딸을 어떻게든 지키려다가 병이 옮아서 초췌하게 죽 은 어머니.

아버지였을 터인 남자에게 들은 말.

지금도 사라지지 않는 그 말.

"질문 좀 해도 될까?"

질문은 무의식중에 흘러나왔다.

"왜 이 부대에 지원했어?"

은색 눈동자가 이쪽을 힐끔 쳐다보았다.

"이유는 말했잖아. 공화국의 오명을 씻어야 한다고."

"그 이유만이라고는 생각되지 않아."

싸우지 않아도 되는 이유를 가졌던 주제에.

"……"

더스틴은 불을 바라보는 채로 침묵했다.

앙쥬가 질문을 잊어버릴 무렵에 조용히 말했다.

"나는 백은종(셀레나)이지만, 제국 출신이야."

앙쥬는 눈을 크게 떴다.

더스틴은 난롯불만을 바라볼 뿐, 이쪽을 보지 않았다.

"기억도 못할 만큼 어렸을 적에 부모님과 함께 공화국으로 이주해서, 그대로 시민권을 취득했으니까 제국인이라는 의식은 전혀 없지만. 그래도 원래는—— 제국인이야."

"내가 살던 동네는 그렇게 이민 1세가 모여서 생긴 새 도시고, 초등학교에서도 나 혼자만 백계종이었을 정도였어. 그리고……〈레기온〉전쟁이 시작되고, 나랑 우리 집만 강제수용 대상이 아니었어."

그 말을 하면서 더스틴은 떠올렸다.

왠지 밖이 시끄럽다면서 밖을 내다본 뒤에 어머니가 새파란 얼굴로 절대로 밖을 보면 안 된다고 했던 그 밤이 지나고 다음 날.

평소처럼 학교에 가 봤더니…… 학생이 자기 혼자밖에 없었다.

"이상하잖아. 이를테면 노우젠 대위님은 부모가 제국 태생일 뿐이지, 대위님 본인은 공화국 출신이잖아. 제국에서 넘어온 가계인 건 나와 똑같고, 공화국에서 태어난 것은 나랑 다르고……그런데 대위님은 수용소로 가고 나는 안 갔어. 반대 아니야? 적국 출신이란 건 그냥 핑계야. 반대가 되어야 했다고. 학교 애들도 그래. 나만 남는 건 이상한데, 나만 벽 안으로 도망칠 수 있었어."

더스틴이, 그의 일가가 백계종이었으니까.

"그러니까 남 일이라고 생각할 수 없어서. 어떻게든 막아야 한다고 계속 생각하고…… 너무 늦어서 결국 아무것도 할 수 없었지만."

──언제까지 이런 짓을 계속할 거냐!

건국제 연설에서 소리쳤던 날 밤. 그 자리에 모인 시민들에게서 아무런 호응도 받지 못했던 축제일 밤. 공화국은 〈레기온〉의 침공으로 멸망했다.

"…………그래."

무릎에 얼굴을 묻으면서 앙쥬는 그렇게만 대답했다. 그것밖에 할 말을 떠올릴 수 없었다는 것은 더스틴도 알았다.

다시금 침묵이 밤의 전장 구석에 있는 작은 사냥꾼 오두막에 드리워졌다. 여태까지보다는 어색함이 조금 덜한 고요함이.

그런데 장작이 제대로 타오르려면 시간이 걸리는 법이라서, 당연히 오두막은 아직 추운 상태다.

작은 기침 소리가 옆에서 들렸기에 바라보니, 앙쥬가 추운 듯이 어깨를 쓸고 있었기에 더스틴은 걸치고 있던 담요를 선뜻 내밀었다.

"……이거."

놀라서 눈을 깜빡이는 앙쥬에게 쥐여 주었다.

"겹으로 걸쳐. 그게 낫겠지. ……여자가 춥게 있으면 안 된다고 하니까."

"……고마워."

하지만 대답이 조금 늦었던 것은, 푸른빛이 도는 긴 은발이 아직 젖어 있어서, 그대로는 빌린 담요도 젖을 거라고 생각했기 때문인 모양이다. 머리칼을 뒷머리 쪽에서 모아 묶고 땋더니 끝부분을 뭉쳐 넣어서 솜씨 좋게 정리했다.

두 팔을 들었기에 담요와 셔츠 자락이 살짝 흘러내렸다.

그 바람에 눈에 들어온, 어둠 속에서도 눈부실 만큼 새하얀 맨살에서 눈을 돌리려던 더스틴은 문득 눈에 들어온 흉터에 숨을 삼키며 똑바로 바라보았다.

창녀의 딸이라고 읽히는 흉터.

의문이 그대로 입에서 튀어나왔다.

"그거, 안 없애?"

공화국에서는 흉터를 지우는 수준 높은 기술력이 있었다. 연방도 그렇겠지. 완전히 흔적도 안 남게 하는 것은 어려울지 몰라도, 적어도 지금보다 눈에 띄지 않게는 할 수 있을 것이다.

앙쥬는 더스틴의 시선을 따라간 뒤에 희미하게 웃었다.

조금 기분 나쁜 웃음이었다.

"아. 미안해, 보기 그렇지?"

"아, 아니, 그런 게 아니라⋯⋯."

어떻게 말해야 그녀의 상처를 덜 건드릴 수 있을까. 그렇게 생각하면서 더스틴은 입을 열었지만, 결국 생각이 잘 정리되지 않아서 생각한 바를 그대로 말했다.

"아플 것, 같아서."

갑자기 앙쥬가 허를 찔린 얼굴을 했다.

"소중한 상처는 아닐 거잖아. 그렇다면…… 일부러 끌어안을 필요는 없지 않을까 해서."

뜻하지도 않았던 말에 앙쥬는 눈만 껌뻑였다.

그리고 천천히 미소 지었다.

"……그래."

이를테면 신에게 있어서 형 때문에 생겼던 목의 흉터는.

형을 없앤 뒤에도 끌어안고 갈 정도로. 하지만 그 죄의 상처는 사람들 눈에 띄지 않도록 숨기고 있을 정도로. ……중요한 상처 겠지만.

"그래. 이제는 없애도 되겠네. 등이 트인 드레스도 입고 싶고."

아직 길게 기른 이 머리를 자르고 싶다는 마음까지는 없지만.

"비키니 같은 것도 입어 보고 싶어."

"비키니."

그 말에 더스틴은 얼떨떨해진 얼굴을 했다.

"그건…… 저기, 보여주고 싶은 사람이 있다든가, 그런……."

더듬거리면서 그렇게 묻기에 앙쥬는 조금 심술을 부리고 싶어졌다.

"왜? ……혹시 더스틴 군, 나를 좋아해?"

"조……."

한순간 더스틴은 말문이 막혔다.

그다음에는 자포자기라는 듯이 단숨에 말을 쏟아냈다.

"그……그래! 그러면 안 되냐!"

가벼운 농담처럼 말하던 앙쥬는 설마 싶은 긍정에 눈을 크게 뜨며 굳었다.

"어……."

"아니, 당연하잖아. 그렇게 미인이고…… 나는 백계종인데, 이 것저것 돌봐주고 그러면 호감이 안 생기는 게 더 이상하잖아."

그 말에 앙쥬도 점점 얼굴이 붉어졌다. 어째서인지 똑바로 볼 수 없어서 눈을 돌리면서도 용기를 쥐어짜내어 더스틴은 계속 말했다. 말해버리자. 이렇게 되었으니까 죄다!

"처음 만났을 때부터 눈 색깔이 예쁘다고 계속 생각했어. 그러니까 드레스를 입을 거면 눈 색깔과 맞추어 고르는 게 좋겠어."

앙쥬는 새빨간 얼굴인 채로 불안하게 고개를 숙였다.

"그건…… 어어, 영광, 이네?"

왜인지 반의문형인 걸 보면 꽤 동요한 모양이다. 붉어진 얼굴을 숨기듯이 무릎 사이에 얼굴을 묻었다.

"하지만——안돼. ……나는 이제 남자를 좋아할 수 없어."

어딘가 스스로에게 들려주는 듯한 어조였다. 찬물을 뒤집어쓴 것처럼 더스틴은 머쓱해졌다.

"……왜?"

"좋아하는 사람이 있었어."

"……."

있었다. 과거형이다. 그리고 앙쥬는 에이티식스다. 즉——.

"마음씨 착한 사람이었어. 끝까지 계속 좋아했어. ……누구를 좋아하게 되어도 잊을 수 없을 거야. 분명 비교할 테니까. 그건 미안하니까, 그러니까 더 이상 누구도 좋아하지 않을 거야."

더스틴은 난롯불로 눈을 주었다.

"그건──틀린 것 아닐까."

그것만큼은, 분명.

"잊을 수 없는 건 당연해. 좋은 사람이라면 특히나. 잊을 수 없다면 비교하게 되는 것도 어쩔 수 없겠고, 하지만 잊을 수 없으니까, 비교하게 되니까 누구도 좋아하지 않겠다는 건 이상해. 그래선…… 네가 앞으로 행복해질 수 없어."

하늘색 두 눈동자를 시야 구석으로 느끼면서, 일부러 불길에 눈을 주는 채로 더스틴은 말을 이었다. 답을 듣지 못하더라도 어쩔 수 없다. 하지만. 누구도 좋아하지 않겠다, 더 이상 행복해지지 않겠다, 그런 식으로 스스로를 속박하는 것은.

"그러니까…… 잊지 못해도, 그 사람 말고 다른 누군가를 좋아해도 되지 않을까. ……적어도 나는, 그 사람을 잊으라고는……."

이쪽을 바라보는 푸른 눈.

하늘 중 제일 높은 곳의 색깔.

"──찾으러 왔는데."

신이 말했다.

"방해했나 보군."

두 사람은 펄쩍 뛰어 떨어졌다.

그 바람에 더스틴이 벽에 있던 무슨 선반에 뒤통수를 세게 부딪쳐서 엎드려 신음했고, 앙쥬는 걸치고 있던 담요를 의미도 없이 추스르면서 그 사람을 돌아보았다.

"시, 신 군?!"

오두막 입구에 선 신은 하루이틀 알고 지낸 게 아닌 앙쥬조차도 처음 보는, 엄청 내려다보는 눈을 하고 있었다.

그러고 보면 신은 발소리를 내지 않고 걷는 버릇이 있었다. 헛도는 머릿속으로 앙쥬는 그걸 떠올렸다. 아무래도 그 이외의 소리를 내지 않는 버릇도 있는 모양이다. 문을 여는 소리라든가.

"여유롭군. 아니, 오히려 신경을 써 주지 못해서 미안하다."

"어, 언제부터 거기 있었어?!"

신은 잠시 생각한 뒤에 대답했다.

"비키니."

"거의 처음부터였잖아! 꺄아아아아아아아아아아아아아아아아아아아아아아아아아아아아아!"

앙쥬는 머리를 붙잡고 절규했다.

그런 두 사람을 놔두고 신은 문밖, 살짝 위쪽으로 시선을 주었다.

절벽 위에 〈저거노트〉를 세우고 와이어 같은 것을 고정하여 내려온 모양이다.

"파이드. 구조는 필요 없었던 모양이다. 끌어올려 줘."

"삐이……?!"

"아, 잠깐, 잠깐, 잠깐, 신 군! 가지 말고 도와줘!"

뭔가 허둥대는 듯한 파이드의 전자음과 앙쥬의 필사적인 만류는 거의 동시에 튀어나왔다.

뭐.

아직 〈레기온〉도 얼쩡대는 경합구역, 차가운 어둠 속. 신경을 곤두세워 가면서 수색하던 상대가 지금 상황을 아랑곳하지 않고 청춘 행각을 벌이고 있으면 보통은 조금 짜증도 난다.

다행히 농담이었는지 신은 손짓만으로 파이드에게 뭔가 요구했고, 위쪽에서 떨어져내린 것을 그대로 휙 던져주었다. 방수 비닐에 싸인 예비 군복과 코트.

젖은 상태일지도 모른다고 걱정하고 준비한 것이다.

"고마워. ……미안해."

"됐어."

이어서 파이드도 군복 꾸러미를 하나 더 떨어뜨렸고, 신에게서 그걸 받으려고 더스틴은 손을 뻗었지만 다음 순간 그게 얼굴에 명중하는 바람에 벌렁 넘어졌다.

던지기 어려운 천덩어리가, 신과 더스틴 사이의 제법 되는 거리를 순식간에 날아가는, 정말이지 사정없는 전력투구였다.

복근만으로 벌떡 일어나며 더스틴은 외쳤다.

"어이! 무슨……."

"다이야 몫이다. 혹시 울리기라도 하면 내가 대신해서 〈레기온〉들 사이에 처넣어 주마."

담담히 날아온 그 말에 더스틴은 항의의 말을 삼켰다. 처음 듣는 이름이었지만, 이 흐름을 보면 그게 누구인지 모를 리가 없었다.

"──알았어."

한편 앙쥬는 그 말에 또 새빨개졌다.

"아, 저기, 저기, 신 군. 난 딱히 다이야 군을 잊었다든가, 애초에 더스틴 군을 좋아하게 되었다든가, 그런 게 아니라, 저기."

다이야 정도는 아니지만, 신도 앙쥬와 오랜 시간을 함께 보낸 가족 같은 소년이다. 정말로 딱히 무슨 생각이 있는 것도 아니고…… 가벼운 여자라고 여겨지고 싶지 않다.

허둥대는 앙쥬에게 신은 어깨를 으쓱여주고 발길을 돌렸다.

"더스틴을 어떻게 생각하는지는 모르지만. 본인의 눈앞에서 할 말은 아니고…… 다이야가 가고 벌써 2년이야. 그 녀석도 딱히 계속 묶어 두고 싶은 건 아니겠지만."

그 말에 앙쥬는 울음 섞인 웃음을 띠었다.

덜렁대고, 사람 좋고……마음 착했던 그 사람.

"……그래. 그럴지도 모르지만, 그래도."

나는, 아직.

혼잣말과 흘러내린 눈물을, 등을 돌린 신도, 눈을 돌린 더스틴도 보지 않았다.

그런데 신은 무전을 계속 켜놓고 있었기에, 비키니 이후의 두 사람의 대화는 수색에 나섰던 모든 부대원들의 귀에 다 들어갔다.

기지로 귀환한 뒤에 앙쥬는 모를까, 더스틴은 라이덴이나 세오나 크레나나 시덴 등에게 정말 실컷 놀림을 당했다.

"……〈스노윗치〉와 〈사지타리우스〉의 회수도 지금 완료했다는군. 돌아오는 대로 수리와 정비에 들어간다고."

지각동조를 통해 회수부대의 보고를 다 들은 비카가 말했다.

"수색에 나갔던 〈레긴레이브〉도 포함하여 정비가 늦어진 만큼, 사흘 뒤의 용아대산 공략작전 시작에 영향이 나오겠군. 두세 시간 정도 늦어지겠지."

레나는 안도의 숨을 내쉬었다.

"……다행이에요. 그래도 죄송합니다."

"뭘. 침공작전은 사흘 계획이다. 몇 시간 정도라면 오차 범위에 들어가겠지. ……게다가 두 사람이 돌아왔으니까 지반 붕괴의 덫이 있는 것도 인식할 수 있었다. 지금도 〈시린〉들에게 확인시키고 있지만, 아무래도 경합구역 내 이용 가능한 모든 경로에 장치된 모양이다. 그중 둘은 공략작전 때 기동타격군의 예정 진로 위에 있었다는군."

레나의 표정이 굳었다. 이걸 알아차리지 못했으면 공략작전 때 자칫하다간 모든 부대의 퇴로가 끊길 가능성도 있었다.

단순한 지뢰와 달리 감압이나 음향, 진동 감지로 자동적으로 작동하지 않는 것이 고약하다. 작동하지 않으면 그만큼 찾아내기 어렵다. 하물며 감지할 수 없을 만큼 두꺼운 얼음과 암반 밑. 펠드레스가 아니라 지형 자체를 파괴 목표로 삼은 폭탄이라니.

기폭용으로 자주지뢰가 필요한 것만이 난점이지만── 그 전자사출기형을 사용하면 쉽게, 들키는 일 없이 투입 가능하다.

"당장에는 파내기 어렵지만, 아무튼 도화선과 신관을 제거하고 난연수지로 묻었다. 응급처치지만, 공략작전 동안 확보할 수 있으면 충분하겠지."

"……묘하다는 생각은 안 듭니까?"

레나의 신중한 말에 비카는 보라색 눈동자를 반짝였다.

"그래."

"〈레기온〉과 연합왕국, 양 세력이 혼재하는 경합구역 안입니다. 펠드레스가 통과가능한 모든 경로에 덫을 설치하는 것도 가능하겠지요. 하지만 오늘 전투에서 에마 소위가 우연히 발견할 때까지 작동시키지 않았던 것은……."

〈바르슈카 마투슈카〉도 〈저거노트〉도 통과시켰고, 그들이 철수할 때도 방해용으로 쓰지 않았다. ……단순한 영역 방어용의 덫은 아니다.

마치.

"우리 군을 지배영역 깊숙이 유인하고 고립시키려는 꿍꿍이 같다――란 말인가."

_{아인탁스플리게}
"방전교란형을 통한 한랭화도 그 일환이 아닐까요?"

"……가능성은 있다. 완만하게 목이 조이는 상황에서 연합왕국군은 무리를 해서라도 반격에 나설 수밖에 없지. 그걸 위해 투입되는 것은 정예다. 잡병의 목이라면 충분히 얻은 〈레기온〉들이 다음으로 탐낼 만하군."

그대로 잠시 묵고한 뒤 비카는 살짝 고개를 내저었다.

"――조금 준비를 할까. 군단의 예비 잔류부대를 증강시키지. 만일의 경우에는 전장의 병사들을 구출할 수 있도록."

†

지금 와선 익숙한 일일 텐데, 왜인지 이때만큼은 대단한 용기가 필요했다.

지각동조를 연결하는 것도, 그 한마디를 말하는 것도.

"—— 레나. 잠깐 나와 줄 수 있습니까?"

얼마 전까지의 어색함을 억누르고 평소의 자기 목소리를 가장한, 무의식중의 그 행동도 그 이유도 아직 자각하지 않은 채로.

레비치 요새기지 관측탑은 기지를 뒤덮은 지붕을 지탱하는 바위산의 내부를 파들어가서 만든 과거의 요새 사령탑을 이용하여 만들었다.

이상한 급각도를 이루는 시계방향의 나선계단을 열심히 올라가 그 지붕 위로 나간다. 전진관측을 위한 관측소. 이 일대에서 가장 높은 요새기지의 정점에 있는, 백조의 등 위.

날개 가장자리에 주욱 늘어선 대공기관포와 대지, 대공 복합 센서가 밤하늘을 시커멓게 갈랐다. 지상에서 수백 미터나 위에 있는 이 장소에서는 지붕 가장자리까지 가지 않으면 지상이 보이지 않는다.

밤하늘에 떠 있는 듯한 곳에서 연방군 제식 트렌치코트를 걸친 신은 불러낸 상대가 오기를 기다렸다. 늦봄인데도 눈 속의 전쟁 터다. 바람을 그대로 받는 이 장소는 정말로 춥다.

"여엉차……."

작은 소리와 함께 관측탑 내부로 이어지는 내폭 해치가 열리는 소리가 났다.

희미한 꽃향기가 먼저 닿았다.

눈 속에서는 필 일이 없는 이른 봄의 제비꽃 향기. 두 달 동안 익 숙해진…… 레나의 향수 냄새다.

"──신? 무슨 일로 이런 곳에 불렀죠? 뭔가 문제가……."

말 도중에 레나가 숨을 삼키는 것이 다소 떨어져 있는 신에게도 들렸다.

와아……하는 감탄이 그 핑크색 입술에서 흘러나왔다. 시선이 자연스럽게 그것을 따라가듯이 올라갔다.

밤을 밝게 메울 정도로 무수한── 별빛들.

가려야 할 해가 졌기 때문인지 방전교란형의 은색 구름이 걷힌 밤하늘은.

호사스러울 정도로── 별이 빛나는 밤이었다.

이름도 모르는 무수한 항성이, 검은 벨벳의 하늘을 통째로 뒤덮 을 정도로 아로새겨져서 반짝반짝 빛났다. 하늘 끝부터 끝까지 비스듬하게 가로지르는, 한층 밝고 하얗게 흐르는 은하와 소용돌 이를 트는 성운.

인공의 불빛이 약한, 사람이 사는 곳과 멀리 떨어진 전쟁터의 밤 이다. 전쟁터의 밤하늘은 어둡고 시커멓고, 그렇기에 별빛과 눈이 반사하는 빛으로 어렴풋이 밝다.

　몇만 년이나 전에 깎였는데도 아직 순백인 바윗돌 지붕에 희미한 빛이 비쳤다. 가느다란 초승달이 마치 차가운 여왕처럼 하늘 꼭대기 근처에 자리를 잡고 있었다.

　고개를 한계까지 뒤로 젖히고 바라보는 레나는 그대로 뒤로 쓰러질 것 같았기에 손을 뻗어서 추락방지 울타리를 붙잡게 했다. 그걸 전혀 모르는 기색으로 순순히 따르면서 그대로 은색 눈동자에 별빛을 비추고 있었다.

　꽤 오랜 시간이 지난 뒤에야 간신히 포옥 숨을 내쉬고 말했다.

　"……아름답네요."

　"예. ……언젠가 카이에와 그런 이야기를 했지요. 제1구에서는 별을 볼 수 없으니까 하늘 가득한 별을 보고 싶다고."

　돌아본 두 눈동자에 신은 어깨를 으쓱였다.

　"애석하게도 유성우는 아닙니다만. ……앙쥬를 찾으러 갔을 때 별이 보였기에."

　신으로서는 익숙한 전장의 별하늘이지만, 그때 문득 레나와 카이에가 나누었던 대화가 떠올랐으니까.

　86구 제1전투구역 제1전대의 그 낡은 막사. 아직 서로 이름도 모르고, ……이런 식으로 같은 장소에 설 거라고는 생각도 하지 않았던 무렵의 대화.

　"그래서 일부러 가르쳐 준 건가요?"

　"괜한 짓이었습니까?"

　"아뇨."

가볍게 웃고서 다시금 하늘 가득한 별에 그 은색 눈동자를 돌렸다. 느슨하게 불어온 바람에 긴 은발이 반짝거리면서 흘렀다.
　공화국을 떠났을 때는 초봄이었으니까, 그 제식 동계 장비는 가져오지 않았던 모양이다. 출발할 때 급히 챙겨온 연방의 트렌치코트를 걸치며 추억에 미소 지었다.
　"그것만큼은 틀림없이 86구 생활의 좋은 점……이었네요."

　2년 전에 들은, 이제 세상에 없는 에이티식스 소녀의 말을 떠올리며 레나는 중얼거렸다.
　86구는. 에이티식스들에게만 강요된 전장은 이 세계의 지옥이라고 생각했다.
　거기 갇힌 그들의 입에서 좋았다는 말을 들을 줄은 생각도 못했다.
　같은 장소에도 없고, 그때는 얼굴도, 이름도 몰랐던 주제에.
　곁에 서서, 같은 하늘을 올려다보면서 뭔가 생각하는 기색인 신을 힐끔 바라보았다. 코트 깃에 가려서 지금은 보이지 않는……목이 잘린 흔적과도 같은 그 흉터를.
　그 상처의 유래를 레나는 듣지 못했다.
　신에 대해서 그만큼 알지 못하고, 그걸 물을 수 없을 정도로, 말해 주지 않을 정도로 신과 자신의 거리는 아직 멀다.
　같은 장소에, 같은 전장에 섰어도. 그만큼 아직 멀다.
　──당신들은 사실 이제 막 만났을 뿐이니까.

그레테의 말이 옳다. 우리는 이제 막 만났고, 고작해야 서로의 이름과…… 얼굴밖에 모른다.

그런데도 마치 그 이상의 것까지 다 아는 것처럼 마음 한편으로는 생각하고 있었다.

하늘을 올려다보는 채로 불러보았다.

"신."

"레나."

왜인지 완전히 똑같은 타이밍에 서로를 부르는 목소리가 겹쳤다.

한순간 두 사람 모두 다음에 할 말을 찾지 못했다. 서로 어떻게 반응해야 좋을지 판단하지 못하는, 묘하게 쑥스러운 침묵이 잠시 동안 별이 가득한 하늘 아래에 깔렸다.

먼저 마음을 다잡은 신이 말했다.

"……먼저, 말씀하시죠."

"미안합니다……."

힘이 빠진 탓에 다시 말을 꺼내기까지 다소 용기가 필요했다.

"……저번 일."

거기까지 말하자, 아주 약간 긴장하는 듯한 기척이 돌아왔다.

신 쪽도 전혀 신경 쓰지 않은 건 아닌 모양이다. 왜인지 그 사실에 마음이 놓이면서 레나는 말했다.

"미안해요. 말이 좀 지나쳤어요."

"······아뇨."

"하지만 슬픈 건 사실입니다. 그건 철회하지 않겠어요. 당신들은 86구를 나왔어요. 반드시 전사할 운명에서 해방되었어요. 그럴 텐데——이제 간신히 해방되었을 뿐입니다."

죽을 곳과 죽는 방법을 고르는 자유밖에 없는 전장에서 해방되었을 텐데—— 같은 전장에 계속 남아 있는다. 싸우는 것이 긍지라고 말하는 그들에게 그것은 분명히 유일하게 남은 존재증명이겠지만, 지금은 그 이상을 바랄 수 있을 텐데도 바라지 않는다.

어디든 갈 수 있다. 무엇이든 될 수 있다. 자유롭게.

그럴 텐데—— 아직 자기 자신의 미래를 그리지도 못한다.

"빼앗긴 것은 여전히 잃어버린 채로. 그러니까 앞으로도 같은 것을 바랄 수 없다. 목표로 삼아야 할 미래를 모른다. 그렇게 생각하니······ 그게 슬퍼요."

지금은 바라도 좋을 행복을.

빼앗겼던 그것들을—— 그리는 것이.

비카가, 시덴이, 과거에 그레테가 말했던 것처럼 그것은 오만이겠지.

빼앗고 상처를 준 쪽인데도, 빼앗긴 것을 다시 원하라고 하다니.

감옥의 문은 열렸으니까, 자신과 같은 장소로 나오라고 하다니.

아무 데도 가지 않는 것 또한 자유인데. ······그래도 같은 장소로 와달라고.

하지만 레나는 말을 이었다.

이 말 또한······ 그때 함께 전해야 했다고 지금은 생각한다.

"당신들이 세계를 체념한 것은, 당신들이 그만큼…… 다정하기 때문이라고 생각합니다."

그 말에 신은 성대하게 눈썹을 찌푸렸다.

"……다정하다?"

"예."

"레나의 말처럼 나는 공화국도 연방도 솔직히── 예, 아무래도 좋습니다. ……그건 다정하다는 것과 거리가 멀다고 생각합니다만."

레나는 무심코 웃었다.

설마 싶긴 했지만.

"신, 설마 자각하지 못하나요? ……당신은 다정한 사람입니다. 그러지 않으면 먼저 죽은 이들을 모두 기억하고 데려가려고 하지 않아요. 당신의 형이나 카이에, 〈레기온〉에 사로잡힌 동료를 해방해 줄 생각 같은 건 하지 않아요."

"……."

"당신은 다정한 사람입니다. 라이덴이나 세오나 크레나, 앙쥬나 시덴, 에이티식스들은 모두 그렇습니다. 증오하는 것이 훨씬 간단하죠. 미워하는 편이 편했을 거예요. 정말로 잘못한 건 공화국이니까, 모두 공화국 탓으로 돌리고 미워하면 되었지요. 그런데 당신들은…… 스스로를 깎아냈어요. 온 세상을 저주하지 않기 위해서, 스스로를 상처 입혔죠."

기억하고 있던 행복을, 스스로 잘라내고 불태워서.

"……저주하는 것이야말로, 모든 것을 잃는 것이었으니까요."

마지막으로 남은 긍지마저도.

"예. 당신들은 그 상처를 긍지로 삼았습니다."

빼앗겨도, 짓밟혀도, 결코 똑같이 저열한 존재로 떨어지지 않겠다는 긍지를.

"그 상처가 바로 당신들이라면, 그걸 없애라고 하지 않겠습니다. 하지만…… 나는 그 마음이 보상받기를 원해요."

별하늘을 올려다보고 혼잣말처럼 레나는 말했다. 노래하듯이.

눈 속의 전장과 하늘 가득 떠오르는 별들의 세계. 인간 따윈 살아남을 수 없는 가혹한 세계에 맞서 도전하듯이. 선언하듯이.

"다정한 사람은 행복해져야 합니다. 올바른 사람은 보답을 받아야 합니다. 인간 세상은 그래야 하고, 지금 그렇지 않다면 그렇게 되기를 바랍니다. ……그렇게 조금씩, 인간은 이상을── 실현해왔으니까요."

옳고 다정한 세계를.

언젠가. 부디.

노래하는 듯한, 선언하는 듯한 그 말에 신은 아무런 대답도 할 수 없었다.

이룰 수 없는 이상이라고.

번지르르할 뿐인, 현실에 있을 리 없는 허접한 공상이라고.

그렇게 생각했을 텐데, 내치는 것도 간단했을 텐데, 왜인지 그걸 말할 수 없었다.

──바다를.

반년 전의 눈 내리는 전몰자 묘지. 스스로 했던 말이 되살아났다.

보여주고 싶다고 바랐다. 본 적 없는 것을 보여줄 수 있으면 좋겠다고. 그것이 자신이 지금 싸우는 이유라고.

그렇다면 레나가 보고 싶다고 바라는 세계를, 그것이 어디에도 없다고 알아도, 부정할 수 없다.

"미안해요. 이상한 이야기까지 해버렸네요. 신이야말로 무슨 말을 하려고……."

"……. 예……."

기세가 죽었던 탓에 다시금 말을 꺼내기까지 다소 용기가 필요했다.

그래, 이 장소에서 무엇을 말하려고 했던가.

용아대산 공략작전에 임하기 전. ──작전이 성공하면 알게 될 그 옳고 그름을 알기 전에.

"레나. 혹시 연방이나 연합왕국의 예상대로 〈무자비한 여왕〉이 제레네 빌켄바움 소령이고, 그녀가 전쟁을 종결시킬 무슨 방법을 알고 있다면."

분명 그런 일은 없다.

말과는 달리 신은 제레네에 대해 아무런 기대도 하지 않았다.

전쟁은 분명 끝나지 않는다.

그래도, 혹시.

"이 전쟁이 정말로 끝난다면── 그때는."

갑자기.

하려던 말이 갑작스럽게 멎었다.

바다를 보러 가자. 본 적 없는 풍경을. 이룰 수 있다면 함께.

그래, 말하려고 했다. 바다를 보고 싶다는 레나의 말은 들었지만, 신이 전한 적은 여태까지 없었다.

전해야 한다고 생각했다. 그것만큼은 결코 거짓이 아니다.

바다를 보여주고 싶다. 그것은 지금 신이 싸우는 이유니까──.

하지만, 문득.

아련한 물거품처럼 떠오른 자문이 목을 얼어붙게 했다.

바다를 보여주고 싶다. 힘이 다한 끝에 스러져 죽는 전장이 아니라, 전화에 갇힌 이런 세계에서는 볼 수 없는 것을 보여줄 수 있으면 좋겠다. 그렇게 바라고. 그래, 바랄 수 있게 되어서. 하지만.

그렇다면.

그, 다음에는……──?

바다를 보고, 그다음.

레나는 무엇을, 바랄까. ──무엇을, 내게 바랄까.

그것은.

언제까지?

신 자신은 바다를 보고 싶다고 생각하지 않는다. 그것은 지금도 변함없다.

신 자신은 하고 싶은 일이 전혀 없다.

그 공허함에 이유도 모른 채 소름이 끼쳤다. 그 이상의 생각을 재빨리 멈추었지만 의심은 사라지지 않고 남았다.

끝까지 싸우는 것이 에이티식스의 긍지.

그렇다면, 끝까지 싸우고도, 그러고도 살아남는다면———.

제3장 싱잉 버드의 한탄도 모르고

파국은 실로 간단히 시작되었다.

"──큭……!"

경합구역 안쪽을 이동하던 중장수송차 안, 신은 그것을 감지하고 시선을 들었다. 용아대산 공략작전, 진공로 도중. 지난 밤 늦게 양동작전을 개시한 연합왕국군 기갑군단이 솜씨 좋게 〈레기온〉 각 부대를 유인하여 만들어낸 전장의 틈새.

멀리서 〈레기온〉 한 부대가 새롭게 움직였다. 하지만 진로가 이상하다. 양동부대를 노리는 것도, 은밀하게 나아가는 기동타격군을 노리는 것도 아닌 진로.

그중에 잘 들리지 않는 무기질한, 하지만 전장을 꿰뚫는 격렬한 절규가 섞인 것을 깨달은 순간, 신은 불길한 예감에 사로잡힌 것처럼 지각동조^{파 라 레 이 드}를 연결했다. ──논리가 아니라 기나긴 전장 생활로 단련된 전사의 후각이 발하는 경종.

"모든 부대 정지. ──라이덴, 아직 기지에 있지? 그대로 대기해."

[음, 라저.]

[노우젠 대위? 무슨…….]

1개 여단, 수백 대가 이루는 대열이다. 후진을 맡은 라이덴을 포함하여 몇 개 전대는 아직 수십 킬로미터 후방, 레비치 요새기지에서 발진을 기다리고 있었다.

　이변을 알아차린 라이덴이 즉각 응답. 한편 그와 달리 아직 신의 이능력에 익숙하지 않은 레나의 반응이 늦는 것이 지금으로서는 답답하다. 진격하는 연합왕국군 양동부대에 격파되어 패주하고 있었을 터인 〈레기온〉 부대가 반전하여 대치했다. 지배영역의 〈레기온〉들이 움직이고, 양동부대를 향하거나 완전히 무시하여 연합왕국 지배구역으로 진격을 개시했다. 위장퇴각과 우회침공. 유인당하는 쪽은── 낚시에 걸려든 것은 이쪽이다!

　기계들의 절규에 맞추듯이 〈레기온〉의 절규 중 하나가 높아졌다. 연합왕국군, 기동타격군, 어느 부대와도 먼 위치. 장거리포병형과 비슷한, 하지만 그것이 아니라고 뒤늦게나마 깨달은 기종.

　너무나도 빠른 속도에 순간 지워졌나 싶었던 그것의 절규를 허무하게 쫓으면서── 신은 한발 늦게 그 경고를 날렸다.

　"──경고를 받았으면서도 응하지 못해 볼 낯이 없군. ……미안하다, 노우젠. 레비치 요새기지는 함락되었다."

　농성 중인 사령부 내부는 지금 대부분의 전원이 내려가서 어둡다.

　레비치 요새기지, 지하사령부. 지하 제4층부터 최하층에 걸쳐, 다른 곳과 반쯤 독립되는 형태로 건설된 곳의 중앙발령소에서 비카는 말했다.

요새 최상부, 지붕 주위의 복합 센서는 아직 살아있다. 메인 스크린에 비친 싸늘한 빛에 발령소 요원의 긴박한 얼굴이 떠올랐다. 침묵을 지키는 쇳빛 탑승복의 프로세서들과 그들의 주인인 군청색 군복의 은발 소녀.

　살아남은 소수의 기지요원과 정비 크루는 통로를 막는 격벽 방어에, 핸들러들은 관제실에 모여 있기에 여기에는 없다.

　"정확하게는 기지 기능을 빼앗겼다고 해야 할까. 지상구역 전역과 지하구역의 8할을 적이 제압했다. 이쪽이 장악하는 건 사령부와 지하 최하층의 제8격납고뿐이다. 지금은 사령부의 봉쇄 기능을 모두 가동시켜서 농성하고 있다. ……그래, 연방군인은 모두 사령부 안에 대피를 마쳤으니까, 그건 걱정하지 않아도 된다."

　상대가 연방군 소속의 군인이라는 것을 떠올리고 덧붙였다.

　요새의 성벽과 설원을 넘어 멀리, 지금은 요새에서 10킬로미터 지점까지 부대를 데리고 돌아온 신은 평소의 냉철함을 무너뜨리지 않고 말했다.

　전장의 모든 〈레기온〉의 위치를 파악하는 이능력자다. 어느 정도 상황을 파악했겠지만, 기지 내부에 남은 동료가 있는 상황에서 동요를 전혀 보이지 않는 모습이었다.

　[실수한 건 이쪽도 마찬가지입니다. ──생각도 못했습니다. 전자사출기형의 추정 스펙이라면 고기동형도 투척이 가능하다는 것을.]

그 경고를 받았다고 해도, 그것이 레이더와 광학 센서에도 검출되지 않는 이상 사실 어쩔 도리가 없었다.

신과 비카는 지휘계통상 직접적인 상하 관계가 아니다. 그 약간의 지연도 화근이었다.

요새기지를 지키는 지붕 위에 착지했던 모양이다. 설치된 대공, 대포병 레이더는 그것을 감지하지 못했고, 거기에 연동되어 조준하는 대공기관포도 엉뚱한 방향으로 뒤늦게 탄막을 치는 게 고작이었다.

대공기관포가 파괴되고 나서야 간신히 경보가 울리고, 지붕에서 관측탑으로 직접 이어지는 해치가 외부에서 파괴. 명령에 따라 요격에 나선 기지방어전력인 병사들은 침입한 그것과 관측탑 안에서 조우하고―― 일방적으로 학살당했다.

좁은 요새 안의 통로를 종횡무진 뛰어다니는 그것의 모습을 누구도 볼 수 없었으니까.

상황을 이해한 비카가 시설 방어용 산탄지뢰를 원격 기동, 그것이 두른 광학미채를 찢고서야 간신히 그것은 모습을 드러냈다.

찢어진 방전교란형 무리 중에 몸을 숨기고 있던 칠흑의 〈레기온〉.
고기동형.
$^{모 닉 스}$

그 시점에서 관측탑은 함락. 기지 방어전력은 절반으로 줄고, 혼란 속에서 〈레기온〉 공수부대는 연이어서 대공포가 사라진 지붕 위에 출현, 감시탑 안에 침입하기 시작했다.

비카는 지상구역 및 사령부 이외의 모든 지하구역을 포기하기로 결정. 지상과의 연결통로에 순차적으로 격벽을 내려 봉쇄하면서, 살아남은 모든 요원과 모든 펠드레스를 사령부 및 제8격납고로 대피.

기지를 제압, 장악한 〈레기온〉 부대와의 내구전에 들어갔다.

전말을 다 들은 신은 탄식했다.

"저번 정찰임무에서 〈시린〉이 접촉한 것도 기지를 정찰하던 녀석이었나. ……용아대산 거점으로 가는 진격로라면 거기서 오는 진격로도 된다. 게다가…… 이런 상황도 생각해야 했습니다."

전자사출기형을 이용한 단기 돌격으로 본거지 제압.

기본적으로는 불가능한 작전이다. 비행 속도가 느리고 실루엣이 큰 글라이더는 레이더에 걸리기 쉽다. 더불어 전자사출기형의 투척 한계는 추정 10톤 정도…… 그걸로 투척 가능한 자주지뢰나

<ruby>척후형<rt>아 마 이 저</rt></ruby>으로는 방비가 단단한 기지를 도저히 제압할 수 없다.

하지만 척후형보다 경량이면서 <ruby>근접엽병형<rt>그 라 우 볼 프</rt></ruby>을 웃도는 전투능력을 가졌고, 방전교란형을 둘러서 가시광을 포함한 모든 전자파를 교란 가능한 고기동형이라면.

상정하지 않은 공격이다. 하지만 모두 알고 있는 정보였다. 추측도 할 수 있었다.

[──적 전술의 분석과 추정은 나의…… 지휘관의 일입니다. 신이 신경 쓸 것 없습니다.]

방울 울리는 듯한 가느다란 목소리가 대화에 섞여서 신은 내심 숨을 내뱉었다.

레나.

전원이 대피했다는 말은 방금 들었지만.

[경도 지금 신경 쓸 것 없겠지, 밀리제. ……게다가 어느 정도 어쩔 수 없기도 했다. 수순으로는 가능하다고 해도 그걸 실행할 전술, 전략상의 가치는 이 기지에 없고, 노우젠도 나도 경도 하늘이 전장이었을 무렵의 전쟁을 모르니까.]

〈레기온〉은 항공병기를 사용하지 않는다. ——〈레기온〉 전쟁밖에 모르는 신이나 다른 이들은 하늘이 진격로가 될 수 있다는 사실을 지식으로는 알지만, 실감하지 못한다.

그리고 항공병기가 존재했던 전쟁을 아는 자는—— 정규군들은 태반이 〈레기온〉 전쟁에서 전사했다.

한 차례 탄식하고 비카가 말을 이었다.

[자. 들어서 상황을 파악했겠지만, 다시 한번 설명하지. ——일단 〈레기온〉 공수부대의 진출은 당분간 없다. 전자사출기형은 군단 포병으로 섬멸했다. 다른 투척 가능한 장소도 그들의 사정범위 안이다. 투척 개시와 동시에 제압할 수 있다.]

연방군의 추정으로는 전자사출기형을 이용하여 진출 가능한 거리는 30킬로미터 정도다. 곡사포의 사거리 안에 가까스로 들어간다.

[다음은 우리 군단의 상황인데. 〈레기온〉 지배영역으로 진출시켰던 양동부대는 모두 요격을 받아 괴멸. 반대로 이쪽 지배영역까지 진출해 온 〈레기온〉 부대에 남아 있던 군단 각 사단이 모두 발이 묶인 상황이다.]

신은 눈썹을 찌푸렸다.

"……괴멸?"

몇 겹이나 되는 견고한 방어시설과 산악이라는 지형상 이점도 있다고 해도. 10년에 걸친 〈레기온〉의 침공을 막아온 군대다. 덫에 걸렸다고 해도 쉽사리 괴멸될 정도로 약하지 않을 텐데.

[조우한 지휘관의 마지막 보고로는 〈레기온〉들은 지배영역 안에 중량급을 집중 배치했던 모양이다. 전차형과 중전차형으로 이루어진 중기갑부대와 마주쳤다고 했다.]

신은 무심코 눈을 감았다. 중전차형. 하필이면.

155mm라는 규격외의 전차포와 100톤을 넘는 견고하기 짝이 없는 거구, 부조리 그 자체인 운동성능을 겸비한 강철의 괴물. 단기로 거기에 비견할 수 있는 펠드레스 따윈 존재하지 않는 그 무리 앞에서, ……금방 뭉개지리란 것은 상상하기 어렵지 않다.

[후방에서의 보급 행렬에 섞여서 진출하고 서서히 경량급과 교체한 거겠지. 〈레기온〉은 이 작전을 오래전부터 계획한 모양이야.]

신의 이능력은 〈레기온〉의 숫자와 위치까지는 알아도 기종은 판별할 수 없다. 방전교란형에 가린 지배영역에서 교체한 거라면 파악하기란 불가능하다.

[군단 본대에 이 기지의 상황을 전달했고, 예비부대는 미리 대기시켰으니까 바로 움직일 수 있는 상태겠지만. 애초에 군단 자체가 적의 포위망 안에 있다. 돌파하여 요새까지 구원을 오려면 최소한 닷새는 걸릴 전망이다.]

"……."

즉, 지금 상황은.

레비치 요새기지와 그들 기동타격군은 우군과의 연대가 끊어지고, 적 부대의 포위망 안에 고립된 상태란 소리다.

"……우리 쪽에서도 좋지 않은 소식을 전하지. 양동부대를 괴멸시킨 〈레기온〉 중기갑부대는 모두 레비치 요새로 향하고 있다. 숫자는 8천. 양동부대의 잔존병력이 시간을 끄는 모양이지만, 오래 못 버틴다. 보급과 재편성의 시간을 생각해도…… 내일이면 기지에 도달한다."

비카는 내심 싫다는 듯이 탄식했다.

[뭐, 그렇겠지만…… 희망적 관측을 안겨주지 않는 경의 그 능력도 이럴 때는 불편하군. 불길하면서 정확한 예언밖에 못 하는 카산드라는 미움을 사지.]

"지금 기지 안에 있는 〈레기온〉의 숫자는 1천 안팎이다."

[그만둬.]

진절머리를 내는 비카의 말을 묵살하고 말을 이어나갔다.

"태반은 자주지뢰라고 생각하는데. ……달리 뭐가 있었지? 척후형뿐인가?"

강하 모습을 본 적 있는 것은 그 두 종뿐이다.

[살아남은 카메라가 포착한 바로는. ……다만 그와는 별도로 충격완충기능이 있는 컨테이너의 투입도 복수 확인되었다. 뭐가 들어있는지는 현재 불명이다. 낙관적으로 생각하면 탄약과 에너지팩이겠지만.]

"정찰은…… 보낼 수도 없겠지."

[미안하지만. 지하구역 상층은 모두 〈레기온〉이 제압했다. 지상에 나가기 전에 들킨다.]

"사령부의 격벽이 파괴될 때까지 얼마나 걸리지?"

[구식이라고 해도 농성 사양이다. 걱정할 필요 없다……고 말하고 싶지만, 얼마나 버틸까.]

[이쪽은 호위로 브리싱가멘 전대와 슈가 중위가 지휘하는 4개 전대가 후진으로 남아 있었습니다. 거점을 지키기에는 충분합니다. ……걱정 말아요.]

오히려 걱정을 하고 드는 레나의 모습에 신은 그럴 상황이 아니라고 생각하면서도 좀 우스워졌다. 아무래도 웃을 기분까지는 들지 않았지만.

자기가 지금 제일 위험한 상황에 있는 주제에.

"상황은 이해했다. ……그래서 우리는 뭘 하면 되지?"

비카는 흥 하고 코웃음을 쳤다.

[알면서 묻나. ……뻔한 것 아닌가.]

지각동조 너머에서 흐르는 차가운 웃음의 기척.

전율과 사나움이 반반 섞였고, 다소 씁쓸한 기운이 도는 웃음.

[공성전이다.]

기동타격군 기갑부대는 독립적으로 돌격작전을 실행하는 그 성격과 전투요원의 태반이 전대 규모의 전투밖에 모르는 에이티식스라는 점 때문에 전대를 기본 단위로 삼아 14개 대대로 편성한 다는, 특이하게도 세분화된 편성이었다.

그 대대장인 신을 포함한 14명과 최고참인 스피어헤드 전대의 소대장들, 여단 최선임 부사관 베르노르트. 〈시린〉들을 대표한 레르케. 그리고 지각동조 너머의 레나와 비카와 라이덴. 레비치 요새기지가 자리를 잡은 숲에 있는 숙영지에 즉석 회의실로써 설치한 중장수송차량의 컨테이너 안에서.

결과론이지만, 사흘 전에 앙쥬와 더스틴이 조난한 것은 이쪽에게 행운이었다고 신은 생각했다. 두 사람의 수색으로 정비가 늦어졌고, 그 결과로 오늘 새벽의 출발도 늦었다. 그랬기에 이만큼 일찍 기지까지 돌아올 수 있었다. 아니었으면 라이덴의 후발부대도 기지를 나왔을 테니까 농성전 방어는 더 힘들어졌겠지.

알아차리지 못했으면 퇴로를 틀어막았을, 길을 무너뜨리는 덫을 사전에 무력화한 것도.

접이식 테이블을 여러 개 늘어놓고 그 위에 펼친 전장도를――투명한 커버를 씌우고 피아 부대 배치를 기록한 전역 지도를 내려다보는 채로 제4대대장 유트 크로우 소위가 중얼거렸다.

"……최악의 상황이군."

본거지인 기지가 함락되었고, 적이 지배하는 전역 안에 고립. 우군의 도착은 일러야 닷새 뒤이고, 그보다 먼저 적 증원이 도착할 예정――…….

"노우젠의 색적으로는 증원이 약 8천. 도착 예정은 빠르면 내일. ……즉 내일이면 우리는 중전차형과 전차형으로 구성된 8천기의 2대 중기갑부대와 성벽으로 앞뒤가 막히게 되나."

"이쪽 전력은 〈알카노스트〉를 포함해도 6천. 게다가 기지 안에 는 노우젠 대위도 격파할 수 없었던 고기동형이 있고……."

불안을 억누른 기색으로 제5대대장 레키 미치히 소위가 말을 이었다.

"숫자로 뒤지는 이상, 양면작전은 피하고 싶습니다. ……이쪽에서 치고 나가서 적 중기갑부대를 격파, 철수시킬 수 있겠습니까?"

[그 반대입니다, 미치히 소위. ──중기갑부대의 요격에는 주력하지 않습니다.]

지각동조 너머로 날아온 레나의 말에, 미치히가 놀란 듯이 눈을 크게 떴다.

[현황을 타개하려면, 〈레기온〉증원을 격파해도 무의미합니다. 포위망을 무너뜨린다는 우리의 목적에 득이 없어요. 괜히 전력을 소모할 뿐만 아니라 〈레기온〉의 새로운 전력투입을 유발할 뿐입니다.]

리토는 눈썹을 찌푸렸다.

"목적, 이라고요……? 〈레기온〉을 잡으면 끝 아닙니까……?"

[아뇨. 적의 목적은 레비치 요새기지의 점령. 그래서 주변을 봉쇄하고 증원을 보내고 있지요. 그럼 우리가 취해야 할 것은 그 목적의 저지. 즉…… 요새 탈환입니다.]

지각동조 너머에서 세오가 고개를 갸웃거리는 듯한 기척과 함께 말했다.

[즉…… 우리한테 그 요새를 공격하라는 소리야, 레나?]

"그렇습니다, 릿카 소위. ……다만 이 전투에는 공성전의 기본적인 전술을 하나밖에 쓸 수 없습니다."

원칙적으로 공성전은 농성하는 쪽이 유리하다.

성채란 적의 침입을 막기 위한 군사시설이다. 농성하는 쪽에게 일방적으로 유리하도록, 면밀하게 계산하여 만들어진 전장이라는 소리다. 성벽 하나만 봐도 공격하는 쪽의 화살을 막고, 농성하는 쪽은 적군에게 집중포화를 퍼부을 수 있도록 여러 노력을 담았다.

따라서 공격하는 쪽은 가능하면 성벽을 무시하는 전술을 취한다. 이를테면 정치적 공작. 혹은 야전으로 유도하기. 병참을 끊는 작전도 거대한 물자집적소이기도 한 성채가 상대라면 때로는 공격하는 쪽이 불리해지기도 한다.

혹은 성벽 파괴. 갱도를 파서 성벽을 무너뜨리든가, 공성추나 무게추식 투석기로 성벽을 직접 분쇄한다.

하지만 그 전술은 모두 이 전투에서 쓸 수 없다.

〈레기온〉에게는 교섭도 위협도 통하지 않는다. 그들은 어떤 도발에도 응하지 않고, 전쟁에 진력을 내지도 않는다. 서로 보급이 언제 올지 확실하지 않은 이상 물자를 노리는 것은 양날의 검이고, 그걸 할 시간도 없다. 견고한 화강암, 그것도 절벽 위에 있는 요새 밑으로 갱도를 뚫는 건 일단 불가능하다.

그런 이상 취할 수 있는 수단은 단 하나.

레나가 말하려는 바를 이해했을까. 살짝 딱딱한 목소리로 신이
답했다.

[──강습, 이군요.]

성벽을 강행돌파.

개미가 먹이에 몰려들듯이 숫자를 믿고 성벽을 올라가는, 가장
간단하고 가장 많이 이용되는…… 가장 많은 희생을 내는 졸렬한
전술이다.

[예. ……100미터 절벽과 그 위의 20미터 성벽. 여러분들은 그
걸 공략하는 겁니다.]

침묵이 잠시 즉석 회의실에 깔렸다.

에이티식스와 〈저거노트〉는 공화국에서도 연방에서도 시가지
와 삼림을 주전장으로 삼았다. 와이어 앵커를 이용한 수직등반에
도 익숙하다.

하지만…… 100미터를 넘는다. 아무리 〈저거노트〉라도 단숨
에 올라갈 수 없는 거리를, 머리 위에서 쏟아지는 포화와 자주지
뢰의 습격을 받으면서.

"그런 건……."

"어려워. 피해가 심할 거야."

다소 창백해진 얼굴로 리토가 신음하고, 유트가 딱딱한 표정으
로 수긍했다.

지각동조 너머에서 라이덴이 무뚝뚝하게 말했다.

[기지는 그냥 놔두고 철수하는 건…….]

"논할 가치도 없다. 철수해도 군단 본대와 합류할 물자가 없다."

신은 바로 딱 잘랐다.

프로세서들에게 상황을 알리기 위한 질문이고 알리기 위한 대답이었다. 병사 중에서도 특수한 환경에서 싸워온 에이티식스는 후방 연락선의── 보급의 개념이 희박하다. 며칠에 걸치는 행군이나 전투 경험도.

왜 요새기지를 탈환해야만 하는가. 그걸 이해하지 못한 채로 싸우면 결과가 좋을 리 없다.

질문 뒤에 숨겨진 진언에 대해서는 못 들은 척으로 넘겼다.

만에 하나라도 그런 짓을 할 생각은 없다.

"요새 탈환을 최우선으로 하고 〈레기온〉 중기갑부대에는 지연전투로 시간을 번다. 대령님, 그거면 되겠지요?"

지연전투. 결전은 피하면서 적의 전진을 방해하고 진행속도를 늦추는 전술 행동이다. 전투와 후퇴를 거듭하기 때문에 적군과 방어 대상 사이에 거리가 없으면 불가능하지만, 지금 적 증원의 위치라면 며칠 정도는 어떻게 되겠지.

[예.]

"상사. 포병대대를 포함하여 〈저거노트〉 절반을 맡기지. 증원의 상대를 맡겨도 될까?"

"뭐, 그렇게 되겠죠."

베르노르트가 담담히 수긍했다.

일단 사관인 에이티식스를 부사관인 베르노르트의 지휘 밑에 둔다. 정규군에서는 있을 리 없는 운용이지만, 애초에 계급 따윈 장식으로도 생각하지 않는 것이 에이티식스이고 용병들이다. 이 자리의 대대장들에게서도 반대 의견은 나오지 않았다.

"닷새. 구원이 올 때까지 닷새 벌 생각으로 하면 된다. 실수로도 격멸할 생각은 마라."

"걱정 안 해도 그런 생각 안 합니다요. ……그쪽이야말로 아무 생각 없이 돌진해서 쉽사리 죽지 마시죠. 지키는 우리가 바보가 되는 꼴이니까."

이런 상황이기 때문일까. 무례가 될까 말까 한 농담을 던지는 역전의 부사관에게 어깨를 한 번 으쓱해 준 뒤, 신은 대장들을 둘러보았다.

"나머지 〈저거노트〉와 〈알카노스트〉 전부로 요새 공략에 임한다. ……이쪽은 닷새도 못 쓴다. 사령부가 전멸하기 전에 요새를 탈환한다."

작전이 정해지자 요새 내부에 있는 이들도, 밖에 있는 기동타격군도 모두 바쁘게 움직이기 시작했다.

야간 교대를 생각하여 〈바나디스〉 관제요원도 섞여서 전투 배치에 임하는 발령소 요원들. 핸들러는 관제실에서 〈시린〉과 동조하고, 병사들은 통로의 방어에 임한다. 최대 침입로로 예상되는 격납고에는 라이덴이 요격 태세를 갖추었다.

멀리 왕도에서 동조해 온 그레테가 방면군도 에비 투입의 준비를 시작했다고 말했다.

　[당신들이 있는 남방 제2전선 전체에 〈레기온〉의 압박이 시작되었어. 예비병력을 아쉬워할 전황이 아니라고 국왕 폐하와 왕세자 전하가 내린 결단이야.]

　"고맙습니다, 벤체르 대령님."

　"……전언은 감사하지만……. 바쁘다고 타국의 군인을 부려먹지 말라고 아바마마와 형님에게는 나중에 따끔하게 말해두지. 무례한 짓을 했군, 대령."

　밖에서도 〈저거노트〉들이 중기갑부대의 요격에 임하거나, 혹은 요새기지를 포위하러 이동을 개시한 모양이다. 다리에 단 아이젠이 독특하게 울리는 딱딱한 발소리를 배경으로 신이 말했다.

　[밀리제 대령님. 비카. 전체의 지휘는 그쪽에 맡겨도 될까요? 나는 공성전을 전쟁사를 통해 배운 약간밖에 모릅니다. 솔직히 힘에 부칩니다.]

　"……아, 그러고 보면 경은 특별사관인가. 속성 사관은 알 리가 없겠지."

　그렇게 대답하는 비카는 사령부의 탄약고에서 가지고 온, 창처럼 기다란 중화기의 동작을 익숙한 손놀림으로 확인하고 있었다.

　이디나로크 왕가는 상무정신을 중히 여기는 혈통인 모양이라고 레나는 생각했다.

　20mm 대전차 라이플. 대량의 장약과 긴 포신으로 탄두에 초음속을 부여하여 장갑을 관통한다는, 옛날 보병용 대전차 화기의

일종.

전차 장갑이 두꺼워지고, 가볍고 위력이 강한 무반동총이 등장하면서 사라진 무기지만, 후방 십여 미터를 후폭풍으로 태워버리기 때문에 폐쇄된 곳에서는 쓸 수 없는 무반동총과 달리 대음향의 포성 말고는 문제가 없다. 좁은 공간이 많은 이 사령부의 방어에는 아직 쓸 만한 병기다.

확인을 마친 왕자는 그걸 근위병에게 넘겼다. 15킬로그램 나가는 그것을 두 개 짊어지고 자기 배치장소인 통로로 향해 나가는 그 뒷모습을 지켜보고 말을 이었다.

"분명히 경보다는 체계적으로 배웠지만, 나도 딱히 공성전 경험은 없는데? 농성 경험은 싫을 만큼 있지만."

[체계적으로 배운 만큼 나보다는 낫습니다. 진지 방어의 경험이 있다면 반대로 상상도 되겠지요.]

"뭐, 그건 그렇지만."

"……하지만."

문득 깨닫는 게 있어서 레나는 말했다.

현재 살아남은 에이티식스 중에서 복무 경력이 제일 긴 신조차도 모른다면.

"그렇다면 〈레기온〉은 더더욱── 이 요새를 공격하는 법을 모르지 않을까요?"

보라색의 오른쪽 눈동자가 힐끗 이쪽을 보았다.

"성내의 놈들을 포함하여 지금의 〈레기온〉은 태반이 〈목양견〉이라고 생각되는데."

"예. 공화국 시민의 뇌구조를 흡수하여 지성화된 기체."

스스로를 지키는 힘조차도 버렸기에 상처 없이 노획되어서 〈레기온〉의 전력 향상에 공헌하는 꼴이 된 공화국 시민들.

"하지만 다시 말하자면 전투 경험도 지식도 전혀 없는 시민이 병사가 됐다는 뜻입니다. 지성은 인간과 동등하겠지요. 하지만 그래도 모르는 것을 제대로 할 수는 없어요."

거짓 평화에 틀어박혀 있던 공화국 시민은 벽 너머의 전쟁을 남의 일이나 영화로밖에 생각하지 않았다. 공화국 군인조차도 총도 못 쏘는 자가 많았을 정도다.

그리고 그들을 지휘하는 〈양치기〉도 아마 태반은 에이티식스다. 〈레기온〉의 목 사냥을 방치했던 것은 공화국뿐. 연방도 연합왕국도 맹약동맹도 자국의 전사자를 〈레기온〉이 흡수한다고 안 뒤로는 상응하는 대처를 했다. 애초에 국가의 총력을 기울인 치열한 저항으로 〈레기온〉에 전투 이외의 짬을 주지 않고 유해나 부상자를 최대한 회수했다는 점도 있다.

지원 하나도 없고 전력도 부족하고 유해의 회수조차 금지되었던 86구의 에이티식스들이 〈검은 양〉과 〈양치기〉의 주요 공급원이 되었던 것은 상상하기 어렵지 않다.

그리고 에이티식스란 군인으로서의 교육은 물론이고 초등교육도 제대로 받지 못했던 소비용 소년병이다. 야전 경험은 풍부해도 공성전 지식 같은 건 갖추지 못했다.

본래 제국의 지휘를 받고 움직이는 병졸에 불과했던 〈레기온〉도 그건 마찬가지겠지. 11년 동안 전투 경험을 축적하고 분석했겠지만, 경험하지 않은 전투 쪽으로는 애초에 분석하려고도 하지 않는다.

그리고 공성전이란 백 년도 더 전, 투사병기의 발달과 항공병기의 등장으로 사라진 전투다.

지식으로밖에 존재하지 않는다.

비카는 잠시 생각하듯이 공백을 두었다.

"……그렇군. 지식만이라면 아직 이쪽이 유리한가."

그 두 눈동자가 희미한 어둠 속에서 사악한 미소를 띠며 가늘어졌다.

포악한 군주의 즐거움 어린 눈.

"지휘관이란 생물이 얼마나 사악한지를 평화로운 시민들에게 가르쳐 줄 기회도 되겠군. 그럼 보다 악랄한 사령부 방어지휘는 내가 맡지. ……밀리제, 경은 바깥 공성 지휘를 맡아라. 〈시린〉들의 총지휘권도 그쪽에게 맡기지."

"예. 노우젠 대위, 그렇게 알아주세요."

[라저. ……감사합니다.]

그레테가 말했다.

[시뮬레이션이나 조사 정도라면 이쪽에서 할 수 있으니까, 필요하거든 팍팍 돌려줘. ……그리고.]

그레테가 잠시 머뭇거렸다.

[국왕 폐하께서 말씀하시길…… 어려운 상황이라면 빅토르 전하를 구출하지 않아도 된다. 만에 하나 저버리는 결과가 되었더라도 기동타격군과 연방에도 책임을 묻지 않겠다……고.]

레나는 순간 놀랐다. 국왕 폐하라면 아버지일 텐데.

한편 비카는 당연하다는 듯이 어깨를 으쓱였다.

"그렇겠지. 나는 군인이고, 여기는 연합왕국의 전장이다. 책임을 물었다간 대대로 웃음거리가 되겠지."

"조금 묘하다고 생각합니다."

지각동조를 끊은 그레테에게 아네트는 말했다. 로아 그레키아 왕성의 한곳. 레나나 신 일행이 곤경에 빠진 지금은 죄악감을 느낄 만큼 쾌적하고 호화로운, 이들에게 주어진 객실.

"목적은 몰라도 또 정확하게 기동타격군을 노렸습니다. 아무리 그래도 이쪽의 움직임을 너무 읽는 것 같습니다."

고개를 끄덕이며 그레테는 조용히 물었다.

레비치 기지는 저지를 굽어보는 연합왕국군의 전진관측진지다. 공격해 오는 〈레기온〉에게는 가치가 없다. 그러니까 표적이 되는 것은 기동타격군. 하지만 그것도 사실은 이상하다.

"지각동조가 방수되었을 가능성은?"

"그건 아닙니다. ……〈시린〉이 지각동조를 사용하는 이상, 마찬가지로 인간의 뇌구조를 복제한 〈레기온〉이 불가능하다고는 단언할 수 없지만, 동조의 대상이 되려면 그걸 위한 설정이 필요합니다."

"노우젠 대위가 〈레기온〉의 목소리를 듣는 것과 같은 방식으로, 대위의 위치가 〈레기온〉들에게 탐지되었다든가."

"그건 현재 알 수 없지만. ……하지만 그런 것보다 더 단순히."

"그래."

그레테는 한 차례 탄식했다. 우울하게. 동시에 군인으로서 냉철함을 담아서.

"연방군 내부에서 정보가 새는 걸 의심하는 게 좋겠네."

자신에게 주어진 방에서 군복을 벗고, 블라우스나 스타킹도 모두 다 벗고, 레나는 손에 들린 것을 내려다보았다.

〈찌카다〉. 동시에 백 명 이상과 동조하는 레나의 부담을 줄이기 위해 비카가 건네준 사고지원 디바이스.

저번 정찰임무에서는 사용하지 않았다. 시간도 짧았고, 동조 상대도 몇 개 전대의 대장과 소대장 정도였으니까.

하지만 이번에는 안 쓸 수 없겠지. 밖에 있는 1개 여단 전원을 지휘해야만 한다. 동조하는 숫자도 막대해진다. 안 그래도 격전이 예상되는 공성전에서 만일 레나가 쓰러지면 밖에 있는 기동타격군의 지휘를 잡을 수 없어진다. 대신해 줄 비카에게도 부담이 간다.

기합을 넣고 긴 머리를 들어올렸다. 먼저 장착했던 레이드 디바이스에 접촉시키듯이 목에 찼다.

인간의 체온과 피부 위를 달리는 생체전류에 닿자 유사신경결정이 작동. 〈찌카다〉가── 사고지원 디바이스가 눈을 뜬다.

은고리를 구성하는 은실이 좌라락 풀어졌다. 착착 정리된 상태에서 스스로 풀어져서 인광을 띠며 흘러내렸다.

누에의 실처럼, 거미줄처럼 가느다랗고 무수한 은실이 빛이 흐르듯이 하얀 등에 흘러내렸다.

희미한 보라색을 띠고 은색으로 빛났다. 초속 재생한 덩굴식물의 성장처럼 폭발적으로 증식하고 길어져서, 덩굴식물처럼 어깨로, 등으로. 팔로 얽히며 뻗었다.

"으……."

깃털로 간지럽힌 듯한, 손톱 끝으로 간질거리는 듯한, 간지러움과도 비슷한 독특한 감촉이 피부 위를 따라갔다.

"으…… 으……!"

그것들은 자기증식을 거듭하면서 온몸을 따라가서, 레나의 목덜미부터 발끝까지를 뒤덮고 멈추었다.

거기 나타난 것은 두꺼운 보디 슈트와도 비슷한, 온몸을 뒤덮는 옷이었다.

복잡하게 얽혀서 어딘가 생물 같은 무늬를 표면에 그리는 그 은실의 정체는 자기증식기능을 가진 유사신경섬유다. 사용자의 생체전류를 동력원으로 삼아서 온몸을 뒤덮을 정도의 섬유량을 통해 의사적인 신경 네트워크를 구성하는, 두개골 외의 곳에 전개되는 인공 보조뇌.

그 지원의 산물일까. 눈을 뜨자 시야가 생각보다 조금 밝았다.

한 차례 숨을 내뱉고, 빛이 빈곤한 어둠 속에서 레나는 고개를 들었다.

전개한 디바이스의 두께 때문에 군복 소매에 팔이 들어가지 않고 어깨도 조금 답답하게 느껴졌기에, 레나는 위안 삼아서 신발만 신고 발령소로 돌아갔다. 접속위치와는 거리가 먼 발끝은 디바이스의 전개량이 적어서, 벗어놓은 스타킹의 두께와 비슷할 정도였기 때문에 쉽게 들어갔다.

신발소리를 깨닫고 비카가 힐끗 시선을 주었다. 어린애인 프레데리카에게 자기 의자를 양보했는지 부지휘관 자리 옆에 서 있다.

그대로 엄청나게 미묘한 표정을 하고 침묵했다.

"으음…… 저기. ……………………………………
미안하군. 내가 잘못했다."

"……!"

이제 와서 그런 사죄를, 꼭 이럴 때 한해서 진지하게 하는 왕자 전하를 레나는 힘껏 노려보았다.

비카는 어쩐 일로 식은땀까지 흘리면서 엉뚱한 곳으로 시선을 돌렸다.

"사실은 레르케에게도 필요한 때면 장비시키는데……. 과연, 녀석은 경과 비교하면 비교적 아담한 편이었으니까 괜찮았던 거로군……."

"무슨 의미입니까……?!"

"경은 축복받은 거야."

"뭐가 말입니까!!"

프레데리카조차도 뭐라고 할 수 없는, 참 안타깝다는 얼굴을 하고 있었다.

"아무래도 그 얼간이의 꿍꿍이였나 본데, 당사자조차도 무심코 자기 잘못을 후회하게 될 정도라니…………. 으음, 그래, 남자들에게는 못 보여줄 모습이로구나."

프레데리카 나름대로 말을 가린 모양인데, 그게 레나에게는 오히려 쇼크였다. 그 정도로 경박한 모습이라는 소리를 들은 것 같아서.

사고지원 디바이스 〈찌카다〉.

유사신경섬유로 구축된, 보디 슈트 모양의 연산장치.

다만 사용자의 생체전류를 동력으로 가동하기 때문에, 또 유사신경섬유에는 자세를 유지할 힘이 없기 때문에, 반드시 피부 위에 전개시켜야만 한다. 즉 몸에 딱 밀착하는데도 불구하고, 사용자의 체조직을 받쳐주지 않는다.

즉.

움직이면 흔들린다. 주로 가슴이.

발령소 요원들은 조심스럽게, 혹은 노골적으로 눈길을 돌리고, 그중에는 마치 콘솔에 달라붙듯이 스크린을 응시하는 소년도 있었다.

"……마르셀 소위. 왜 그렇게 한사코 눈을 돌리는 건가요……?!"

대령이 묻는데도 마르셀은 역시 홀로스크린에서 눈을 떼지 않았다.

"지금 은근슬쩍 저더러 죽으라는 명령을 하시는 거죠? 대령님, 지금 돌아보면 분명 노우젠의 손에 죽습니다."

"시……신은 지금 관계없잖아요?!"

그 이름을 들은 순간 왜인지 괜히 더 부끄러워져서 새빨간 얼굴로 레나는 외쳤다.

[뭐…… 일단 다음 작전부터는 한 사이즈 더 큰 군복을 준비하지, 여왕님.]

동정을 금할 수 없다는 어조로 시덴이 동조 너머로 말했고, 말없이 밖으로 나갔던 프레데리카가 연방군의 남성용 쇳빛 블레이저를 가지고 돌아오더니 영차 소리와 함께 발돋움하여 레나의 어깨에 걸쳐 주었다.

스피어헤드 전대가 배치에 임하고 잠시 뒤, 관제 준비를 한다면서 잠시 끊어졌던 레나의 동조가 다시 연결되었다.

[타격군 각기에. 늦어졌습니다.]

"아뇨. ……대령님?"

신은 그 말을 듣고 물었다. 동조를 끊었던 그 10분 정도 사이에.

"무슨 일, 있었습니까?"

[뭐가 말인가요?]

역시나.

"목소리가. ……기분이 언짢으신 것 같아서."

숨길 생각도 없다는 걸 알 만큼 그녀의 방울 같은 목소리가 날카롭다. 어조도 왠지 쌀쌀맞았다.

[아무것도 아닙니다.]

과연, 뭔가 있었군.

전투가 끝난 뒤에 누군가에게 물어보자고 신은 생각했다. 프레데리카나 마르셀에게라도.

뭔지는 모르지만, 본인에게는 안 묻는 편이 좋을 것 같다.

레르케가 보고했다. 왜인지 묘하게 미안하다는 듯이.

[……저승사자님. 저기, 〈알카노스트〉, 배치 완료했기에…….]

"……? 라저. 대령님, 기동타격군도 배치 완료입니다."

[수고했습니다. 다른 명령이 있을 때까지 대기해 주세요.]

한 차례 숨을 내뱉고 레나는 마음을 다잡으려고 했다. 그래도 평소의 씩씩하던 목소리가 아직 다소 동요의 빛을 띠고 있었다. 이번에는 아무래도 부끄러운 듯이 머뭇거리는 느낌.

전해져 오는 감정이 왠지 묘하게 강하다 싶어서 신은 눈썹을 찌푸렸다. 서로의 의식을 통하는 지각동조는 얼굴을 맞대고 이야기하는 정도의 감정을 전달하지만, 지금 이때 한해서는 그게 너무나도 선명하다.

"……뭔가……."

[대기하세요! 노우젠 대위.]

"……라저."

시각은 정오를 지났고, 해질 때까지는 아직 많이 남았다. 눈이 조금씩 흩날리기 시작해서 하늘은 어두웠다. 은가루가 섞인 무거운 낮빛 구름에서 소리도 없이 내리는 하얀 가루들.

레비치 요새는 그 너머에 웅크린 거인의 시체처럼 거만하게 솟아 있다.

고저차 최대 300미터, 최소 100미터 이상 되는 단애절벽. 가루

눈이 그치지 않는 지금은 그 절벽에 두껍게 얼음옷을 두르고 강철 색채의 장갑판이 정상을 따라 주욱 둘러쌌다.

지세는 이 주변에서는 요새 주변이 가장 높고, 남쪽의 경합지역 을—— 즉 지금 신 일행이 있는 침엽수림을 향해 완만하게 내려간 다. 요새 위에서 요격할 수 있도록 의도적으로 숲을 개척했을까, 요새 주변은 부자연스러울 정도로 차폐물이 없는 평원이 반경 몇 킬로미터에 걸쳐서 펼쳐졌다.

공격목표가 된 것은 남북으로 긴 마름모꼴의 바위산, 그 남동쪽 경사면으로, 거기가 가장 고저차가 적고 삼림지대와의 거리도 멀 지 않지만.

앙쥬가 말했다.

[……이런 곳을 미적미적 기어가면 좋은 표적이 될 거야.]

[……그렇다고 해도 여길 나갈 수밖에 없어. ……저런 성이 아 니었으면 일단 포격을 날리고 보겠는데.]

사방을 둘러싼 성벽 안에 있다는 것은 사방 어디로도 도망칠 데 가 없다는 소리기도 하다. 일정 범위를 고폭탄 파편으로 쓸어버 리는 면 제압에는 절호의 표적이다.

하지만 요새에는 빙하의 침식으로 생겼다는 두꺼운 바위 지붕 이 있다.

지금은 금속 기둥으로 보강한 그것은 포격이나 폭격 같은 하늘 에서의 공격에 일정한 방어력을 갖는다. 전자가속포형이나 폭격 기를 이용한 초중량, 초고속 포격, 폭격이라면 모를까, 어지간한 포격으로는 꿈쩍도 않는다.

그걸 감안한 세오의 농담이었겠지만, 그 안에 동료가 갇힌 요새다. 예상대로 크레나가 눈썹을 찌푸리는 기척.

[다른 사람들도 안에 있는데? ……저기, 일단 레나도 걱정되고.]

[예를 들어 하는 소리잖아. 그러니까 신도 포병 사양의 〈저거노트〉 부대는 베르노르트 쪽으로 돌렸고.]

〈레긴레이브〉는 주포, 부무장 모두 변경이 가능해서, 곡사포를 장비한 포병 사양기도 기동타격군에 2개 대대 존재한다. 그것은 모두 지금 지연전투에 돌렸다. 세오의 말처럼 이 요새의 공략에 쓸 수 없기도 하고, 중량급 〈레기온〉과 대치하는 지연전 부대에 대화력 지원을 할애하기 위해서다.

요새 주변에는 적의 모습도, 〈시린〉 이외의 망령의 목소리도 없다. 성안에만, 그것도 아무래도 요새 지상구역 부근에 있는 듯한 아비규환을 들으면서 신은 말했다.

"앙쥬. 성벽과 지붕 틈새로 미사일을 명중시킬 수 없나?"

[아니, 신?!]

[으음…….]

크레나가 허둥대는 한편 앙쥬는 고개를 갸웃거리는 듯한 기척이었다.

[〈저거노트〉의 미사일은 목표 지정이 되지만, 진로 지정은 불가능해. 게다가 저 기지의 주요시설은 지하잖아? 지상부의 청소는 몰라도 지하시설에 침입한 〈레기온〉에는 안 닿아.]

"지상을 일시제압하면 돌입을 위한 시간을 벌 수 있을까 했는데. ……그것도 무리인가."

[뭐, 역시 기어 올라갈 수밖에 없다는 소리네…….]

묵묵히 듣던 더스틴이 말했다.

[……순수한 의문인데. 북서쪽 정면 게이트 방향으로 올라가는 건 왜 안 되지? 작전회의에서는 검토도 되지 않았으니까 안 된다는 건 알겠는데, 거기는 정규 도로잖아. 절벽을 와이어로 올라가는 것보다는 빠르고 확실하지 않아?]

신은 한 차례 눈을 깜빡였다.

에이티식스에게는 상식에 가까운 지식이었으니까 거기에 의문을 가질 줄은 생각도 하지 않았다.

"출입구는 적이 기다리고 있으니까. ……특히나 그 길은 공격하려고 올라가다간 집중포화를 받는 구조다."

[……집중포화? 아……!]

이해한 모양이다.

레비치 요새 북서쪽의 정규 등반로는 불필요할 정도로 완만한 언덕과 급한 헤어핀 커브가 거듭되면서 굽이치는 가느다란 길이다. 그리고 억지로 직진하는 것을 막기 위해 길 바깥쪽에는 장애물이 있고, 등반로를 부채꼴로 내려다보는 정면 게이트와 좌우 성벽의 무수한 총좌.

길을 따라가면 차폐문도 없는 상태로 장시간 동안 세 방향에서 집중포화를 맞는 꼴이 된다. 정면 게이트까지 도달하기는커녕 괜히 희생만 낸 끝에 주저앉은 잔해로 후속 병력의 진로를 막을 뿐이다.

[하지만 성에 그런 포는 없잖아. 그리고 길로 가지 않아도…….]

"없다고 확인된 건 아니야. 길을 무시하려고 해도 장애물이 깔렸고, 조금이라도 포장도로를 벗어나면 지뢰가 있어. 포격으로 지뢰를 제거하는 것도 불확실해."

지뢰를 다 제거하기 전에 무너질 정도로 의도적으로 약하게 만든 면모도 보이는, 참 성질 더러운 구조다.

그 대화를 듣고 있었는지 비카가 말했다. 성질 고약한 호랑이처럼 웃으면서.

[정답이다, 노우젠. 성질 더럽다고 생각한 것까지 포함해서 말이지. ……그런 거다, 신병. 꼭 이 성이 아니더라도 정면에서 무식하게 공격하는 일은 되도록 피해라. 출입구와 길은 반드시 인간이 지나는 장소다.]

방어 측도 가장 효율 좋게 덫을 설치할 수 있고, 동시에 가장 경계하는 장소다.

[성내에 돌입한 뒤에도 주의해라. 〈레기온〉들이 다소 망가뜨리긴 했지만, 방어용 장치가 남아 있을지도 모르지.]

[너…… 설마 자기 성안에도 지뢰를 깐 거야……?]

[의도하고 둔 만큼 그나마 낫다고 생각하는데? ……아군 지배 영역에 불발탄이나 지뢰가 없다고 생각하면 큰코다칠 거다.]

[……]

〈사지타리우스〉의 광학 센서가 발밑을 보았다. 어딘가 불안해하는 움직임이었다.

[그러니까 싫어도 암벽 등반을 할 수밖에 없다는 소리지. ……일단 정찰도. 누가 갈 거지?]

MAP 〈연합왕국 [레비치 관측기지] 간략도〉

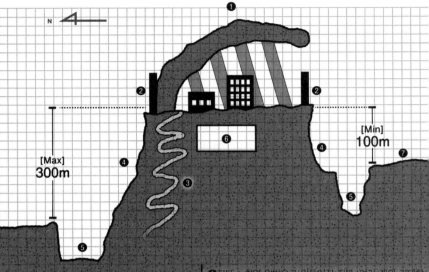

N

[Max] 300m

[Min] 100m

❶

❷ ❷

❹ ❹

❸

❻

❼

❺ ❺

❶지붕 : 천연 암반으로 만들어진 지붕. 여러 개의 거대한 기둥으로 버티고 있다.

❷성벽 : 강화 콘크리트와 장갑판으로 이루어진 성벽. 전체를 빙 두르듯이 존재하고, 접근하는 자를 막는다.

❸기지 출입구(북서부 사면) : 출입용으로 만들어진, 굽이치는 등반로. 이동거리가 길고, 또 위쪽에서의 공격을 막을 방법이 없기 때문에 등반은 곤란.

❹얼음암벽 : 안쪽을 향해 타원형을 그리는 바위와 얼음벽. 최장 약 300미터, 최단 약 100미터.

❺빈 해자 : 깊이 약 20미터의 물 없는 해자. 바닥에는 뾰족한 철골을 섞은 대전차 장애물이 깔려 있다.

❻기지 사령부 : 밀리제 대령, 수가 중위 등이 고립되어 있는 지하 사령부. 사령부 및 사령부에 인접한 제8격납고 이외의 지상부를 포함한 전역을 레기온에 제압당한 상황.

❼신에이 대위 이하 현재 위치(남서부)
가장 암벽이 짧고, 숲과 같은 차폐물도 가까운 남서부에 자리를 잡았다. 하지만 돌파는 요원할 것으로 예상된다.

<table>
<tr><td>작
전
개
요</td><td>연합왕국 관측기지 [레비치 요새]를 레기온의 공중강습으로 빼앗겼다. 또한 신에이 노우젠 대위가 지휘하는 선발부대와 출발이 늦은 밀리제 대령이 지휘하는 후발부대가 분단되고 말았다. 레기온 증원이 접근 중이라는 정보가 있음. 선발부대는 신속하게 요새를 탈취하고, 고립된 후발부대와 합류하라.</td></tr>
</table>

※ 측도면이기 때문에 생략되었지만, ❷❹❺는 기지 주위 전체에 존재한다.

몇 초 침묵한 뒤에 비카가 말했다.

[너희는…… 설마 아직도 이해하지 못했나? 어이, 레르케.]

얌전히 침묵을 지키던 레르케가 대답했다.

어딘가 자랑스럽게.

[잊으셨나요, 여러분? 우리 〈시린〉은 그러라고 있는 새입니다.]

1개 분대의 〈알카노스트〉 4기가 숲을 뛰쳐나갔다. 공성부대 본대와 거리를 두도록 우회해서, 일부러 직선상에 숙영지도 본대도 두지 않는 지점. 포격을 경계해 서로 100미터 정도 거리를 벌린 소대 쐐기 대형으로, 금속 발톱이 눈을 꿰뚫어 땅에 박히는 소리와 함께 질주했다.

[……저승사자님. 데이터 링크가 왔으니 전송하겠습니다.]

레르케의 말에 이어서 〈언더테이커〉의 콕핏에 홀로윈도우가 뜨고, 정찰부대의 건 카메라 영상이 〈차이카〉를 경유하여 표시되었다. 요새까지 약 100미터 정도 남은 지점. 그 위치에서는 하늘을 찌를 듯한 절벽과 장갑의 벽.

접근하니 정말로 난공불락임을 알 수 있었다.

높이가 100미터나 되는 얼음 절벽. 그 위에 또 높게 세운 장갑판과 이를 뒤덮은 두꺼운 강화 콘크리트 성벽. 게다가 암벽은 안쪽으로 완만한 호를 그리듯이 의도적으로 깎아내서 기어오르는 것도 불가능한 형태. 와이어 앵커를 사용해도 정상까지는 도저히 단숨에 올라갈 수 없다.

더불어서 그 앞에는 폭 10미터 이상, 깊이 20미터 정도 되는 빈 해자가 바위 난간 주위를 하나도 예외 없이 둘러싸고 있었다. 펠드레스치고는 가벼운 〈레긴레이브〉나 〈알카노스트〉가 못 뛰어넘을 거리는 아니지만, 그 앞은 단단하고 두꺼운 얼음벽이다. 앵커를 꽂는 데 실패했다간 땅바닥에 굴러떨어진다.

　그리고 해자 바닥과 앞에 빈틈없이 자리 잡은, 뾰족한 철골을 꽂아 놓은 대전차 장애물.

　[……뭐, 하지만 성벽 바로 밑에 앵커를 꽂고 감아올리면 어떻게든 올라갈 수 있으려나.]

　같은 영상을 보면서 세오가 말했다.

　[너무 꽂으면 무너질 테니까 많이는 올라갈 수 없지만. 대전차 장애물은 포격으로 날려버리고 사이를 통과. 게이트 주변만 제압하면 그다음은 평범하게 들어갈 수 있겠고…….]

　그렇게 말하다가 입을 다물었다.

　방금 신의 이능력이 이동하는 〈레기온〉의 움직임을 포착했다. 성벽 정상, 톱니 모양을 그리는 총안에 쇳빛 그림자가 모습을 보였다. 병기 특유의 위압적인 실루엣과 등에 짊어진 포의 긴 그림자.

　레르케가 말했다.

　[여왕님. 저승사자님. ……저 포의 공격을 그대로 맞겠습니다. 공격 수단과 범위를 확인하고 싶으니.]

　"최대한 직격은 피해. 보급이 없는 이상, 전력 저하는 최대한 피하고 싶다."

[분부대로. ……음.]

성벽 위에서 보자면 거의 바로 아래에 있는 〈알카노스트〉를 노리며 쇳빛 그림자가 몸을 내밀었다.

시선을 따라가는 시스템이 자동적으로 초점을 맞추어 줌 온. 멀리 있는 적기의 모습이 선명해졌다.

크기는 대전차포병형과 비슷한 정도일까. 〈레기온〉 특유의 쇳빛 기체. 하지만 노골적으로 장갑이 없다. 네 다리가 버티는 본체, 기관부를 그대로 드러낸 채로 기다란 포를 짊어지고 있다. 전갈 꼬리처럼 길게 뒤로 뻗은 포크.

귀를 시끄럽게 울리는 망령의 포효를 보면 〈레기온〉인 것은 틀림없다. 하지만 7년에 걸쳐 〈레기온〉과 계속 싸운 신도 본 적 없는 겉모습이다.

……아니.

분명히 〈레기온〉으로서는 본 적이 없다. 하지만 저 형상이라면 본 적이 있다. 기다란 포신, 중후하며 위압적인 기관부. 포구의 어마어마한 소염기와 반동 흡수를 위해 포격 시에 꽂는 후방 포크. 지원 없는 86구에서는 본 적 없지만, 포 지원이 당연한 연방에서는 전투 도중에 몇 번 보았다.

전차포보다도, 라이플보다도, 전장에서 가장 많은 인간을 살상하는, 살의도 살인의 자각도 없는 전장의 신——.

곡사포!

"레르케, 〈알카노스트〉를 후퇴시켜. 저건——."

신은 간신히 깨달았다.

〈레기온〉이 부대 일부를 일부러 중량이 증가하는 완충 컨테이너에 넣어서 투척한 이유.

감속해서 자력으로 착지할 운동성능이 없다. 전선에 나오는 것을 상정한 병종이 아니다.

"장거리포병형이다!"

굉음.

〈레기온〉들의 거포가——155mm 곡사포가 빈 해자 앞에서 발을 멈춘 〈알카노스트〉를 향해 일제사격을 날렸다.

"——장거리포병형?! 후방에 두는 포병기종이 최전선에 말인가요?!"

레나가 무심코 되물은 것도 무리는 아니다.

장거리포병형은—— 곡사포는 강력하기 짝이 없는 화력을 자랑하는 반면, 근거리 전투에 전혀 맞지 않는 병종이다. 하물며 그것을 요새 공략에 투입하다니.

"왜 그런……."

비카가 칫 하고 거칠게 혀를 찼다.

"……그런 건가. 밀리제, 〈알카노스트〉를 물리지 마라. 장거리포병형의 투입 목적은 사령부의 격벽 파괴다."

레나가 앗 소리와 함께 숨을 삼켰다.

155mm의 거대한 고폭탄은 직격하면 전차도 산산조각 내는 파괴력을 갖는다. 튼튼하게 만든 이 사령부의 방폭 격벽마저도 포

격을 집중시키면 언젠가 깎아낼 수 있겠지.

고정 목표에 최대의 파괴력을 발휘하고, 전자사출기형이 투척할 수 있는 무게. 그렇기에 선정, 투입된 것이다. 확인된 병종을 볼 때 전자사출기형의 투척 한계는 아마도 10톤 정도. 전투중량 50톤을 넘는 전차형이나 100톤을 넘는 중전차형은 포탑만 봐도 그 무게를 웃돈다.

반대로 장거리포병형은 곡사포 자체의 중량이 있긴 하지만, 포에 다리만 붙은 간소한 형태인 만큼 총중량은 가볍다. 특히나 장갑이 없다는 점은 중량 경감에 아주 유리하다.

조건을 만족하는 병종이니까 투입했다. 포병은 전선 배후에 둔다는 인간의 상식은 없다.

전체를 위해 자기 몸으로 지뢰밭에 길을 여는 것도 개의치 않는 〈레기온〉과 동료의 죽음을 꺼리는 인간은 같은 전장에서도 따르는 논리가 전혀 다르다. 도출되는 행동도.

──마찬가지로.

"……면 제압을 주임무로 하는 장거리포병형에, 아무리 〈시린〉이라도 대책 없이 접근시키는 건……."

"성벽을 지킬 필요가 없어지면 장거리포병형은 이쪽을 쏜다. 그런 이상, 밖에 있는 녀석들은 어느 정도 〈레기온〉들을 끌어들여 붙들 필요가 있다."

"큭……."

인간을 지휘하는 레나와 인간이 아닌 〈시린〉을 다스리는 비카가 따르는 논리도.

THE BASIC DRONES

[〈레기온〉 통상전력]

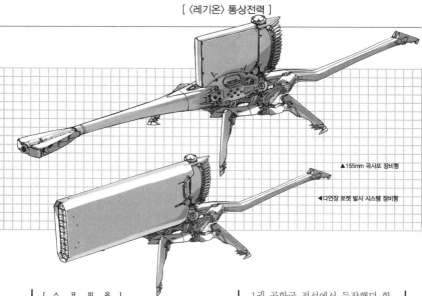

▲155mm 곡사포 장비형

◀다연장 로켓 발사 시스템 장비형

[스 코 피 온]

〈장거리포병형〉

[ARMAMENT]

155mm 곡사포 or 다연장 로켓 시스템

[SPEC]

[전장] 11.0m / 전고 2.2m
※곡사포 장비형의 스펙. 포탄 수평시

※기본은 전선과 먼 후방에서 곡사 탄도로 포격 지원을 하는 기체지만, 수평수격 등도 가능.

1권 공화국 전선에서 등장했던 화력 지원용 기체. 전선에는 나가지 않고 적의 사거리 밖에서 포격을 한다. 이러한 컨셉의 경우 장갑은 없고, 운동성도 많이 떨어진다. 또한 실질적으로 포신과 포신 고정용 다리밖에 없으므로 기체 중량은 크기에 비해 지극히 가볍다(전차가 무거운 것은 태반이 그 장갑 때문이다). 이번에는 그 경량에 힘입어 전자사출기형을 이용하여 사출돼 레비치 요새에 도달했다. 위에서 말했듯이 본래 운용목적과는 크게 다른 것으로, 〈레기온〉의 지성화에 따른 영향이 엿보인다.

하지만 전장에서라면 비카의 말이 옳다. 눈앞의 몇 명의 죽음을 꺼리는 어중간한 마음은 지휘하의 전원의 죽음으로 이어질 뿐이다.

구역질을 참으면서 레나는 명했다. 지각동조로 이어진 신 일행에게 이 혐오와 공포가 전해지지 않기를 빌면서.

"……핸들러 전원에. 계속해서 제2조 전진. 다음부터는 최대한 회피하고 적의 포를 성벽 위에 붙들어 놓으세요. 적을 바쁘게 만들도록 해요."

"……라저. 〈저거노트〉도 접근을 시도하겠습니다."

반경 30미터 범위를 일격에 쓸어버리는 155mm 고폭탄, 그 일제사격이다.

잠깐도 못 버티고 산산조각이 난 〈알카노스트〉의 잔해를 씁쓸하게 바라보면서 신은 대답했다.

레나가 괴롭게 내린 명령의 의미를 모를 그가 아니다. 장거리포 병형은 성벽 방어라는 점에서 결코 최적의 병종이 아니다. 40킬로미터의 사거리는 너무 길고, 간접조준과 직접조준 틈새에 공백지대가 생긴다. 그것이 전선에 투입되었다면, 본래 목적이 달리 있기 때문이다.

이쪽에서 계속 붙들지 않으면 안에 있는 사람들이 위험하다.

그 접근을 위한 원호로 보내진 소대의 대장에게 의식을 돌렸다. 성벽 위의 〈레기온〉을 배제하기 위한 부대. 적이 고개를 내밀지 못하게 하고, 적을 물러나게 해서, 암벽에 접근하기 쉽게 하기 위한 부대.

"……크레나. 성벽 위를 저격 가능한 포인트는 있나?"

그 질문에 크레나는 입술을 깨물었다. 지도를 확인하고 산출한 저격 포인트 중 하나. 눈 덮인 숲의 다소 높은 바위선반 위.

"몇 군데 있어. 하지만……."

최전선에서 적기와 싸우는 신에게 도움이 되고 싶기에 갈고닦은 저격 기량이다. 이런 때 귀찮은 적기를 배제하는 게 자신의 역할이다.

이것만큼은 분명히 힘이 된다. 이게 있는 한 전장에 함께 있을 수 있다. 크레나로서는 누구에게도 지지 않을, 자신만의 역할이다.

그런데 이런 보고를 해야만 하다니.

바위선반에 파고들어서 눈을 살짝 뒤집어쓴, 아직 새것인 센서를 반짝이는 산포식 산탄지뢰들을 둘러보며 신음했다. 아마도 용아대산 공략작전을 중단하고 돌아오는 동안에 깔렸을 것이다.

"지뢰 천지야……! 여기고 저기고 대전차지뢰가 깔려있어!"

쿠웅…… 하는 무거운 작렬음이 두꺼운 암반을 사이에 둔 여기까지 울렸다.

소리가 난 곳을 힐끗 보며 라이덴은 말했다. 물론 〈저거노트〉의 센서들로는 콘크리트와 바위벽 너머가 보이지 않지만.

"통로 방어전이 시작되었나. ……바깥 녀석들, 고전하는 모양이군."

[그야 저렇게 무식한 벽을 록클라이밍하게 된다면, 아무리 저승사자라도 말이지.]

레비치 요새기지 지하 최하층, 제7격납고.

한 층을 통째로 사용한 기지 최대의 격납고는 폭, 깊이 모두 500미터 이상 되는 거대한 공간이다. 민가 정도라면 그대로 들어갈 높이의 천장에는 라이트 외에 건트리 크레인이 줄줄이 있고, 벽을 따라 죽 이어지는 캣워크. 빈 컨테이너를 쌓아서 바리케이드를 만들고 〈베어볼프〉와 〈키클롭스〉를 필두로 하는 〈저거노트〉들이 그 뒤에 숨었다.

〈저거노트〉의 광학 센서가 보는 곳, 엘리베이터로 이어지는 입구는 지금 방화 셔터로 막혀 있고, 그 셔터 너머에서 격렬한 폭음이 반복되었다. 위층에서 샤프트를 따라 내려온 〈레기온〉들의 자폭공격.

자주지뢰의 폭발과 척후형의 돌격으로 축적된 대미지에 아무튼튼한 셔터라도 삐걱대기 시작했다. 쿵! 하고 커다란 충격음에 이어서 드디어 크게 구겨진 틈새로 엿보이는, 꿈틀거리는 쇳빛의 무리.

……온다.

"——전기, 무장 안전장치를 해제. 별도 명령이 있을 때까지 대기……."

굉음.

견디지 못한 셔터가 터져서 날아갔다. 척후형과 자주지뢰가 뒤섞인 무리가 탁류처럼 밀려들었다.

번쩍이는 광학 센서가 사냥감을 찾아 격납고의 어둠을 둘러보는 것과 라이덴이 명령을 내린 것은 완전히 동시.

"사격 개시!"

순식간에 수평으로 훑는 화선이 쇄도한다.

기관포의 낮은 포효와 기체마다 두 정 달린 중기관총의 날카로운 규환. 척후형의 장갑 파편이, 찢어진 다리가, 뿔뿔이 날아간 자주지뢰의 팔다리가, 폭발의 검은 불길을 배경으로 날아갔다.

하지만 스러진 제1열을 뛰어넘으며, 쏟아지는 강철의 빗발을 개의치 않으며 〈레기온〉들은 계속 격납고 안으로 돌입을 감행했다. 총신의 과열을 막기 위한 몇 초 사이에 거리를 벌리고, 동료의 시체를 짓밟으며 소리 없이, 순식간에 밀려들었다.

[칫, 개미처럼 우글우글. ……애들아, 통과시키지 마라! 우리 뒤에는 물러날 곳 따윈 없으니까!]

소리치며 맞서는 시덴과 브리싱가멘 전대와 충돌. 기동병기들끼리 서로의 사각을 노리며 움직이고, 그 틈새로 자주지뢰가 파고드는 난전 상태에 빠졌다.

〈저거노트〉만이 아니라, 육전병기는 상판 장갑이 얇다. 그 약점을 노리고 자주지뢰 일부가 캣워크를 향해 벽을 타는데——.

[왔구나, 떨궈버려!]

〈저거노트〉의 배후, 격납고 전체를 내려다보는 대기실의 유리가 깨지며 어설트 라이플의 전자동 사격이 그놈들을 노렸다. 놓친 놈들을 사냥하는 역할을 맡고 나선, 에이티식스의 정비 크루들의 집중 포화.

부상이나 그 후유증으로 제일선에서 물러났지만, 그들도 원래는 전투요원이었다. 총기 사용법에는 익숙하다. 전장의 공기에도, 그 바로 옆에서 기다리는 죽음의 기운에도.

척후형 한 기의 조준이 그쪽을 향했다. "후퇴, 후퇴!"라는 비명과 함께 바쁘게 움직이는 발소리 직후에 14mm 기관총의 사격이 대기실을 쓸었다. 직후에 달려든 샤나의 〈멜뤼진〉이 그 척후형을 짓밟았다.

격납고 전체를 보고 있던 모양인 시덴이 내뱉었다.

[고기동형이란 놈은…… 이쪽에도 없나.]

"지금은 오지 않았으면 싶은 상대지만."

처음에 공격해 온 고기동형은 관측탑을 제압한 이후 성벽과 각 통로, 어느 전투에서도 확인되지 않았다.

지하 구역의 격벽에는 고주파 블레이드 대책으로 고압전류의 덫을 장치한 것도 있는데, 거기에 걸려서 블레이드가 튕겨나는 모습이 목격된 것으로 끝이었다. 신의 색적으로는 틀림없이 기지 어딘가에 있다는 모양이니까, 고장이라도 나서 수리 중이거나, 그게 아니면.

"——〈레기온〉놈들의 히든 카드일 테니까."

기지 제압은 잡병들에게 맡기고…… 가장 중요한 전투에 대비해서 온존 중이거나.

"강력하지만, 대체할 수 없는 전력. 우리 같은 잡병 상대로 쓸 게 아니겠지."

모든 것을 가르고, 모든 것을 없애고, 그러기에―― 유일무이.

그게 투입될 만한 상대라면, 예를 들어 마찬가지로 유일무이한 병력인 신과 〈언더테이커〉.

시덴은 사납게 웃은 듯했다.

[잡병이라. 그 여유가 쏙 들어가게 만들어주고 싶은데.]

"그만둬. ……쪽수가 부족한 지금 상황에서 붙어봤자야."

"――5호 통로. 제3까지 후퇴하라. 쓸어버리고 30초 후에 재돌 입하여 탈취. 0호, 중기관총을 장비한 척후형이 온다. 소총부대 후퇴, 대전차 라이플을 원호. 고개를 내밀거든 갈겨라."

복수의 통로에서 동시 다발하는 전투 지휘를 혼자 맡은 비카의 연이은 지시가 사령부 방어전의 치열함을 말했다.

사령부로 이어지는 모든 통로는 모두 두꺼운 3중 격벽으로 봉쇄 되었지만, 그래도 무방비하게 공격받으면 언젠가 무너진다. 적의 접근을 막으려고 격벽 앞에 나간 병사들과 경량급 〈레기온〉들이 격벽으로 이어지는 통로를 둘러싸고 치열한 공방을 벌이고 있었 다.

대인, 대경장갑 산탄지뢰가 연속으로 기폭하고, 통로를 날려버 리는 대음향이 발령소의 공기를 흔들었다. 20mm 대전차 라이플 의 격렬한 포성이 다른 방향에서 날카롭게 울렸다.

몇몇 통로의 영상과 무슨 스테이터스가 어지럽게 바뀌는 반원형으로 전개한 홀로윈도우를 쓱 훑고 날카롭게 숨을 내쉬더니, 제왕색 한쪽 눈이 레나를 바라보았다.

"자주지뢰 하나라도 통과시키면 그걸로 끝장이다. 여기는 충격파가 반사되어서 도망칠 곳이 없다."

"예."

레나는 살짝 끄덕였다.

적의 태반은 자주지뢰지만, 이 사령부에는 그게 가장 무서운 적이다. 폐쇄공간에서 고성능 폭약이 기폭했을 경우, 충격파가 벽면을 거듭 반사해 증폭된다. 인체 중에서도 특히나 허약한 뇌와 내장은 그 충격파에 쉽사리 파괴된다.

그렇기에 저번 작전에서 고기동형을 격파하기 위해 〈언더테이커〉를 미끼로 삼아 맨몸을 드러낸 신은 까딱했으면 정말로 위험했다. 그것밖에 방법이 없었다고 해도, 충격파를 반사, 감쇄해 주는 차폐물에 몸을 숨겼다고 해도, 보고서를 읽었을 때는 대체 무슨 짓을 저지른 건가 싶어서 소름이 끼쳤다.

"──환기 덕트를 유아형이 기어올 가능성은?"

산소가 없으면 질식하는 인간에는 필수 설비지만, 그렇기에 외부와 직접 이어지는 장소이기도 하다.

그리고 농성전에서 돌파구가 될 수 있는 것이 꼭 정규 통로라고만 할 수는 없다.

"아이가 액화화약을 껴안고 들어오지 않는다는 보증이 있나? ……이 성을 지었을 때부터 아이든 누구든 인간이 들어올 수 있는 공간은 통로와 방 외에는 만들지 않았다. 그 덕트도 내부는 가느다란 금속관의 집합이다. 방전교란형도 못 지나가지."

참고로 액화화약이란 나프타를 주원료로 조합된 중세의 네이팜이다. 물로 씻어내기 어려운 특성을 가져서, 해전이나 공성전에서 종종 이용되었다.

하지만 그런 것을 아이가 껴안고 숨어들어올 걱정을 해야만 할 정도로 이디나로크 왕가는 백성들에게 원성을 샀던 걸까.

멀리서 쿠웅 하고 울린 폭발음이 발령소의 공기를 살짝 흔들었다. 비카의 앞에 전개된 홀로윈도우 한 곳에 표시되었던 산탄지뢰의 코드가 또 하나 사라졌다. 폭발한 장소는 묘하게 엄중하게 지켜지면서도 길 폭이 넓게 균일하여 공격하기 쉬운, 하지만 사실 어디로도 연결되지 않은 미끼 통로. 사람은 약점을 공격하고 싶어 하고, 방어 중인 장소를 중요하다고 믿는다. 그 심리를 이용하여 침입자를 컨트롤하기 위한 장치에 〈레기온〉도 걸려든 모양이다.

그걸 힐끗 보고 비카는 코웃음을 쳤다. 무수하게 깔아둔 덫. 하지만 소모되고 또 소모되어 시시각각 줄어들기만 하는 방어진.

"인간은 어차피 살아있기만 해도 누군가를 방해한다. 그게 어떤 성인군자라도 말이지. ……그런 이상 원한을 사지 않았더라도 대비해서 손해 볼 것 없지."

해는 기울고, 몰아치는 눈바람은 드디어 거세졌다. 옆에서 몰아치는 하얀 비단 장막에 시야는 아주 안 좋았다.

척후형의 복합 센서도 다소 방해를 받은 걸까, 장거리포병형과 척후형의 포화는 정확성을 크게 잃었기에 접근이 다소 쉬워졌지만, 한편으로 시야를 가리며 계속 쌓이는 눈은 〈저거노트〉에도 이빨을 드러내었다. 벌채할 때 의도적으로 남겨둔 그루터기에 다리가 걸리고, 익숙하지 않은 얼음판에 다리가 망가져서, 못 움직이게 된 기체가 속출했다.

가로막는 것도 없이 비스듬하게 쏟아지는 곡사포의 수평사격에 비해, 암벽 아래에서의 포격은 88mm 전차포든 105mm 건 런처든 톱니 모양의 흉벽에 가로막혀서 거의 닿지 않았다. 전용 강화 콘크리트와 장갑판의 두터운 흉벽. 성벽 위에서의 사선은 확보하면서 공성 측의 사격은 철저하게 튕겨내는, 전투성채의 완성형.

아무렇게나, 하지만 매섭게 쏘아대는 맹포격을 빠져나가서 〈언더테이커〉는 드디어 암벽 밑부분에 달라붙었다. 얼음의 급경사에 다리의 아이젠과 와이어 앵커를 꽂아 넣고, 와이어를 감아올려서 10톤의 기체를 등반시켰다.

이 위에도 물론 〈레기온〉은 있지만, 올라가는 〈언더테이커〉는 눈보라에 섞여서 아무래도 보이지 않는다. 조금 늦게 따라온 세오의 〈래핑폭스〉가 뒤따랐다. 두 사람이 지휘하는 스피어헤드 전대의 전위소대도.

시선을 돌리기 위해 일부러 다른 흉벽을 포격하는 앙쥬 휘하의 면 제압 소대의 포성이 몰아치는 바람을 뚫고 닿았다. 아주 잠깐 약해졌다가 다시 강해진 바람에 하얀 장벽이 한순간 끊어졌다.

총안에서 몸을 내밀고 바라보던 자주지뢰와 눈이 마주쳤다.

"큭, ……후퇴해! 놈들이 달라붙는다!"

회수가 늦은 와이어를 파지. 암벽을 박차서 공중에 힘껏 몸을 날렸다. 고기동전을 고려하여 고성능 쇼크 업소버를 탑재한 〈저거노트〉도 힘든 고도지만, 그 이외에 회피법이 없었다.

그렇게 물러난 순간 눈앞에 자주지뢰가 떨어졌다. 반응이 늦은 동료기가 붙잡히고 자폭에 휘말려서 날아갔다. ……대전차지뢰형. 밀착하면 〈바나르간드〉의 상부 장갑도 관통하는 메탈제트에 장갑이 얇은 〈레긴레이브〉는 버틸 재간이 없다.

공중에서 자세를 제어하여 네 다리로 착지. 신에게도 익숙지 않은 얼음 전장에 설상장비다. 완전히 죽이지 못한 충격이 아이젠을 따라 침투하고 무슨 파츠에 금이 가는 날카로운 소리가 콕핏까지 울렸다.

귀에 거슬리는 경고음과 함께 경고표시가 점등. 흘낏 보고 눈을 찌푸렸다. 오른쪽 뒷다리의 관절기구가 일부 파손. ……그래도 아직 못 움직이는 건 아니지만.

추격의 포구를 향하는 장거리포병형에 신의 옆을 지나친 〈저거노트〉가 사격을 가해서 견제했다. 건 마운트의 기관포와 두 개의 기총, 그것들의 총신이 타버리는 것도 개의치 않는 전력 사격이다. 그와 상반되게 차가운 목소리가 동조를 통해 닿았다. 선더볼트 전대 전대장, 유트 크로우 소위의 목소리.

[노우젠, 물러나라. 그 기체 상태로는 평소처럼 싸울 수 없다.]

"……하지만."

그의 기체인 〈베레트라그나〉의 광학 센서가 슬쩍 이쪽을 향했다. 〈저거노트〉가 말을 한다면 분명 이런 목소리일까 싶은, 기계처럼 평탄한 목소리가 이어졌다.

　[네가 당하면 색적에 지장이 생긴다. 돌입시에 써야 할 근접전투력과 우리 중 누구보다도 긴 전투 경험을 잃는 것도 뼈아프지. ……물러나. 여기선 색적과 지휘에 전념해.]

　신은 길게 숨을 내뱉었다. 맞는 말이다. 국면에 아무런 진전도 없는 이런 상황에서 전선을 이탈하는 게 아무리 열 받더라도.

　"――라저."

　지상구역을 비추는 카메라 한 대에 곡사포의 어두운 포구가 비치는 것을 레나는 보았다.

　그 직후 메인스크린의 태반이 어두워졌다. 성벽을 둘러싼 전투의 광학영상, 관측된 주위의 기상정보, 적 부대의 추정기종과 그 숫자. 지하 깊은 곳에 있는 이 발령소에서는 직접 볼 수 없는 요새 외부의 전장 정보가 단번에 모두 블랙아웃했다. ……요새기지 최상부의 지붕 외곽, 거기에 장치된 외부 복합 센서와의 접속 라인이 끊어졌다.

　"예비회로 작동. ……밀리제, 수복까지 조금 걸린다. 그때까지는 밖에서의 보고를 면밀히……."

　"아뇨, 괜찮습니다. 전부 기억하니까요!"

　비카가 놀라서 돌아본 것도 레나의 눈에는 들어오지 않았다. 신이 알아낸 적기의 위치. 보고와 외부 카메라로 파악했던 피아 부대의 전개 상황. 요새기지의 형태와 주위 지세. 탄도에 영향을 주는 풍속의 평균과 시야 상황. 그것들은 모두 머리에 들어있다. 앞으로 어떻게 움직일지 시뮬레이션할 수도 있다.

보이지 않는 전장을 머릿속에 재구축하는 것은 아득히 100킬로미터 너머의 전대를 계속 지휘해 온 레나에게 쉬운 일이다. 하지만 1개 여단, 수천 규모. 부대 단위로 파악하고 움직인다고 해도 막대한 숫자의 시뮬레이션에── 전개된 〈찌카다〉가 반응하여 고효율 가동을 개시했다. 무수한 유사신경섬유가 희미한 보라색으로 발광하며 랜덤한 무늬를 그렸다.

"──사이스 전대. 서쪽 제3구역 5번 성벽에 사격을 집중. 탄창 교환을 끝낸 장거리포격형이 나옵니다. 리카온 전대는 〈알카노스트〉 제18중대와 협동으로 7번을 일제사격. 제22중대의 전진을 원호하세요. 스피어헤드 전대──."

메인스크린의 영상과 각종 스테이터스가 돌아왔다. 순간적으로 머릿속의 전장과 실제 상황이 들어맞는지 확인하고, 레나는 그대로 지휘를 계속했다. 불가능하다고는 생각하지 않았지만, 극단적인 집중도 몰입도 없이 뇌내 지도를 구축하고, 수복 후에도 긴장을 끊지 않으며 지휘를 계속할 수 있었던 것은 〈찌카다〉가 도와준 덕분이겠지. 이거라면 1개 여단과의 동시 동조도──.

그때 시야에 은색 섬광이 뛰어들었다.

레나와 비카를 포함하여 발령소의 전원이 한순간 허를 찔렸다. 어른 손바닥 정도의 크기, 날개를 가진 기계나비. 방전교란형. 봉쇄 전에 흘러들어서 떠돌다가 여기까지 온 것일까.

제대로 된 센서도 없이, 두꺼운 암벽을 너머에 있는 지휘기의 지시를 받을 방법도 없이. 아마도 에너지가 바닥나기 직전에 흘러든 것이겠지. 방전교란형 자신도 순간 허둥대듯이 날개를 펄럭였지만, 인간의 둔한 사고보다는 훨씬 빠르게 주위의 적성체를 인식했다.

레나의 눈앞에서 위협하듯이 날개를 펼치고 황공했다. 그 은색 날개가 슬쩍 인광을 발했다.

방전교란형은.

레이더나 무선, 모든 전자파를 완전히 봉쇄할 정도의 방해 전파를——강력한 전자파를 발생시키는 〈레기온〉이다.

이런 근거리에서 맨몸으로 맞으면, 성할 수 없다——.

째지는 괴음이 차츰 높아졌다. 살짝 공기를 태우면서 방전교란형은 그 인광을 더욱——.

"——하아아아압!"

일어선 마르셀이 어설트 라이플의 개머리판으로 방전교란형을 내려쳤다.

날개의 힘이 약한 나비는 그 충격에 쉽사리 날아가서 바닥에 부딪치고 튀어서 뒹굴었다. 날개 부분이 고장 났는지 날아오르지도 못하고 버둥거렸다.

"……용케 움직였군, 마르셀 소위."

동시에 비카가 권총을 뽑아서 물 흐르듯이 조준, 발포.

연합왕국에서도 극히 일부 특수부대밖에 휴대하지 않는 9mm 기관권총. 지금은 세미오토로 설정된 그것이 방전교란형의 중추부를 정확하게 꿰뚫어서 박살 냈다.

레나는 무심코 길게 숨을 내뱉었다. 지금 건 진짜로 위험했다.

"고마워요, 마르셀 소위. ……덕분에 살았습니다."

긴장의 실이 풀렸는지 마르셀이 더 죽어가는 얼굴이다.

"아뇨…… 저기. 필사적이었다고 할까, 이러지라도 않으면 노우젠 녀석을 볼 낯이 없어서……."

크게 숨을 내쉬더니, 걷어찼던 의자를 도로 세워서 관제석으로 돌아갔다. 자기 담당인 홀로스크린을 바라보는 얼굴은 이미 그의 전장에 다시금 돌아간 모습이었다.

이 소년이 다리에 후유증을 얻어 관제관이 되기 전에 〈바나르간드〉의—— 최전선에서 싸우는 펠드레스의 오퍼레이터였다는 인사 파일의 기록을 레나는 떠올렸다.

"……다음 적이 나옵니다. 계속해서 지휘를 부탁드립니다."

"……제길."

관제했던 〈시린〉이 소대들과 함께 단번에 지각동조의 대상에서 사라졌다.

그게 의미하는 바에 그 젊은 핸들러는 비통과 분노가 담긴 말을 내뱉었다. 한 번 이어진 동조는 〈시린〉이 먼저 끊을 수 없다. 그것이 핸들러의 의도에 반하여 끊기는 이유는 단 하나.

잠들지도 기절하지도 않는 가련한 그녀들이 전사했을 때.

"제길, 제길, 제길! 에이티식스 놈들, 인간도 아닌 괴물들! 자기들 마음대로 미끼로 써먹고……!"

연합왕국의 핸들러에게 〈시린〉은 단순한 병기가 아니다.

그녀들은 소중한 파트너고, 신뢰하는 부하다. 사랑하는 연인이나 여동생이나 딸처럼 여기는 사람까지 있다.

〈시린〉만이 아니라 군용견이나 무인기의 핸들러는 자기 관리하의 개나 무인기에 감정이입을 하고 많은 애착을 가지는 경향이 있다. 적에게 개를 잃거나 무인기가 격파된 핸들러가 '파트너'의 복수에 집착하는 케이스도 드물지 않다.

하물며 유사 사양이라고 해도 인격을 가진, 앳된 소녀의 모습인 〈시린〉이라면 더더욱.

그 〈시린〉들이 차례로 소비된다. 100미터 높이의 절벽과 그 앞에 쏟아지는 포화에 무모한 돌격을 감행하는 미끼로 소비되어서.

마음이 아프지 않을 리가 없다.

그녀들을 미끼로 삼아 진군하는 에이티식스들에게 분노와 증오를 느끼는 것도 당연하겠지.

그것은 정도의 차이가 있어도 핸들러라면 누구나 똑같다.

마찬가지로 북쪽 왕국의 동포라면 그래도 참을 수 있다. 혹시라도 고귀한 왕족분들이라면 영광이라고 할 수 있겠지. 하지만 비천한 이국의 이민족, 그것도 조국에 버림받은 열등민 따위가 그 사랑하는 〈시린〉을 마구 소비한다. 그것이 〈시린〉들이 전사했다는 사실보다도 핸들러들을 격분하게 했다. 비탄과 노여움에 눈물마저 흘렀다.

저런.

이민족의, 열등민의……괴물 따위에게.

"제길……!"

"그만두지 못하겠나."

보다 못해 나이든 이가 나무랐다. 자흑색 군복의 계급장은 대위. 여기에 있는 핸들러 전원의 지휘관이다.

"대장님! 하지만!"

"우리가 어떻게 생각하든지 그녀들은 그런 존재다. 그렇게 다뤄지는 것을 받아들이고 그 기계소녀가 되기를 지원한 자들이다. 분노할 일이 아니야. ……게다가."

이 기지의 핸들러의 대장인 그는 공성을 지휘하는 공화국 군인 소녀와 동조하고 있었다. 그녀의 직속 부하인, 성 밖의 에이티식스들의 총대장인 소년과도.

그 두 사람이 다 성 밖에서, 혹은 눈앞에서 동료가 죽어가는 아픔을 삭이면서 지휘하고 있었다. 그들에게는 동료도 무엇도 아닌 〈시린〉들이 망가지는 모습에 가슴을 아파하면서.

슬퍼하지 않는 것은 아니다. ……태연하게 소비하는 것은 아니다.

무엇보다도.

"에이티식스들도 죽고 있다. 그들의 지휘관과 우리의 전하, 그리고 우리도 구하기 위해. ……원망이건 미움이건, 그들에게 돌릴 것이 아니야."

　정면 게이트를 노린 양동에 〈레기온〉들은 넘어오지 않았다.

　돌아온 크레나가 암벽 아래에서의 저격 포인트를 찾고 있지만, 그것도 보이지 않았다.

　"칫……."

　혀를 차면서도 스스로의 초조함을 자각한 신은 고개를 내저었다. 짜증을 낸다고 나아지는 건 없다. 오히려 사망자가 늘어날 뿐이다.

　하지만 계속해서 쌓이는 〈알카노스트〉와 〈저거노트〉의 피격파수, 부상자와 사망자의 숫자. 반대로 무시무시한 기세로 줄어드는 탄약. 그러면서도 전국에 진전이라고는 없는 답답함과 시시각각 다가오는 타임 리미트에 뱃속이 타버리는 듯한 초조감.

　적의 증원이 다가온다. 성안의 적은 숫자가 도무지 줄지 않는다. 그걸 알기에, 이쪽만이 소모된다는 걸 이해하기에, 초조함이 더했다.

　손이 닿지 않는 기지 내부에서는 무슨 일이 일어나고 있을지 모르는데.

　그 초조함은 그만이 느끼는 것이 아닌지.

　[──마토바 소위?! 안 됩니다, 지시에 따라 주세요!]

　[하지만! 조금이라도 포격을 끌어들이지 않으면 동료가……쿽?!]

명령을 지키지 않고 공격 목표가 아닌 남쪽 벽면을 오르려던 소대가 좌우에서 기총소사를 맞고 굴러떨어졌다. 완전히 제거하지 못한 대전차장애물 위에 추락하여 꽂히는 소리가 신에게까지 들린 듯했다.

탈락기를 내면서도 장거리포병형의 맹포격을 빠져나가 몇 번이나 암벽에 매달렸던 선더볼트 전대를 흉벽의 총안에서 척후형이 내려다보았다. 〈저거노트〉의 위치를 확인하고 일단 물러나더니 묵직한 뭔가를 온몸으로 밀며 다시 나타났다. 드럼통. 그대로 아래쪽으로 밀어서 떨어뜨렸다.

[큭……?!]

선더볼트 전대가 암벽을 박차고 떨어진 직후, 굴러떨어진 드럼통들이 차례로 그 그림자를 스치며 떨어졌다. 대전차장애물에 꽂히거나 혹은 그 틈새의 지면에 떨어져서 찌그러지고, 충격에 깨져서 안에 든 것을 뿌렸다. ……투명한 액체.

이어서 자주지뢰가 성벽에서 몸을 던졌다. 100미터 이상을 거꾸로, 무저항으로 낙하하여 지면에 접촉한 순간 자폭.

그 순간.

눈 내리는 하늘을 뚫고, 붉고 투명한 업화의 벽이 쿠웅 하고 빈 해자 앞에 생겨났다.

내리는 눈을 밀어내며 사납게 타올랐다. 상승기류에 불꽃 파편과 눈꽃이 소용돌이를 일으키며 납빛 세계에 붉고 붉은 빛으로 버티고 섰다.

여기에 놀라 발을 멈추었던 〈챠이카〉 안에서 레르케가 신음했다.

[화염호^{파이어 트렌치}──! 유류고의 가솔린을 들고 나왔나……!]

연이어서 성벽 위에서 드럼통이 투하되었다. 암벽 밑, 각도 있는 부분에 부딪쳐서 크게 튀더니 가솔린을 뿌리면서 빈 해자를 뛰어넘어 화염호 안으로 떨어졌다. 불길이 한층 커졌다. 전기구동인 〈레기온〉에게는 필요 없는 물질이다. 적의 발을 묶기 위해 아낌없이 쓰는 모양이다.

그래, 발을 묶기 위해.

신은 살짝 고개를 내저었다.

"여기는 한동안 공격할 수 없겠군. ……기분 나쁜 수를 쓰는걸."

알루미늄 합금 장갑인 〈저거노트〉는 불에 약하다. 탄소분자 소재의 와이어도. 저 불길 속을 돌파하는 것도, 복사열을 맞으면서 암벽을 등반하는 것도 불가능에 가깝다.

세오에게서 보고가 들어왔다.

[정찰대에서 보고. 다른 벽도 전부 불타고 있대. ……눈이 이렇게 오니까 그리 오래는 못 갈 거라고 생각하지만. 기다릴 수밖에 없어…….]

"……."

냉정하게 판단한다면 맞는 말이다. 하지만 지금 시간은 〈레기온〉의 편이다. 다가오는 증원. 줄어들기만 하는 기지 내 방비시설. 그걸 아는 이상 그저 대기하면서 시간을 낭비한다는 판단을 내리는 것은──.

[……아뇨.]

옆에서 〈챠이카〉가 하늘을 올려다보았다.

[눈발이 강해집니다. ……오늘은.]

하늘은 더욱 어두워지고, 대기에 섞인 눈가루는 한층 밀도를 더했다. 내려가기 시작한 바깥 기온의 표시가 일몰이 다가옴을 그들에게 알려주었다.

주저앉은 〈저거노트〉의 잔해와 불타 쓰러진 〈알카노스트〉의 잔해를 파이드가 끌어왔다. 무의미하게 소비된 거나 마찬가지인, 탄약과 에너지팩과 소모부품.

이만한 손해를 입으면서도.

[여기까지인, 모양이로군요…….]

✝

해가, 저문다.

하늘을 뒤덮은 방전교란형의 은색 날개에 난반사한 그날 마지막 햇살이 하늘을, 땅을 뒤덮은 눈을 붉게 타오르게 했다.

세계는 붉고, 그림자는 검고.

누구도 경탄할 여지가 없는, 전장의 광기 어린 절경이었다.

✝

일몰을 전후하여 요새기지 안팎의 전투는 일단 종식되었다.

홀로스크린의 각 정보로 그걸 확인하고 후욱 숨을 내뱉으며 비카는 말했다.

"밀리제, 기동타격군 지휘권을 일부 위양하게. 먼저 휴식을 취해 줘."

전투 중에 지휘관이 발령소를 비울 수는 없다.

그렇기에 비카는 그렇게 말했지만, 레나는 고지식하게도 고개를 내저었다.

"아뇨. 먼저 비카가."

"피폐한 정신 상태로 방어전을 지휘할 셈인가? 경 쪽이 더 체력이 약하다. 그러니까 경이 쉬는 게 먼저다. ……눈가가 거뭇거뭇하다. 안색도 좋지 않고."

화염호의 불길은 이윽고 눈발에 잦아들고, 달리 타오를 것도 없는 바위 위에서 연료가 바닥나면서 꺼졌다. 하지만 그 무렵 전장을 지배하는 자는 하늘을 뒤덮은 하얀 악마로 변하고 있었다.

조용히 내리는 식의 어중간한 강설이 아니다. 거의 수평으로 몰아치는 눈보라가 시야를 새하얗게 앗아가는, 하늘의 악의 같은 폭설이었다.

전진이 어려운 것은 물론, 이래서는 광학 센서의 암시 모드도 레이더도 통하지 않는다. 화기관제계의 조준파조차도 무력화되어서 접촉할 때까지 접근을 감지할 수 없는 상황에서 〈저거노트〉 전기의 색적을 신 혼자서 담당할 수도 없으니, 레르케의 말처럼 오늘 전투는 더 이상 계속할 수 없다. 한나절 동안 혹사한 〈저거노트〉나 〈알카노스트〉도 정비가 필요하다.

나무들이 밀집한 침엽수림 안쪽에 분산하여 설치한 숙영지는 눈보라의 영향도 덜했다. 마중 나온 정비 크루에게 〈언더테이커〉를 맡기고, 신은 눈 속에 얼어붙은 밤의 대기에 숨을 내쉬었다.

　저벅저벅 눈을 밟으며 미치히가 다가왔다. 카이에와 마찬가지로 극동흑종――대륙 동부의 피가 진하다는 상아색 피부와 갈색이 섞인 흑발의 조그만 소녀.

　"노우젠 대위. 관절이 얼어붙어서 움직일 수 없고, 보조동력장치(APU)의 전압도 떨어지니까, 즉응대기조 이외에는 전기 수송차의 컨테이너에 넣는 편이 좋습니다. 즉응대기 기체는 불을 피워서 얼지 않도록 하고요."

　그쪽을 보니 미치히는 피로가 드러난 안색으로 활짝 웃었다.

　"북부 전선 출신입니다. 눈 속의 전투에는 익숙하거든요. ⋯⋯ 북부 배치였던 아이들은 몇 명 더 있으니까 협력해서 대책을 전달하겠습니다!"

　"⋯⋯부탁해. 하지만 무리는 하지 마. 내일에 대비해서 쉬어."

　"알겠습니다. 노우젠 대위도요."

　손을 가볍게 흔들고 미치히는 걸어갔다. 그걸 지켜본 뒤 신도 걸어갔다.

　파이드를 선두로 〈스캐빈저〉들이 〈저거노트〉의 잔해를 회수하여 돌아왔다. 동료기에게 견인되어온 〈저거노트〉의 캐노피를 위생병들이 열고, 그 안의 프로세서를 들것에 태워서 실어갔다. 그 옆에서는 2인 1조로 시체 자루를 든 정비 크루가 입술을 다물고 지나갔다.

전선의료소대의 컨테이너 차량 옆에 설치된 텐트 사이로 엿보이는 검은 자루의 산에 눈을 준 뒤에 스피어헤드 전대의 중장수송차의 문을 열었다.

먼저 돌아왔던 앙쥬가 미소 지었다.

"수고했어. 후진을 맡았던 크레나도 슬슬 돌아온대."

"그래."

차 안에는 더스틴과 세오, 그리고 왜인지 다른 전대인데도 불구하고 리토가 있어서, 머그컵에 나눠 따른 인스턴트커피를 더스틴이 건네주었다.

"……많이 죽었군."

"프로세서는 그나마 나아. 대신 〈알카노스트〉가 많이 당했어."

"그리고 탄약과 에너지팩, 수리부품의 소모도. ……보급이 없는 게 역시 뼈아파."

빨강머리에 쌓이는 눈을 무뚝뚝하게 털면서 크레나가 돌아와서, 마침 나타난 〈시린〉에게서 김이 오르는 머그컵을 받아 차 안으로 들어왔다.

"장거리포병형이 성벽에서 물러났어. 왕자 전하 말씀으로는 지상구역에서 이상한 공작기계가 총출동해서 정비하고 있대. 지금 성벽 위는 자주지뢰뿐. 눈보라로 눈사람 같은 꼴인 게 웃겨."

전혀 웃기지도 않는 눈치로 말했다. 피로와 진전이 없는 하루가 끝났다는 답답함과 초조함 때문인지 별로 기분이 좋지 않은 걸로 보였다.

"장거리포병형이…… 포신 쪽의 수리인가."

"아마도."

〈레기온〉이 화염호로 시간을 끈 것은 그것 때문인 모양이다. 곡사포는 수평 방향 포격이 가능하긴 하지만, 기본적으로는 위쪽으로 곡사사격을 하는 포다. 포탄 중량과 작약량이 있는 만큼 포신에 가는 부담도 크다. 오늘 하루 동안의 공방으로 정비가 필요한 상태까지 몰아넣은 모양이다.

문밖을 시선으로 가리키고 어깨를 으쓱였다.

"아까 〈시린〉은 명령이라면 지금부터라도 자기들끼리 가겠다고 했지만. 사람을 구하기 위해 부서지는 거는 바라는 바래."

금색 눈동자에 희미하게, 하지만 분명하게 떠오른 혐오의 빛.

이해할 수 없는 뭔가를 본 자의 눈이다.

"미안하지만, 역시 으스스해. ……저 녀석들에게는 동료가 죽은 거나 마찬가지일 텐데. 그것도 우리보다 훨씬 많이 죽었어. 그런데 저렇게 태연한 얼굴로 웃다니."

힐끗 시선을 주자, 피로한 기색도 없이 머그컵을 전하러 다니는 〈시린〉들과 일단 답례 같은 말을 하면서도 어딘가 으스스한 기색으로 바라보는 소년소녀의 모습이 숙영지 곳곳에서 보였다. 기계 소녀들은 개의치 않고, 그런 프로세서들에게 이 상황에 어울리지 않는 미소를 보여주며 다녔다.

"두려움 없이, 피로 없이, 고통 없이——라."

상대하는 〈레기온〉과 완전히 똑같다.

"정말로 기계인형이네. ……부서질 뿐이지 죽는 게 아니야. 이미 죽었으니까 이 이상 죽지 않아."

"하지만."

머그컵으로 시선을 내린 채로 더스틴이 조용히 말했다.

"별로 기분 좋지는 않아. ……에이티식스만 싸우게 하던 때처럼."

세오가 눈썹을 곤두세웠다.

"그건 우리가 하얀 돼지랑 똑같다는 소리야?"

날카로운 그 말에 더스틴은 다급히 손을 내저었다.

"아니, 그게 아니야! 그런 의미가 아니야. 다만, 그게……."

잠시 동안 허둥거리며 이리저리 시선을 움직이다가 그대로 고개를 수그렸다.

"저기…… 미안해."

"하지만."

리토가 갑자기 입을 열었다.

"분명히 86구의 우리를 보는 것 같기도 합니다. 특히나 대공세 때는, 다들 저렇게…… 픽픽 죽어 나가서."

"……."

조그만 아이처럼 무릎을 껴안은 모습에 신은 눈을 가늘게 떴다. 이것 때문에 갑자기 온 건가.

"가엾은 건가?"

"아뇨……. 그건 아니지만. 아니, 쿠쿠미라 소위의 말처럼 녀석들은 으스스하고 무섭습니다. 인간이 아니죠. 잘 이해가 안 가니까 무서워요. ……하지만 저렇게 픽픽 죽어가는 것도, 왠지 싫습니다."

내일은 마치 자신들이 같은 말로를 따라갈 것만 같아서.

무섭다.

소리도 없이 흘러나온 그 감정은 신에게 이미 별로 공감 가지 않는 것이었다. 가까운 누군가가 죽는 일에는 익숙하다. ······익숙해질 수밖에 없었다.

"내일 전투, 쉬겠나? 힘들면 그러는 편이 좋을지도 몰라."

공포에 몸이 움츠러들 것 같다면. ······전장에 나가지 않는 편이 낫다.

두려워하던 죽음에 자기 발로 굴러떨어지게 되니까.

"······아뇨."

한동안 묵묵히 생각한 뒤에 리토는 고개를 날카롭게 내저었다.

"아뇨······ 괜찮습니다. 전력이 부족한 건 알고. 게다가······."

입술을 꾹 다물었다가 리토는 말했다. 스스로를 격려하듯이.

어딘가 저주 같은 느낌으로.

"나는······ 나도, 에이티식스니까요."

주어진 방으로 돌아가서 〈찌카다〉를 해제한 뒤 레나는 원래 입었던 군청색 군복으로 갈아입었다.

그 뒤로 침대에 던져두었던 쇳빛 군복을 주워들었다.

프레데리카가 가져온, 누군가에게 빌린 옷이다. 이걸 걸치면 왜인지 묘하게 마음이 차분해졌지만, 이 공방이 끝난 뒤에 주인에게 돌려줘야 할 물건이다. 최대한 구겨지지 않도록 잘 다뤄야지.

그렇게 생각하며 어색한 손길로 간단히 옷을 갰다.

하지만.

레나도 일단 군인이긴 하지만, 옷은 옷장에 준비되어 있던 것을 입고, 귀가하면 메이드에게 옷을 맡기는 생활이 길었다. 공화국 함락 후의 방어전에서 자기 신변을 돌보는 법을 다소 깨우쳤다고 해도, 그때는 옷을 갤 여유조차 없었다.

하물며 접해 본 적도 없는 남자 겉옷.

어째야 좋을지 허둥대고 있자, 지켜보던 프레데리카가 탄식하여 손을 뻗었다. 사령부는 현재 본래의 허용량에 비해 너무 많은 인원을 수용했기 때문에 각 방은 여러 명이 함께 쓰는 형태였다.

"이리 줘 봐라. 집안일에 보통 무능한 게 아니로구나, 그대."

"……미안합니다. 로젠폴트 보좌관."

"귀찮으니까 프레데리카라고만 해라, 블라디레나."

프레데리카는 뜻밖에도 익숙한 손길로 척척 옷을 개었다. 신에게 듣기로는 요리 실력이 레나와 별 차이가 없다고 했는데, 정리 쪽으로는 그렇지 않은 모양이다.

"……잘하네요."

"뒷바라지를 하는 것도 마스코트의 역할이니까. 다림질은 위험하니까 안 된다면서 아직 건드리지도 못 하게 하지만."

잠시 생각한 뒤에 갠 옷을 책상에 올려놓은 프레데리카는 곁눈질로 레나를 보았다.

"휴식을 취하라지 않더냐. 식사를 가져다줄 테니까, 그대는 한숨 쉬도록 해라."

"하지만……."

프레데리카는 정말로, 진짜로 싫다는 얼굴을 했다.

"정말로 말귀도 못 알아듣는, 귀찮기 짝이 없는 여자로구나, 그대는. ……밖에서도 지금은 쉬고 있다. 한두 마디면 된다. 신에이녀석과 이야기를 하도록 해라."

구원이 오기까지의 닷새 동안을 아마도 버틸 수 없다. 버틴다면 아마도 이틀.

피로감과 초조함만이 남는, 음울한 보고만 있었던 대대장들의 디브리핑을 마치고 신이 컨테이너를 나서자, 거기에 레르케가 기다리고 있었다.

"오늘 밤 중에 눈이 그칠 것 같지 않습니다. ……경계는 우리가. 여러분은 쉬어주세요."

그녀를 향한 시선에 담긴 질문을 레르케는 눈치 빠르게도 알아차린 듯했다.

"우리에게 휴식은 필요 없습니다. 우리는 기계로 된 새이기에."

"너희는 그렇겠지만…… 핸들러는 아니지 않나?"

"경계 정도라면 관제는 필요 없기에. 게다가 핸들러도 몇 명은 야간 전투에 대비하여 불침번을 맡고 있습니다."

……그도 그런가.

성안에서의 전투도 밤이 되었다고 일시휴전이 된다고만 할 수는 없다.

아무튼 신으로서는 고마운 말이었다. 며칠 동안 자지 않아도 싸울 수 있지만, 효율도 판단력도 떨어진다. 쉴 수 있다면 쉬어두고 싶다.

"미안. ……무슨 일이 있거든 경고는 하지."

레르케는 눈을 깜빡였다.

"알겠습니다. 곁에 한 명 두도록 하겠습니다…… 하지만."

고개를 갸웃거리는 동작이 어딘가 나이 어린 느낌이었다.

이따금 비카가 말하는 '일곱 살 꼬맹이'란 말을 보면, 그녀의 가동연수는 7년 정도겠지. 그 정도의 어린애라면 할 법한, 어딘가 순진무구한 동작이었다.

"저승사자님. 설마 수면 중에 그 녀석들의 그 절규를 들으시는 겁니까……?"

"그래."

"그건……."

레르케는 잠시 경악했다.

그러고 있으면 진짜 인간으로밖에 보이지 않는, 걱정하는 듯한 녹색 눈동자.

다른 사람의 아픔에 마음을 기울이는 인간의 눈동자.

"자못 괴로우시겠군요. 소신으로서는 상상밖에 할 수 없습니다만, 밤의 휴식을 방해받는 것은 인간에게 견디기 힘든 괴로움일 텐데."

"……딱히."

신에게는 이미 10년 동안 익숙해진 아우성이다. 〈목양견〉의 주력화 이후로 들려오는 한탄의 성량은 이전의 갑절이 되었지만, 그것에도 꽤 익숙해졌다.

"지각동조란 본디 인간의 이능력을 재현한 것. 저승사자님의 그 이능력도 언젠가 기계적인 제어나 재현이 가능하면 좋을 텐데요. ……특히 우리라면 애초에 방해받을 휴식도 없으니, 별로 부담도 없고 고통도 없습니다. 당신께서는 경종 역할에서 해방되겠지요."

신은 눈썹을 찌푸렸다. 해방돼?

"나는 경보 역할 때문에 종군하게 된 것이 아니다."

"알고 있습니다. 종군은 어디까지 당신의 뜻. 이런 일에도 익숙하다고 말씀하시겠지요. 그 야생마를 모는 데에 익숙해질 수밖에 없었던 것처럼. ……하지만 외람되나마 말씀드리자면, 저승사자님은 너무 무리가 심합니다. 에이티식스 여러분은 다들 모처럼 잘 살아남았습니다. 그 몸을 더 아껴 주십시오."

죽은 이의 뇌구조를 복제한── 이미 죽은 존재인 레르케에게 그런 말을 듣는 것은 정말로 묘한 기분이었다.

너무나도 실감이 담긴 듯해서, 반론하기 어려웠다.

아니.

"왜 그렇게 우리를 걱정하지? 너희가 봤을 때는 결국 타국의 군인일 텐데."

레르케는 잠시 동안 생각하듯이 뜸을 들였다.

"……우리 〈시린〉은 말하자면, 예, 세탁기 같은 존재이기에."

"……?"

세탁기?

"인간 대신 일하는 것이 역할. 인간의 고생을 대신 떠맡는 것만이 사명입니다. ……세탁기를 앞에 두고도 쓰지 않고 일부러 고생하는 인간을 보면, 세탁기로서는 생각하게 됩니다. 힘들고 귀찮은 일은 모두 우리에게 맡기고, 그 시간을 사랑하는 이나 자제분들과 쓰거나 자기 시간을 갖는 것이 좋을 텐데, 라고요."

그건 우리로서는 할 수 없는 일이니까요.

말이 없는 신에게 레르케는 웃어주었다. 그 말의 무참한 내용과는 달리 너무나도 자랑스럽게.

환하게.

"우리는 죽은 몸이고, 전투를 위한 톱니바퀴입니다. 미래 따윈 없습니다. 주어진 역할밖에 없습니다. 하지만 살아계신 당신들에게는 미래도, 뭔가를 바랄 자유도 있지요. ……그 무엇도 바랄 수 없는 우리와는 달리."

"……너희는."

"저승사자님. 죽은 이의 목소리를 듣는다는 당신에게 우리는 인간이 아니지요?"

쓴웃음과 함께 날아온 질문에 신은 순간 대답할 수 없었다.

눈앞에 있는 〈시린〉에게서는.

목소리는 들린다. 〈레기온〉과 마찬가지로 한탄의 목소리. 본래 있어야 할 장소로 돌아가야 하는데 붙잡혀서 돌아갈 수 없어서, 돌아가고 싶다고 계속 한탄하는 망령의 목소리.

〈검은 양〉으로 변한 수많은 전우와, 얼굴도 모르는 먼 친척인 청년과──쓰러뜨린 형과, 같은 목소리.

그러니까 그녀들은 죽은 자다. 이미 살아있지 않은 존재다.

생명 있는 존재인가? 아니다. 그녀들은 이미 살아있지 않다.

하지만 그런 식으로 말하는 것은.

너희는 망령이라고 단언하는 것은── 인간이 아니라도 말하는 것은 도저히 할 수 없었다.

그것은 형을── 수많은 전우를 인간이 아니라고 단언하는 것 같아서.

침묵한 신의 그 내면의 갈등을 이해한 것이겠지. 레르케는 어깨를 으쓱거렸다.

"역시 우리는 움직이는 시체에 불과한 것이로군요."

"……분명히 살아있지는 않아. 하지만."

생각을 정리하지 못한 채로 말하려는 신을 가로막으며 레르케는 활짝 웃었다.

"착각하지 말아 주십시오. 소신은 인간이 되고 싶은 게 아닙니다. 인간 대접을 받고 싶은 것도. 소신은 빅토르 전하의 검이자 방패. 가녀린 인간의 몸도 마음도 소신에게는 불필요합니다. ……다만."

레르케는 자기 몸을 내려다보고 슬쩍 웃었다.

"소신은 소신의 기반이 된 분과 다릅니다. 그분이 남긴 몸의 잔해에 불과합니다. 그것만이 전하게 죄송하고…… 그 사실을 지금 확신한 것은, 예, 쓸쓸하군요."

"……."

레르케의 안에서 한탄하는 목소리는 다른 〈시린〉들과 달리 남성이 아니다. 성인 남성밖에 없다는 연합왕국의 군인이 아니고, 그러므로 아마 전사자도 아니다.

그리고 인간과 헷갈릴 정도의 금발과 레르케에게는 존재하지 않는 이마의 유사신경결정.

전장에서 인간 대신 소비되기 위한, 방패가 되는 것을 알리는 식별이 달린 다른 〈시린〉들과는 근본부터 다르다.

싸우게 하기 위해서가 아니라 특정한 사망자를 되살리려고 한 듯한 그 모습.

"……너, 원래는 '누구'였지?"

비카. 당신을, 두고 가지는 않아──.

그런 마지막 생각을 거듭하는 동시에 다른 수많은 망령들과 마찬가지로 돌아가고 싶다고 한탄한다. 눈앞의 레르케보다 다소 어린 나이의, 새가 지저귀는 듯한 목소리의 소녀는.

"레르케리트 님. ……전하와 젖을 나눈 남매셨던 여성입니다."

지기──였나.

태어나고 바로 죽었다고 하는 모친처럼, 비카에게 가까운 사람이 또.

살모사── 가듀카.

사슬과 비슷한 무늬를 가진, 인간의 피와 살을 썩히는 독을 가져서 그렇게 불리는 뱀에게는 부모를 잡아먹고 태어난다는 전설이 있다.

단순히 사는 것만으로 가까운 이의 목숨을 먹어치운다.

　스스로 짊어졌을 그 식별명에 비로소 그 뱀 같은 왕자의 마음을 좀 안 듯했다.

　가까운 누군가의 죽음의 책임을 스스로에게 지우려는 것은——신도 짚이는 바가 있는 심리적 작용이니까.

　"전하의 초진에 동행했다가 돌아가셨다고 들었습니다. ……이 몸도, 레르케리트 님의 모습을 빌린 것입니다."

　——레르케는, 돌아가고 싶다고 바라고 있나.

　그렇게 물은 것은…… 붙들어놓은 것이 비카 자신이었기 때문일까.

　그렇다고 말했을 때 보였던 그 표정의 이유도.

　"전하는 레르케리트 님을 되살리기 위해서 소신을 만드셨습니다. 하지만 소신은 이 몸도 마음도 레르케리트 님이 아닙니다. 소신에게는 레르케리트 님이었을 적의 기억이 없습니다. 그것만이 너무나도…… 아쉽습니다."

　"……이거 참 묘한 이야기를 해버렸군요. 잊어 주십시오. ……부디 푹 쉬시기를."

　그렇게 쾌활하게 웃으며 레르케는 물러가고, 중장수송차에 신은 혼자 돌아갔다.

　같은 수송차에 〈저거노트〉를 격납하는 소대원들은 아직 돌아오지 않았다. 어디서 다른 전대 동료들과 대화라도 하는 걸까.

갑자기 지각동조가 기동하고 귀에 익숙한 방울 같은 목소리가 조심스럽게 물었다.

[──신?]

"레나. 무슨……."

말하려다가 신은 부드럽게 입을 다물었다.

레나의 목소리에 긴급사태를 의미하는 긴박한 느낌은 없었다. 2년 전의 그 막사에서 매일 밤 말을 걸었을 때와 마찬가지로, 다소 마음이 풀어진 울림.

무심코 흘러나온 쓴웃음과 함께── 무의식중에 팽팽해졌던 뭔가가 풀어지는 것이 스스로도 느껴졌다.

아무래도 레나도 숨을 좀 돌린 모양이다. 지각동조 너머에서 떠도는 안도의 기운을 향해 신은 물었다.

"무사합니까."

[이쪽은 어떻게든. 여러분이 〈레기온〉의 주전력을 끌어가 준 덕분에.]

그다음에는 진지한 어조로 물어왔다.

[춥지 않습니까? 밖은 눈보라라고, 프레데리카가.]

"견딜 만한 정도입니다. 여기 정도는 아닙니다만, 연방의 겨울 전선도 춥습니다. 거기에 대응하는 장비를 갖추었으니까요."

원래 펠드레스의 장거리 수송을 위해 준비된 중장수송차다. 야영시에는 간이 막사 대용으로 쓰도록 설계되었다. 쾌적하다고는 할 수 없지만, 휴식을 취하는 데에 지장은 없다.

적어도 비좁은 콕핏부터 이상하게 뻣뻣하고 허접한 시트까지

인체공학을 완전히 무시했던 그 알루미늄 관짝보다는 훨씬 낫다.

[누구 다친 사람이라든가. ……잊고 있었습니다. 지각동조뿐이라면, 그런 것도 알 수 없네요.]

신의 목소리는 평소와 다름없이 냉철할 정도로 조용했다.

하지만 그가 부상의 고통을, 혹은 누군가를 잃은 슬픔을 혹시나 꾹 눌러 참으며 숨겼다면, 가장하고 있었으면 몰랐을 거라고 레나는 생각했다.

"2년 전과 똑같네요. 나는 벽 안에 있고, 여러분만 싸우고 있고. 여러분이 다쳐도, 아파해도…… 말해 주지 않으면 알지도 못하죠."

그리고 자기가 살아남기 위해 그들을 전쟁터에 매어놓은 것도.

신과 동료들이 지금 밖에서 싸우고 있는 것은 전원이 철수할 만한 물자가 없다는 것 외에도, 레나나 다른 이들이 성안에 남아 있기 때문이다. 본거지가 제압될 때, 그 사태에 대응하느라 발을 멈춘 사이에 주변 일대가 봉쇄된 탓이다.

레나 같은 자들이 여기 없었으면, 그들은 안전권까지 철수했다.

그러니까 누군가가 다쳤다면, 희생됐다면, 그건 레나 탓이다.

그러니까 그렇다면 하다못해.

[지금 가장 위험한 장소에 있는 것은 레나입니다. 똑같지 않아요. 게다가 레나가 안 싸우는 것은 아닙니다.]

레나의 마음속 괴로움을 아는지 모르는지 신은 담담하게 말했다. ……자각 없을 정도로 마음 착한 그는 그렇게 레나를 부정하지 않아 준다.

무심코 쓴웃음이 흘러나왔다.

그렇다면. 그렇기에.

이런 냉혹한 말은 자신이 해야 하겠지.

"──신. 혹시…….."

이어진 말에 신은 한순간 소름이 돋는 듯한 분노를 느꼈다.

[혹시 당신들까지 전멸할지도 모른다면, 그때는 이쪽을 개의치 말고 철수해 주세요. ……전원은 무리라도 몇 명은 돌아갈 수 있겠죠.]

"화낼 겁니다, 레나."

그 말을 지워버리듯이 내뱉었다. 아무리 그래도 그건 흘려들을 수 없는 말이었다.

"버리고 도망치라니, 그건 우리에 대한 모욕입니다. 아무리 대령님의 말씀이라도…… 명령이라고 해도 그건 들을 수 없습니다."

[도망치는 게 아닙니다. 철수는 번듯한 전술행동입니다. ……게다가 버린 적이 없는 건 아니겠죠. 아직 살아있는 동료를 지키기 위해서 그렇게 했지요. 앙쥬에게 카이에를 구하러 가지 말라고 말했을 때처럼.]

"그건…….."

반사적으로 부정하려고 했지만, 차마 할 수 없어서 말문이 막혔다.

카이에만이 아니다. 구할 수 없었던 자는…… 구하지 않았던 이는 많이 있다. 한 명을 구하기 위해 보다 많은 이를 죽일 수는 없어서, 몸을 던져 감싸 줄 수 없어서.

"……그렇지만."

[탓하는 게 아닙니다. 당신은 전대장이니까, 더 많은 사람을 구할 길을 택하는 것은 당연한 판단입니다. ……똑같아요. 그 점을 잘못 판단하지 마세요.]

"……!"

똑같지 않다.

필요하다고 해서 내버린 적은 있다. 셀 수 없을 정도로 있다. 하지만 그것과 여기서 그녀를 버리는 것은 똑같지 않다.

분명히 신에게, 에이티식스에게 전우란 언젠가 죽는 존재다.

전장에 있으면 누구든지 언젠가 죽어서 사라진다. 먼저 전장에 갔던 부모와 형. 86구에서 떠나보냈던 576명의 전우들. 괴로움 없이 보내주기 위해 사살했던 유진.

누구보다도 오랫동안 함께 싸웠던 파이드조차도 한 번은 그를 두고 가려고 했다.

누가 먼저냐의 차이뿐. 그리고 언제나 다들 신보다 먼저 떠났다.

사실은 아무도 죽지 않았으면 했는데.

그런데 버리라는 말을 그렇게 쉽게.

바다를 보여주고 싶다. 간신히 얻은 그 소망을 빼앗는 말인 줄은 모르고.

　두고 간다니.

　전우라면, 함께 싸운다면. 그것은 레나조차도 그보다 먼저 떠날지도 모른다는 소리다. 그것은 이해했다고 생각했다.

　그럴 터였는데, 그걸 인정할 수 없다.

　그 가능성을.

　생각하고 싶지 않다――.

　[……신.]

　"싫습니다."

　반사적으로 대꾸한 자신의 목소리는…… 마치 어째야 좋을지 몰라서 떼를 쓰는 나이 어린 미아와도 같았다.

제4장 엑스 마키나

죽음을 뒤집으려는 것은 금기라고 배웠을 터였다.

어머니를 되살리려던 날. 그것에 실패하여 어머니의 일부를 헛되이, 영원히 잃은 날에.

자식이 어머니를 사모하는 것은 인간으로서 자연스러운 감정이다.

소중한 누군가의 죽음을 한탄하는 인간으로서 당연한 일이다.

하지만 자식이 죽은 어머니를 되살리려고 했다면, 그것은 미치광이나 괴물의 소행이다. 말로 듣지 않으면 그것을 모르고, 말로 들었어도 그것이 왜 끔찍한 일인지 도저히 이해할 수 없는 자신은 미친 괴물이라고.

그것을 깨달았을 터였다.

해체된 아내의 시체와 해체한 아들을 보았을 때의 비분과 연민이 뒤섞인 아버지의 표정에서.

멍하니 서 있던 자신을 말없이 힘껏 안아 준 형의 품에서.

그리고 자신에게 매달려 울던, 젖을 나눈 소녀의 눈물에서.

그러니까 이해는 못하더라도, 배우고 맹세했을 터였다.

그것은 죄라고.

소중한 아버지와 형과 그녀가 한탄하는 일이라고.

그러니까 산 자와 죽은 자의 경계를 침범하는 짓은 두 번 다시 않겠다고――.

하지만.

"비카. 안 다쳤어――?"

그 소녀가 지금 눈앞에서 잔해에 깔려 있다.

"……레르케."

무심코 흘러나온 자기 목소리가 다른 사람의 것 같았다. 바짝 메말랐고, 먼지 섞인 공기에 찢어질 듯한 목.

고폭탄에 터지면서 뒤틀려 무너진 콘크리트 더미가 전선기지의 방이었던 장소의 절반을 메우고 있었다. 장거리포병형의 ^{스 코 피 온} 155mm 고폭탄, 직격하면 〈바르슈카 마투슈카〉도 강화 콘크리트의 참호도 산산조각 내는 파괴력의 집중사를 맞은 결과.

이제 막 열 살이 된 그의 키보다도 커다란 돌덩이 하나가 그녀를 마치 위아래에서 양단하듯이, 잔해의 산에 꽂혀 있었다.

깨끗한 왕성에서 자란 그가 모르는 비린내가 코를 찔렀다. 잔해 밑에서 진득하게 고여서 퍼지는―― 붉은 피.

허리 아래가 짓뭉개진, 상상을 뛰어넘을 고통 속에서, 핏기가 사라진 새하얀 얼굴로, 피가 묻은 파란 입술로, 열심히 웃었다.

"다행이다."

"……왜."

그 말을 가로막듯이 물었던 것을 그는 곧 후회했다. 마지막 말이다. 그걸 가로막고 놓쳐선 안 된다.

그런데 말을 멈출 수가 없었다.

"왜 감쌌지? ……지금 그 밑에 있어야 할 건 나였을 텐데……!"

레르케가 깔려 있는 곳은 조금 전까지 그가 있던 장소였다. 그녀가 밀쳤다는 사실을 모를 리가 없었다.

왕족이니까? 주군으로 정해진 사람이니까? 그런 하찮은 이유로, 그런 것에 얽매여서 자기 목숨을 던진 건가──.

"왜, 긴……."

레르케는 살짝 고개를 갸웃거리며 쓴웃음을 지었다. 그런 것도 모르냐고 말하듯이.

"비카는 내 소중한 사람이잖아."

"……!"

태어난 직후부터 평생 그의 곁에서 시중을 들도록 정해진 소녀였다.

어머니가 그의 유모가 된 그 순간, 그녀의 인생도 같이 팔렸다.

주입된 충성심과 감정이다. 그녀 자신이 그걸 모를 리가 없다.

하지만 레르케는 그런 생각 따윈 모르는 듯이 웃었다.

출혈로 의식이 흐려지고, 초점이 사라지면서 어딘가 꿈꾸는 느낌의 눈동자로.

"있잖아, 비카. 나는 예속민이지만. 하지만 이 나라를 좋아해.

이 나라의 긴 겨울과 반짝이는 듯한 봄과 여름과 가을을 좋아해.
내가 태어난 나라니까. 당신과 함께 여태까지 살아온 나라니까."

그러니까.

레르케는 말한다. 꿈을 꾸는 눈동자로. 그를 올려다보지만 이미
현실의 그 무엇도 보지 않는 눈동자로.

"앞으로도, 부디. 나와 당신의 고향을, 지켜줘."

"——그래."

그것 말고

대답할 수 있는 말이 뭐가 있을까.

그 자신은 조국의 사계절과 눈을 아름답다고 생각해도, 애착을
갖지 않았다. 나고 자란 이 나라에 긍지도 귀속의식도 없었다.

그래도.

죽어가는 직속 시녀에게. 학우이자, 소꿉친구이자, 젖형제인
소녀에게.

살모사의 장난감이라는 야유를 들으면서도 그의 곁을 떠나지
않았던 그녀에게.

항상 곁에 있었다. 곁에 있는 것이 당연했다.

여태까지 그녀를 잃을 거라고는 생각한 적도 없었다.

"약속하지. 이 나라와 민초는 내가 지키겠어. ……그러니까."

돌이킬 수 없는 상실을 앞에 두고, 태어나서 처음으로 그는 두려
움에 떨었다.

그녀가 죽는 것보다도 자기가 남겨진다는 사실을 두려워했고,
그런 자신의 냉혹함과 이기심에 전율했다.

역시 나는 인간이 아니다. 애초부터 차가운 피를 가지고 태어난, 인간을 잡아먹는 뱀이다. 그것을 더없이 깨달았다.

그래도 바라지 않을 수 없었다.

스스로 금했을 터인—— 잘못의 재현을.

"그러니까, 레르케. ……앞으로도, 곁에 있어 주겠어?"

두고 가지 말아 줘——라고.

레르케는 한순간 눈을 크게 떴다.

그 눈동자에 조금이라도 주저나 공포의 감정이 있었다면 그는 그 마음을 접었겠지.

하지만 충성스러운 소녀는 끄덕였다.

자기를 위해 그 시체가 해부되어 살아있는 시체가 되어달라는, 이기적이기 짝이 없는 그의 바람에도 웃으면서 수긍했다.

"그래, 물론이야. 나의……."

외로움 많은 왕자님.

그것이 그가 들은, 그녀의 마지막 말이었다.

†

비카가 선잠에서 깨어나 눈을 뜨자, 여전히 시간 감각이 지독하게 망가지는, 사방이 두꺼운 콘크리트 벽으로 둘러싸인 방 안이었다.

사흘 동안 완전히 익숙해진 희미한 어둠 속 여기저기에는 연합왕국의 자흑색, 연방의 쇳빛, 공화국의 군청색 군복의 실루엣이 희미하게 비쳤다. 최소한의 환기 때문에 탁한 공기와 무겁게 가라앉은 피로의 기운.

농성이 시작된 지 사흘── 이제 한계에 가까운 농성군의 모습. 묘한 꿈을 꾼 것은 이 때문일까 싶어서 비카는 작게 탄식했다.

그때도 마찬가지로 전선기지의 토치카 안이었다. 규모도 방비도 지금 있는 여기와는 비교도 안 되게 조악했었지만.

연합왕국은 군비의 나라고, 이디나로크 왕가는 그 정점이다. 전장에서는 선두에 서고, 최전선에 계속 있는 것이 관습. 그 관습에 따라서 남방 전선에 나갔던 첫 전투에서 있었던 일이다. 딱히 비카가 홀대당한 것은 아니다. 왕과 왕위 계승권 상위 왕족 이외는 전원이 평등하게 전쟁터에 나가고, 그 결과 여태까지 숙부인 왕제와 바로 위의 형, 다섯 살 많은 누나, 한 달 차이가 나는 사촌 여동생이 전사했다.

벽에 등을 기대고 잠든 탓에 다소 굳은 몸을 슬슬 움직여야겠다 싶어 일어섰다.

이런 어둠 속의 폐쇄된 공간은 정말로 싫다.

그녀가 죽었을 때가 떠오르니까.

"──레르케."

꿈의 잔재인지 다소 메마른 목으로 입안에서 속삭였다.

그녀와── 되살아난 지금의 그녀와 연결하기 위한 유사신경 결정은 그 누구도 떼어낼 수 없도록 몸 안, 목 뒤에 묻어 놓았다.

두 번 다시 그 손을 놓지 않도록.

"듣고 있나, 레르케."

응답은 지각동조를 통해 곧바로 돌아왔다.

[물론입니다, 전하. ……명령이로군요.]

〈시린〉은 잠들지 않는다.

정밀기계로서 정비와 조정을 위해 전원을 끄는 일은 있지만, 그것은 생물의 잠과는 다르다. 〈시린〉의 인조뇌에 피로물질은 쌓이지 않는다. 기억을 꿈으로 정리하는 일도 없다.

그녀들은 결국 인간이 아니다.

"먼저 보고를. 밖의 상황은?"

[잔탄, 에너지팩 모두 얼마 남지 않았습니다. 〈알카노스트〉는 4할이 소모. 〈저거노트〉의 피해는 그 정도는 아닙니다만, ……프로세서 여러분은 슬슬 한계로군요.]

"그렇겠지. 공성전은 공격하는 쪽이 소모가 빠르다. 사람이고 물자고."

주거를 위한 설비가 갖추어졌고 성벽의 모든 설비가 돕는 농성측과 달리, 공성 측은 지붕 없는 곳에서 잠을 자고 극단적으로 불리해지도록 조정된 전장에서 싸울 수밖에 없다. 현대과학은 야전의 숙영을 다소 편하게 해 주기야 하지만, 익숙하지 않은 눈 속의 전장에서 용케 사흘이나 버텼다고 생각해야겠지.

"〈레기온〉 증원의 위치는? 노우젠의 색적으로는 어디까지 진출을 허용했다고 하지?"

[어제 일몰 시점에서 통제선 라크에 도달. 거기서 정지한 듯하

다고 합니다.]

"라크도 돌파당할 거라고 상정했는데…… 역시나 연방의 바르구스들이로군. 잘해 주었어."

[분부대로. ……그리고.]

레르케는 어쩐 일로 다소 말을 아꼈다.

[바로 그 노우젠 님의 소모가 가장 우려스럽습니다. 꿈속에서도 죽은 이의 목소리를 들어야만 한다고. ……딱히 말은 없었습니다만, 우리 〈시린〉의 존재도 사실은 부담이겠지요.]

이 이상 오래 끌면 망가질지도 모른다──고.

말에 숨겨진 뜻을 눈치 빠르게 이해하며 비카는 끄덕였다.

"앞으로 너희와 에이티식스들의 협동에 관해서도 운용상의 대책을 생각하는 편이 좋겠지. ……이게 끝나면 본인에게도 물어볼까."

레나가 걱정할 만하다 싶었다.

그 목 없는 사신은 그 때문인지, 자기가 아픈지 안 아픈지도 모른다.

울리고 싶은 것도 아닐 텐데, 무엇이 상대를 한탄하게 하는지도 모른다.

"이쪽도 슬슬 탄약이 바닥을 친다. 구원도 급행시키고는 있지만, 역시 더 걸릴 것 같다. ──한계로군."

오늘 이 때가 분수령. 이 뒤로는 이제 슬금슬금 몰려서 짓눌리기만 하겠지.

다행이라고 할까, 그것이 가능한 정도로는 적의 포도 소모됐다.

"결판을 낸다. 너희의 본분과 긍지, 보여줘라."

아무래도 레르케는 웃은 듯했다.

[분부대로. ……전하.]

"음?"

[부디 무사하시길. 곧바로 곁으로 달려가겠습니다.]

한순간 비카는 눈을 치떴다.

지각동조를 끊고 천장을 바라보며, 소리 내지 않고 웃었다.

거기에 있는 것은 무기질적이고 음울한 천장, 그 너머에도 그녀
는 없지만.

"어디서 그런 걸 배웠냐, 일곱 살 꼬맹이."

레르케에게는 기억을 지우는 처리를 하지 않았다.

애초에 〈시린〉의 제조 과정에 그 처리가 들어간 것은 그녀들의
양산이 결정되고 시험용으로 소수의 〈시린〉이 제조된 뒤다. 죽는
순간의 기억을 남기면, 원래의 몸과 다른 몸에 들어간 인간의 의
식은 기동 직후에 붕괴하여 두 번 다시 기동하지 않는다는 사실을
알게 되었기 때문이다.

레르케는 그런 처리 과정을 거치지 않았지만, 생전의 기억도 의
식도 남아 있지 않았다.

그 사실에 비카는 처음에 크게 실망하고 절망하고, ……동시에
아주 약간 안도했다.

혹시 원망을 듣지 않을까 하고── 정말로 이런 식으로 세상에
남고 싶지 않았다는 말을 들을 것을 마음속 어딘가로는 두려워했
으니까.

기억도 없는, 원래 인격도 없는…… 말투조차도 본래의 그녀와 다른 레르케는 비카에게 어떤 의미로 구원이었다.

　때때로 생각한다.

　어쩌면 사실은 죄다 기억하는 걸지도 모른다.

　그러면서 일부러 생전과 다른 어조와 행동을 하는 걸지도 모른다, 라고.

　비카가 미련에 사로잡히지 않도록. 이번에야말로 도구로서 사용되고 사라질 수 있도록.

　젖형제인 그 소녀는 그렇게 어리석을 정도의 참견을 태연하게 하는 인간이었으니까.

　"──레르케리트."

　이 세계는 이미 아름답지 않다.

　네가 없는 이 세계에, 두 번 다시 봄은 찾아오지 않는다.

　그래도.

　지켜달라고 네가 바라니까.

　그걸 기억하는 동안은 너와 만나는 것처럼 느끼기에.

　"약속을 지키마. 이번에도. ……몇 번이라도."

†

　"저승사자님."

　그녀들임을 알더라도 바로 옆에서 망령의 한탄이 들리는 것은 신에게 별로 기분 좋은 일이 아니었다.

회의실 대용으로 쓰는 컨테이너 안, 밤 동안에 다소 변화한 〈레기온〉의 분포를 작전도 위에 반영시키던 신은 컨테이너로 들어온 레르케에게 시선을 주었다.

　"일찍 일어나셨군요. 지금이 기상시간이라고 생각합니다만."

　"무슨 일 있었나?"

　말한 뒤에야 깨닫고 혀를 찼다. 전장, 그것도 전투를 앞둔 아침이다. 이상이 있는지 경계하는 건 당연하지만, 그 목소리는 스스로도 놀라울 만큼 날카로웠다. ──사흘 동안의 전투로 생각 외로 신경이 곤두섰던 모양이다.

　"……미안해."

　"아뇨."

　레르케는 천천히 고개를 내저었다.

　소모된 기척이라고는 전혀 느껴지지 않는, 변함없이 눈처럼 하얀 얼굴로 말을 이었다.

　"다들 그렇습니다만. ……역시 피곤하신 모양입니다. 안색이 좋지 않아요."

　"으음……."

　익숙해졌다고 생각했지만, 이렇게 가까운 곳에서 〈레기온〉의 한탄이 24시간 내내 울리는 것은 다소 힘겹다.

　더불어서 익숙지 않은 추위와 거의 전국에 진전이 없는 채로 눈앞으로 다가온 타임 리미트.

　묘하게 눈이 일찍 떠진 것도 아마 그 탓이겠지.

　"정말로 인간의 몸이란 불편한 것이로군요. 자지 않으면 버틸 수 없고, 먹지 않으면 움직일 수 없고, 팔다리 하나를 잃은 정도로 죽는다. 전쟁에는 전혀 맞지 않습니다. 아뇨…… 전쟁이 인간보다 앞서갔다고 해야 할까요."

애초부터 전쟁이란 인간이 죽고 죽이는 것이다.

하지만 말 그대로 귀를 멀게 하는 총포의 대음향, 전차나 펠드레스의 요란한 진동과 열기, 지금은 오랫동안 사용되지 않은 전투기의 가속도. 서로 상대의 목젖을 물어뜯기 위해 보다 강대한 파괴력을, 견고한 장갑을, 고속의 기동을 계속 추구한 결과 어느 틈에 병기는 그 사용자의 몸마저도 괴롭히는 것으로 변했다.

레르케는 말했다. 자지 않아도, 먹지 않아도, 반신을 잃어도 동력계와 중앙처리계가 무사하면 전투 가능, 상처 입을 피와 살을 갖지 않은 기계의 몸으로.

"여러분은 더 일찍부터 우리에게 전쟁을 맡기는 게 좋지 않았을까요?"

신은 힐끗 레르케를 보았다.

그래, 인간은 이미 병기에게 족쇄에 불과하다.

유인기에게 운동성능의 제한이 걸리는 것은 거기에 탄 인간이 약하기 때문이다. 콕핏 같은 여분의 기재를 탑재한 탓에 중량이나 사이즈에 문제가 생기고, 극단적으로 말하면 인간 자체가 뇌신경계 이외에는 수십 킬로그램의 쓸데없는 무게추에 불과하다. 그 뇌도 금방 피로나 공포로 둔해지니까, 병기로서는 완전히 결함품이다.

그래도.

"그건…… 공화국과 똑같은 수준으로 떨어지는 짓이다."

레르케는 천천히 눈을 깜빡였다.

이해할 수 없는 말을 들은 기계인형의 움직임으로.

"실제로 우리는 인간이 아닙니다."

"그런 이야기가 아니야. 병기 안에 있는 게 인간이냐 인간이 아니냐는 관계없어. 누군가를 싸우게 하고 전장에서 도망치는 것은, 그런 끝에 나아갈 힘도, 몸을 지킬 힘도 잃는 것은 가축이나 같아. 살아있다고 할 수 없어. 싸울 힘도 의사도 버리고 누군가에게 자기 운명을 맡기는 것은—— 한심한 짓이겠지."

그것이 에이티식스의 긍지이며, 그것이야말로 그들과 '하얀 돼지'를 가르는 가장 큰 차이다. 머리색이나 눈동자색이 아니라 그런 자세가.

자기 몸과 동료를 믿고, 도망칠 곳이라고는 어디도 없는 전장을 산다. 누구에게도 자기 운명을 맡기지 않겠다고 결심했다—— 그것이 에이티식스의 긍지이며 존재증명이니까.

레르케가 가볍게 웃었다.

"……한심하다?"

그 노골적인—— 조롱의 울림.

무심코 날카롭게 노려본 신에게 그녀는 턱을 들며 웃었다. 목에서 소리 내고, 웃음이 아닌 다른 의미로 눈을 가늘게 뜨고.

"한심하다, 한심하다—— 한심하단 말씀입니까. 당신이 싸우는 이유는, 고작 그것입니까?"

비웃는다.

그 녹색 눈동자에 담긴, 정체 모를 불길과도 같은── 증오와 분노.

"다른 것도 아니고 한심하니까? 전장에서 살기로 택한 이유가, 고작 한심한 모습을 보이고 싶지 않아서라니·········· 흥."

그때 레르케는 꽃이 피듯이 웃었다.

"──당신은, 살아있는 주제에."

새가 지저귀는 듯한 목소리였다.

그러면서도 끈적하게 달라붙는 무게와 어둠을 머금은 목소리였다.

증오와 선망과 원념으로 점철된── 죽은 자의 목소리.

"살아있는 주제에. 우리와 달리. 아직 죽지 않은 주제에. 얼마든지 되찾을 수 있는 주제에. 회복할 수 있는 주제에."

한순간 기세에 눌려서 말을 잃은 신에게 계속해서 읊어댔다. 웃으면서. 녹색 눈동자에 어두운 불길을 이글이글 일렁대면서.

신의 이능력은 죽어서도 이 세계에 남은 망령이 죽는 순간에 품은 마지막 생각을 소리 없는 목소리로 그에게 전달한다.

죽은 뒤에 기계뇌가 자아내는 생각은 들리지 않는다. 먼 핏줄이라고 해도 같은 피를 이은 일족의 청년이나, 친형마저도.

그러니까.

죽어서도 세상에 남은 망령이 그 뒤에 한 말은 신도 아직 들어본 적이 없다.

──산 자를 향한, 불타버리는 듯한 원념과 선망은.

　"계속 싸운다고 말하면서, 싸움에 적합하지 않은 그 몸도 버릴 수 없는 주제에. 누군가를 비추는 눈을, 목소리를 듣는 귀를, 만지는 손을, 함께 살아가기 위한 인간의 몸을 버릴 생각도 하지 않았던 주제에. 누군가의 곁에 있고 싶은 주제에. ……사실은 언젠가 누군가와 행복해지고 싶은 주제에!"

　그 규탄은 비명처럼 울렸다.

　──나는 그렇지 않은데. 죽어버린 나는 이미 누구와도 함께 살 수 없는데. 행복해질 수 없는데.

　그렇게 될 수 있는 네가. 아직 살아있는 네가.

　뻔뻔하게도.

　잘도.

　레르케가 웃었다. 환하게. 참혹하게. 흘러넘치는 증오를 띠고.

　"살아있는 주제에── 잘도 그런 소리를."

　누군가와 행복해질 수 있는 주제에.

　"……."

　그리고 레르케는 웃었다. 힘없이. 울듯이.

　"죽는 것은 이미 오래전에 죽은 우리만으로 충분합니다, 인간. 당신들은 아직 살아있으니까요. 잃어버려도 빼앗겨도 아직 되찾을 수 있으니까요."

컨테이너 출입구에 붉은 모습이 또 하나 나타났다.

"레르케."

눈이 결정을 이루는 순간처럼 섬세한 목소리의 주인은 류드밀라였다. 심하다 싶을 정도로 붉은색깔의 머리칼. 나긋나긋한 체격에 장신인 〈시린〉.

"전원 모였어. 출격 준비도 진행 중."

"알았어. ──저승사자님, 그쪽도 전원 출격 준비를."

"……전원?"

의아스럽게 되물은 신에게 레르케는 평소처럼 소녀의 얼굴과 어울리지 않게 씩씩한 웃음을 지었다.

"무슨 일이 있었냐고 하셨지요. ……전하의 명령입니다. 이제부터 우리는 총공격에 들어갑니다."

잠에서 깨어나자, 제일 먼저 희미한 이취가 코를 찔렀다.

기억 속에 있는, 별로 떠올리고 싶지 않은 장소를 자극하는 냄새다. 8년 전의 먼 기억과 1년 정도 전의 아직 새로운 기억.

타버린 금속과 눌어붙은 살점, 부패와 죽음의 냄새.

안쪽 방에 안치된 전사자의 유해가 상하는 냄새다.

피로로 아직 무거운 머리를 흔들며 레나는 몸을 일으켰다.

어제부터 빌렸던 쇳빛 겉옷을 걸치고, 손으로 대충 머리를 매만지면서 그녀에게 주어진 방을 나섰다. 사흘 동안 같은 방에서 지냈던 프레데리카는 완전히 지쳤는지, 모포를 두른 채로 꼼짝도

하지 않았다.

통로를 걸으니 피 냄새가 밀려들었다. 지하 깊숙한 곳에 있는 이 사령부는 이미 어디고 죽은 인간의 냄새가 떠돌았다.

──이제 와서 혐오는 없어.

공화국 시민의 태반이 죽었던, 작년의 그 대공세 이후로 2개월 동안 벌어진 방어전 때보다는 훨씬 낫다.

한창 무더운 여름이었다. 쇠가 타는 냄새와 매장은 고사하고 회수도 할 수 없는 막대한 유체들이 썩는 냄새로 토할 것만 같던, 끝이 보이지 않는 방어전.

순식간에 익숙해져서── 신경 쓰지 않게 되었지만.

인간은 익숙해진다. 익숙해져서는 안 되는 것에도. 간단히.

핑크색 입술을 깨물며 사령실의 문을 지나다가.

위화감을 깨달았다.

발령소 요원 전원이 이 자리에 있었다. 교대로 휴식을 취하고 있을 터인 이도 포함하여.

그리고 그들의 옆얼굴에 똑같이 떠도는, 독을 마시라는 명령을 받은 듯한 긴박함과 긴장감.

마치 결전을 눈앞에 둔 듯한 모습.

"무, 무슨 일이 있었습니까?!"

다급히 묻자, 비카가 힐끗 시선을 보냈다.

"일어났나, 밀리제. ……미안하지만, 움직일 수 있다면 로젠폴트도 깨워서 지휘 준비를 해 줘. 한 시간 뒤에 남동쪽 성벽에 총공격을 개시한다."

"총공격? ──누가 그런 명령을…….""

"물론 난데?"

올려다보자, 비카는 천연덕스럽게 어깨를 으쓱였다.

"실제로 한계겠지. 이 이상 전력이 줄어들면 그 총공격도 불가능해진다. 그 정도로 갈려나가기 전에 치고 나간다."

"무턱대고 공격하게 해도 희생만 늘어납니다. 지금 냉정함을 잃는 것은 자살행위밖에──.""

"무턱대고 지키게 해도 그건 똑같겠지. 손해가 그 숫자에 달하는 게 이르냐 늦냐의 차이뿐이다. ……게다가 이 경우는 소모를 억누르는 것에 별로 의미가 없어. 오히려 그편이 확실히 전멸하지."

소모를 억눌러도 의미가 없다. ……농성하더라도 전멸하기 전에 구원이 오지 않는다.

담담하게 말하던 비카가 갑자기 쓴웃음을 지었다.

"말을 곱게 포장할 필요는 없다, 밀리제. 딱히 자포자기한 것도, 한 방 역전에 거는 것도 아니야. 딱히 그 정도로 몰린 것도 아니겠지. ……승산은 없지 않다."

마치 생각보다 빗발이 세서 난처하다고 하는 듯한 그 표정을 레나로서는 역시나 믿을 수 없었다.

그렇게 말한다면 그는 상황을 모르는 것도 아니겠지.

구원은 오지 않는다. 방어에 전념해도 버텨낼 수 없다. 그러니까 공격으로 나간다. 다만──

"희생은.""

"있겠지. 대량으로. 하지만—— 그쳐 그것뿐이다."

"……뭐야?"

〈베어볼프〉의 센서 반응에 돌아봤을 때 격납고의 희미한 어둠 속에서 〈바르슈카 마투슈카〉가 걸어 나왔기에 라이덴은 한쪽 눈썹을 곤두세웠다.

[우리 핸들러도 각 침입구의 방어를 맡으라는. 전하의 명령이다.]

상처 하나 없는 〈바르슈카 마투슈카〉의 장갑 너머에서, 라이덴보다 몇 살 연상인 남자 목소리가 말했다. 몇 번 들은 적 있는 목소리. 〈시린〉들의 핸들러의 목소리.

[바깥 부대가 성벽을 돌파하거든 너희는 그쪽과 합류해 줘. 여기는 우리가 맡지. ……전하는 전선지휘관이시다. 그 휘하의 우리도 핸들러라고는 해도 못 싸우는 건 아니야.]

듣고 있던 시덴이 흥 소리 내어 코웃음을 치는 기척.

[그 마음은 높이 사겠는데. 우리 브리싱가멘은 여왕 폐하의 호위부대다. 다른 놈들에게 이 일을 맡길 순 없지. 미안하지만 늑대 인간 양반의 부대만 주인님을 모시러 가라고.]

"……그보다 너희는."

누가 주인님이냐는 욕설을 일단 삼키고 라이덴은 물었다. 신이 같은 말을 들었어도 이렇게 싫은 표정을 하겠거니 싶은, 라이덴에게는 하나도 재미없는 상상도 접어두고.

"〈시린〉의 관제는—— 어쩌려는 거야?"

"……왜 〈시린〉 조작을 당신 한 명에게 집약한 겁니까, 비카."

"내가 아니면 불가능하기 때문이지."

고개를 갸웃거리는 레나의 당연한 질문에 돌아온 대답은 지극히 단적이었다.

"부담을 고려하면 비카라도 200기 정도의 조작이 한계라고 들었습니다만."

"그러니까 그 부담을 지는 건 내가 아니다. ……전투가 가능한 레벨의 접속이 아니지만, 이 정도 움직임이라면 충분하지. ……게다가."

담담하게, 대수롭지 않다는 듯이 북쪽 대국의 왕자는 말했다. 수백 년의 세월에 걸쳐 여러 민족을 무릎 꿇려온 일족의 긍지를 띠고.

"이게 내 책무니까. ——레르케, 준비는 됐나?"

"물론입니다, 언제든지 가능합니다."

녹색 눈동자를 광학 스크린으로 향한 채로 레르케는 대답했다. 그녀들에게 맞춰 만들어진, 몹시 좁고 어두운 〈챠이카〉의 콕핏 안.

목덜미에서 솟아난 〈찌카다〉의 은실이 그 가느다란 목을 따라서 군복 밑으로 파고들었다. 그녀의 온몸에 증설된 전력공급용

단자에 접속하여서, 생체전류 따윈 없는 그녀의 피부 위에 전개되어 가동했다. 부담이 큰 대규모 동조는 대부분 그녀가 중계하고 부담을 지는 것으로 실현했다. ……명령받아서가 아니라, 그녀가 바란 바다. 부담 문제만 아니라면, 그녀의 주인은 똑같은 짓을 혼자서라도 할 수 있다. 그저 레르케가 그걸 시키고 싶지 않을 뿐이다.

이 몸은 주인의 검이자 방패. 지켜내는 것이 긍지, 주인의 몸에 머리카락 한 올이라도 상처가 나는 것은 더없는 굴욕.

그녀에게 최대의 적인 〈레기온〉이 꿈틀대는, 절벽 위의 요새를 계속해서 노려보았다. 옆에서는 신의 〈언더테이커〉, 뒤에는 〈저거노트〉들. 앞에는 살아남은 〈알카노스트〉가 모두 줄줄이 서서 주인의 명령대로 돌격하려는 포진.

사실은.

배후의 〈저거노트〉들에게는 이 전투도, 여태까지의 전투도 시키고 싶지 않았지만.

여기는 전쟁의 정원이니까.

우리, 죽음의 새들의 정원이니까.

"명령을. 우리의 주인이시여."

이틀 동안 격파된 〈알카노스트〉의 잔해가 나뒹구는 눈 덮인 땅과 그 너머의 성채를 바라보며 연방과 연합왕국의 펠드레스들은 질서정연하게 대오를 짰다.

선두에 〈알카노스트〉 전기를 동원한 종진. 그 뒤에 〈저거노트〉의 횡진. 전대별로 뭉쳐서, 브리핑에서 정한 진격 순서대로 〈알카노스트〉의 뒤를 따르는 형태다.

'묘한 포진이군.'

〈저거노트〉의 횡진 중앙, 스피어헤드 전대의 대열 선두. 〈알카노스트〉의 종진 바로 뒤에서, 그 모습을 죄다 둘러볼 수 있는 위치에서 신은 그렇게 생각했다.

공격 목표로 지시받은 남동쪽 절벽에 무식하게 정면에서 돌진하는 포진. 게다가 선두로 가는 〈알카노스트〉들은 명백히 지나칠 정도로 밀집했고, 극단적으로 가느다란 종진을 형성했다.

종진은 전력을 집중하여 적진을 돌파하는 것에 적합한 진형이지만, 지금 눈앞에 있는 것은 기갑병기로도 관통할 수 없는 절벽이다. 이 남동쪽 절벽 앞에도 빈 해자가 있고, 거기서 발이 묶일 것도 쉽사리 상상이 간다. 전투 도중에 마련한 것인 듯한 통나무나 석재, 빈 컨테이너를 들었고, 〈저거노트〉의 예비 와이어 앵커를 억지로 접속한 기체도 선두 집단에 모였으니까 자재로 참호를 메워서 올라가려는 생각이겠지만.

종진의 진짜 위력은 전력집중과 속도를 살린 충격력이다. 속도가 죽은 돌격으로는 빈 해자와 그 뒤에 서 있는 절벽 앞에 효과가 없다. 뿐만 아니라 발이 멈춘 선두에게 후속이 격돌하여 치명적인 정체를 일으키겠지.

너무나도 밀집된 진형도 그렇고, 장거리포병형의 집중사로 선두부터 차례로 죽여달라고 하는 꼴 아닌가.

무슨…… 생각이지?

물론 작전의 개요는 설명을 들었지만, 신을 포함한 연방 부대에 주어진 것은 성벽 내부로 돌입한 후의 작전뿐이었다. 돌입 방법에 대해서는 연합왕국의 부대에──〈알카노스트〉에 맡기면 된다는 말뿐이었다.

의아하게 여기는 신의 옆에 〈알카노스트〉 한 대가 섰다.

[……저승사자님.]

힐끗 돌아보자, 류드밀라였다. 뒤쪽의 캐노피를 열어젖히고 승강용 계단에 발을 디딘 채, 인간이 아니라고 증명하듯이 눈 섞인 바람에 몸을 드러내고 있었다.

그녀의 동료가 굴러다니는 설원과 눈의 비단 너머에 흐릿하게 보이는 성채를 바라보는 채로 입을 열었다.

[저희는 일찍이 인간이었던 전사자입니다. 다시 말해 이미 인간이 아닙니다. 인간의 손으로 그 몸과 마음이 만들어진, 이 이상 인간이 죽지 않도록 하기 위한 기계입니다.]

"……?"

그건 그녀들을 만들고 조작하는 비카에게, 그녀들 자신에게 몇 번이나 들은 말이다.

〈시린〉이란 원래 전사자라고.

이 이상 전사자를 늘리지 않도록 이미 죽은 전사자를 이용한다, 그런 구조의 방어 시스템이라고.

작전 전인 지금 이때, 왜, 그 이야기를──.

[저희는 그저 인간을 위해 존재합니다.]

시야 구석, 카운트다운이 시작되었다. 공격 개시까지의 카운트다운.

〈알카노스트〉의 작전행동에는 일절 나서지 마라. 신을 포함한 모든 프로세서에게는 그런 엄격한 명령이 내려왔다.

[그러니까 이것은.]

카운트다운이 진행되는 가운데, 비카는 문득 깨닫고 말했다. 옆에 있는 부지휘관석 위. 지인의 모습을 내다볼 수 있다는 이능력의 소녀.

"로젠폴트. 잠시 눈을 감고 있어라. 이능력만이 아니라 진짜 눈도."

아무래도 그것이 안 된다는 사실은 그라도 안다. 망가진 아이를 늘리고 싶지도 않다.

태어났을 때부터 뭔가가 망가졌던, 순수한 괴물인 자신과는 다르다. 멀쩡한 인간으로 태어난 아이는 망가지지 않아야 한다. 가능하다면 모두가 평생 그래야 한다.

그게 아니라면. 인간으로 태어났을 터인 아이들조차도 쉽사리 망가지고 괴물로 변하여서 인간의 행복을 얻을 수 없다면. 괴물로 태어난 자신은 더더욱 행복해질 수 없으니까———.

스스로 생각해도 참 이기적이다 싶어서 스스로의 추악함을 비웃었다. 누군가의 행복을 빌 때조차도 결국은 스스로를 위해서다. 참으로 추악하고 경박한, 냉혈의 뱀.

카운트가 진행되었다.

그걸 보면서 조용히 입을 열었다.

"〈가듀카〉가 모든 〈알카노스트〉에. ……작전 개시. 자──."

살모사.

그렇다.

이쪽은 원래부터 망가진 뱀이다. 이 이상 망가질 정서도 없다.

아마도 나는 그걸 위해 인류라는 종이 자기 안에 심은 시스템의 일부겠지.

광기가 제정신을 짓뭉갤 때. 인간으로는 제정신을 유지할 수 없는 상황에서, 대신 곤경을 헤쳐 나오기 위해.

그것은 그가 만들어낸, 인류에 반한다는 그의 인형들도 마찬가지고.

자.

괴물의 긍지를 보이자. 인간이 아닌 애들아.

"노래하라, 백조들."

신의 앞에서 류드밀라는 말했다. 노래하듯이. 미소 지으며.

[그러니까 이것은.]

지각동조와 노이즈가 강한 무전 너머, 비카의 목소리가 말했다.

──작전 개시. 자.

류드밀라가 말했다. 어딘가 황홀하게. 조용하게.

마치 화형대의 앞에 선, 순교하는 성녀처럼──.

——노래하라. 백조들.

[저희에게는, 기쁨입니다.]

동시에.

집결한 〈알카노스트〉, 그 전기가 돌진했다.

함성 대신 소녀의 가벼운 웃음소리, 꽃이 떠드는 듯한 웃음소리를 내며.

봄의 들판을 달리듯이, 포탄 자국이 생생한 전쟁터를 달렸다. 요새에서 장거리포병형이 수평사격으로 날려대는 탄환의 비를 빠져나가고, 절벽을 둘러싼 빈 해자에 제일 선두가 도달. 근접거리에서의 포격으로 해자 밑바닥의 대전차장애물을 날려버리고, 고개를 돌려 근처에 있는 동료기의 잔해에 여러 기가 한꺼번에 와이어 앵커를 박았다.

그대로 몸을 날렸다.

배후에 있는 나락의 계곡 밑으로.

"뭐……?!"

〈알카노스트〉의 푸르스름한 그림자가 무슨 웃기지도 않는 농담처럼 얼음 틈새로 사라졌다. 불타서 주저앉은 동료기가 거기에 끌려서 대지에 난 탄착흔에서 튀어나오더니 하늘에 궤도를 그리며 그 뒤를 따르듯이 낙하했다.

강철의 거구가 계곡 밑바닥에 처박히며 우그러지는, 무서우면서도 이상한 소리가 얼음벽에 반사되면서 울려 퍼졌다.

그 소리가 사라지기도 전에 제2열이 도달. 그 기세를 살려서 그대로 몸을 던졌다. 이어서 제3열, 제4열이 주저 없이 뒤를 따랐다. 잘라온 자재를 품에 안고, 동료기의 잔해를 끌고 계속해서. 피리 부는 사나이의 피리 소리에 이끌려서 강에 몸을 던지는 어리석은 쥐떼처럼.

장거리포병형의 포격으로 〈알카노스트〉 한 대가 죽음의 행군 도중에 쓰러졌다. 뒤따르던 다른 한 대가 그걸 뒤에서 떠밀더니 껴안듯이 함께 밑으로 굴러떨어졌다. 주저앉은 동료기를 잡아끌고, 함께 밀며, 푸르스름한 거미 떼가 차례로, 차례로, 차례로 뛰어내렸다.

웃으면서.

모두가 진심에서 우러난 밝은 목소리로, 소녀의 목소리로 웃으면서.

그 의도를 깨달았을까, 성벽 위의 장거리포병형이 몸을 내밀고 아래쪽을 향해 포격을 집중하기 시작했다. 빈 해자 앞에 탄막을 형성하여 〈알카노스트〉의 접근을 막으려고 했다.

처음으로 〈알카노스트〉가 이동을 멈추고 정면에서 응사. 몸을 내밀었기에 사선에 몸을 드러낸 장거리포병형을 연이어 격추하고, 굴러 떨어지는 그 잔해를 빈 해자로 끌어내렸다. 동료기가 고폭탄을 맞고 날아가면, 뒤따르던 〈알카노스트〉가 그걸 그대로 계곡 밑바닥에 밀어 넣고 자기가 맹포격의 구멍을 메웠다.

두려움을 모를 터인 〈레기온〉이 괜히 재료를 주는 어리석음을 깨닫고 격벽 너머로 몸을 숨겼다. 아직도 성벽을 향해 포격을 가하는 동료기의 원호 밑에서 〈알카노스트〉들은 계속 돌진하여 투신자살을 감행했다.

신상 앞에 스스로 몸을 던져서 치어 죽는 광신자들처럼. 저거노트

그——광기.

낙차 20미터는 되는 빈 해자가 십여 톤의 〈알카노스트〉의 거구로 순식간에 메워졌다. 그 위를 짓밟아 다지면서 후속이 달려왔다. 강도가 부족하다 싶으면 그 자리에 몸을 웅크려 동료기에게 짓밟히는 것으로 스스로를 이 강철다리의 자재로 바꾸면서.

드디어 선두가 빈 해자를 넘어서 바위벽에 도달하여 그 밑부분에 달라붙었다. 다음 일렬이 그 위로 올라가서 망가지며 그 위로 다리를 뻗었다. 벽돌을 쌓듯이 자기 기체를 자재로 삼으면서 〈알카노스트〉들은 계속해서 위로 발판을 만들어갔다.

옛날에. 아득한 고대에.

토목기술에 뛰어난 어느 제국은 깎아지른 절벽 위에 있는 난공불락의 요새를 함락하기 위해, 높이 200미터에 달하는 공성탑을 사막 한가운데에 만들었다고 한다. 수만 명의 포로와 노예를 소비하여서.

그 공성탑을 본뜬 것처럼 똑바로 성벽을 향하는 경사로가 완성되었다. 강철의 잔해로 만들어진 공성탑. 〈알카노스트〉들 자신을 주체로 하고, 격추한 장거리포병형과 뛰어내렸다가 〈시린〉들에게 붙잡혀서 쓰러진 척후형들까지 포함된 공성탑. 아 마 이 저

그것들 모두를 짓밟으며 후속이 올라갔다. 밑에 있는 동료기를 짓뭉개고, 자기들도 다음 기체에 짓밟히면서, 차례로 높이를 더했다.

울려 퍼지는 소녀들의 명랑한 웃음소리와 그 밑에서 벌어지는

광기의 축성을—— 제아무리 에이티식스라도 말을 잃고 바라볼
수밖에 없었다.

그 광경은 절벽 위, 사령부의 레나의 눈에도 닿았다.
"비카……!"
"이런 짓을 에이티식스에게 시킬 수도 없지."
그녀가 돌아본 곳에서 이 목숨을 버리는 진격을 명령했을 소년
은 눈썹 하나도 까딱하지 않았다.
딱딱하게 얼어붙는 시선과 표정으로 홀로스크린 안, 웃으면서
뭉개지는 그의 인형들을 바라보았다.
"그녀들을 아까워하다가 더 이상 내 병사나 에이티식스들을 죽
일 수도 없지. ……사람은 죽으면 되살릴 수 없다. 대신할 존재는
없다. 그 어디에도."
그 순간 굳게 다문 입술의 의미를 레나는 몰랐다.
되살리려다가 오히려 영원히 잃어버린 그 어머니에 대해서도,
그를 두고 죽었다는 레르케의 기반이 된 소녀에 대해서도, 레나
는 비카에게 듣지 못했다.
하지만——.
"하지만 그녀들은—— 〈시린〉은 죽은 자들이다. 엄밀하게는 인
격조차 없는 가짜 인간이다. 양산 가능한 〈시린〉은 〈시린〉 자신
으로 대체할 수 있다. 아까워할 이유라곤 하나도 없다."
한없이 냉철하게 말했다. 망가져 가는 인형들에게서 눈도 떼지

않고 지켜보며.

그 〈시린〉 중 하나인 레르케를 항상 곁에 두고…… 인간이 아닌 그녀들에게 인간의 이름과 각기 다른 모습을 주면서.

레나는 그 얼굴에 가슴이 아팠다.

냉혈한 뱀은.

인정을 모르는 괴물은, 그래도.

그 나름대로의 논리와 윤리로 인간과 인간 세계를 지키려고 한다.

마지막 〈알카노스트〉가 돌진했다. 파쇄음을 울리면서 강철의 경사로를 달려 올라갔다.

그걸 지켜본 비카는 발길을 돌렸다.

대전차 라이플을 근위병의 손에서 받더니 그 병사를 데리고 발령소 밖으로 향했다.

"돌입과 그 후의 지휘는 맡기지, 여왕. ——이쪽도 맞추어서 공세로 나간다. 타이밍 지시는 내가 한다."

수하를 잃은 자신은 이제 여기서 할 일이 없다는 뜻을 말없이 표현했다.

달려간 마지막 〈알카노스트〉가 열 개의 다리 중 앞의 두 쌍을 바위벽으로 뻗었다. 고폭탄 파편을 맞아 반쯤 날아간 콕핏을 그대로 두고, 앞다리의 아이젠을 바위벽에 박아 넣은 뒤 모든 관절을 고정하고 침묵했다.

그것이 푸르스름한 거미들의 죽음의 행진, 그 종언이었다.

남은 〈알카노스트〉는 레르케의 〈챠이카〉 하나뿐이었다. 부대가 통째로 말 그대로 몸을 버린—— 광기 그 자체인 진격로의 구축.

　공성탑 정상 부근, 이미 원형도 남지 않을 정도로 경사로에 파묻힌 류드밀라의 머리가, 반쯤 찢겨서 거꾸로 늘어진 그 머리가 어색하게 〈언더테이커〉를—— 그 안의 신을 보았다.

　웃고 있는 것이 보였다.

　인조피부와 근육, 그 밑의 금속 프레임조차도 깨져서 왼쪽 절반만 남은 얼굴이, 그래도 요염하게. 한없이 기쁘게.

　[자, 여러분, 가시죠.]

"큭……!"

한순간 전율에 몸이 움츠러드는 것을 막을 수 없었다.

아마도 다른 자들도 마찬가지겠지. 모든 〈저거노트〉가 순간적으로 갈등하고, 그 이상한 공성탑에 발을 들이는 것을 주저하면서 멈춰 섰다.

얼어붙은 신의 귀에 〈레기온〉의 외침이 닿았다. 〈알카노스트〉의 포화에 일단 후퇴했던 장거리포병형이, 척후형이 다시금 기어 나오려는 기척.

이렇게까지 하게 해놓고.

개죽음을 시킬 수는 없다.

이가 뒤틀릴 정도로 악물었다.

"──간다."

[어떻게 그런 짓을…….]

아마도 리토겠지. 누군가의 비명 섞인 목소리를 무시하고, 조종간을 전진 위치로 밀었다. 〈알카노스트〉가 짓밟아서 검은 흙이 드러난 흔적을 따라서 〈언더테이커〉가 선두로 질주했다. 한발 늦게 갈등을 뿌리친 것처럼 〈래핑폭스〉가, 〈건슬링어〉와 〈스노윗치〉가 뒤를 따랐다. 차례로 남은 스피어헤드 전대 기체들이, 그 뒤를 따라야 할 전대가 어떠한 신음이나 욕설을 흘리며.

여기에 있는 에이티식스는 거의 전원이 86구의 전장에서 몇 년 동안 살아남은 자들이다. 명령할 것도 없이 후위 담당인 전대가 제압사격을 개시. 앞으로 나오려던 장거리포병형을 막는 화선 밑에서 눈의 장막을 찢으며 〈저거노트〉는 달렸다. ──눈발이 강해졌다. 한탄의 소리가 몰아치듯이.

강철의 잔해로 메워진 빈 해자에 도달. 일체 속도를 늦추지 않고, 어떠한 주저도 없이, 〈언더테이커〉는 그 이상한 다리에 발을 올렸다. 단숨에 달려서 그대로 경사로를 올라갔다.

마땅히 써야 할 건축자재를 쓰지 않은 경사로는 불안하고, 걷기 힘들었다. 진행 방향만 봐도 눈에 들어오는, 〈알카노스트〉 틈새에서 뭉개진 〈시린〉의 무참한 모습.

짓뭉개진 상태에 또 〈저거노트〉에게 짓밟혀서 갈기갈기 찢어지고 뭉개지는 모습도.

자주지뢰를 걷어차고 짓뭉개는 거야 일상다반사였다.

〈시린〉은 인간의 형태를 했을 뿐이지, 이미 인간이 아니다.

전쟁 계속을 위해 전사자의 뇌를 흡수한 〈레기온〉과 본질적으로는 하나도 다르지 않다. 인간의 뇌 자체도 이미 없다. 데이터로 만들어진 그 구조를 복제한 것이 유체 마이크로머신이냐 인조세포냐의 차이뿐이다.

그러니까 똑같다. ──똑같을 터이다.

〈레기온〉들을 파괴하는 것과.

여기서 이렇게 〈시린〉들을 짓뭉개면서 달리는 것은.

"큭…………!"

그럴 텐데도, 말로 할 수 없는 혐오감이 사라지지 않았다.

시체의 산을 짓밟으면서, 그 시체에 다리가 잡히면서 달리는 듯한 으스스함이 도무지 떨어지지 않았다.

세오가 "미안해."라고 중얼거리는 게 귀에 들어왔다. 크레나가 신음했다. 울려는 것을 필사적으로 참는 리토를 다독이는 앙쥬의 목소리도 떨리고 있었다.

시야 구석, 메인스크린 구석에 〈언더테이커〉의 다리가 아직도 희미하게 움직이는 〈시린〉의 등을 짓밟아 부수는 게 비쳤다.

비명처럼 꽃 같은 입술이 벌어졌다. 오작동을 일으켰는지, 도움을 청하듯이 허공을 가르는 손이 경련하면서 힘없이 떨어졌다.

〈저거노트〉의 시스템에 피드백 기능은 없다. 뭘 밟더라도 완충계가 완전히 상쇄하지 못한 진동 말고는 프로세서에 전달하는 일은 없고, 고기동전을 위해 강력한 쇼크업소버를 탑재한 〈저거노트〉는 인간 정도를 짓밟았다고 해도 콕핏에 충격이 전해지지 않는다.

그러니까 조종간을 쥔 손에 달걀 껍데기를 으깨는 듯한 감촉이 느껴지는 것도, 〈저거노트〉의 주행음에 지워져서 닿지 않을 터인 파쇄음도, 모두 존재하지 않는 환상이겠지.

들린 것 같은 비명도, 〈언더테이커〉에게 튀어서 달라붙은 선혈도.

너무 세게 다문 어금니가 끼긱, 하고 삐걱거렸다.

…………아니야.

그렇게 인식하지 않았다. 실감하지 않았을 뿐이다.

잊고 있었다.

자신이 어디에 있는지를.

퍼스널네임이란, '네임드' 란 호칭이며 악명이다.

수많은 동료가 죽어가는 가운데, 유일하게 사선을 뚫고 생환한다. 적과 아군의 시체를 쌓고, 동료의 피를 마시듯이 계속해서 싸우는 악귀. 천 명 중에서 한 명밖에 살아남지 못하는 86구의 전장에서, 정말로 그 한 명이 되어버린 괴물에게 그렇지 않은 이들이 바치는 별명.

'네임드'란 괴물의 별명이다.

그러니까 이제 와서 으스스하게 느낀다면 거짓말이다.

자신이 여태까지 나아갔고, 지금 서 있는 이 장소야말로── 함께 싸운 끝에 죽어간 수많은 동료들의 주검의 산 정상이니까.

살아남기 위해서 누군가를 짓밟았다. 죽어가는 누군가를. 아직 살아있는 누군가도. 구하지 못하고. 저버리고. 손이 닿지 않고. 깨닫지도 못하고. 그렇게 누군가가 죽어가는 옆을, 그 피와 주검을 짓밟으면서 살아남아 왔다.

그렇다면 이것은── 똑같다. 계속 싸우기 위해서, 살아남기 위해서, 시체의 산을 밟아서라도 전진한다, 그 광경이 우연히 구현화되었을 뿐이다.

으스스하다면…… 그렇게 느껴야 할 것은 이 공성로만이 아니라 여태까지 나아온 길 그 자체다.

……어쩔 수 없는 일이겠지.

인간이 죽지 않는 전쟁 따위는 없다. 인간이 인간을 희생하지 않는 나라 따위 역사상 어디에도 존재하지 않는다.

산다는 것은 누군가의 주검 위에 서는 것이다.

살아남는 것은 계속해서 뭔가를 희생하는 것이다.

그렇게까지 해야만 살아남을 수 있다면.

인간은.

이미 활동을 정지했을, 이미 눈도 깜빡이지 않는 붉은 머리칼의 머리가 시야에 들어왔다.

그 반쯤 찢어진 머리는 〈언더테이커〉의 질주의 진동에 완전히 뽑혀서 굴러 떨어지고 사라졌다.

내뱉은 숨에 눈물 따위 섞이지 않았다.

레나. 미안해.

인간이 사는 것을. 인간을. 나는.

아름답다고, 생각할 수 없어.

권위의 과시와 거주성을 추구한 궁전과 달리 성채란 전투용 건조물이다.

그 구조 자체가 침입자에 대한 방어구이며 무기다.

높게 솟은 성벽, 주위에 둘러친 빈 해자나 수로 등은 말할 것도 없고, 성문 위에 낸 총안, 안으로 갈수록 높아지는 여러 겹의 격벽, 2층 부분에밖에 없는 천수각 입구, 시계방향으로 올라가는 나선계단.

그 대부분은 검과 활이 무기였던 시대에 유효한 구조였겠지만, 아직 효력을 발휘하는 구조도 있다.

요새 내부, 남동쪽 성벽과 마주 보는 내곽.

성벽의 정점, 그 살짝 아래에 곡사포의 조준을 딱 맞추고 장거리 포병형들이 적을 기다렸다.

침입로 형성을 저지할 수는 없었지만, 성벽을 넘어오는 무방비한 순간을 노리면 침입을 충분히 저지할 수 있다. 무리한 작업으로 억지로 세운 그 침입로는 아주 가늘다. 적 부대는 작전상의 우행인 전력의 분산과 분단을 감행할 수밖에 없다.

침입로 형성을 위해 많은 적성 펠드레스를 희생한 이상, 적군의 전력도 줄어들었다. 결사의 돌격도 오래가지 않는다.

그때 톱니무늬의 총안을 날카롭게 통과하여 강철의 닻이 성벽 위로 올라왔다.

두 쌍. 네 개.

끝부분의 갈퀴── 앵커가 성벽 상부에 박혔다. 깊게 파고들어서 고정되었다.

다음 순간 두 대의 〈저거노트〉가 조준 좌우, 장거리포병형의 무리를 측면에서 내려다보는 성벽 위로 뛰어올랐다.

퍼스널마크가 '웃는 여우'. 그리고 '야삽을 짊어진 목 없는 해골'.

[──바보 아니야? 거길 노릴 걸 뻔히 아는데, 정면에서 돌입할 리가 없잖아.]

"더스틴의 말에 깨달았다. 공화국 시민이었던 놈들이 돌입의 정석을 알 리도 없지."

세오가 내뱉고, 조금 전까지의 아픔을 이미 다 떨쳐버린── 너무 떨쳐버린 냉철함으로 신이 말을 이었다.

동시에 격발.

포효한 88mm 전차포의 초속(初速) 1600m/s 화선이 연이어서 장거리포병형의 옆구리에 꽂혔다. 착탄과 동시에 폭발, 다목적 고폭탄의 메탈제트와 고속으로 흩어지는 파편이 장갑 없는 그들을 한꺼번에 쓸어버렸다.

물론 장거리포병형도 그냥 맞고만 있지 않았다. 광학 센서와 안티 조준 센서가 좌우에 출현한 적기와 그 조준 레이저를 인식. 전술 알고리즘에 따라서 방향을 전환, 산개.

──할 수 없었다.

방향을 바꾸려는 동작을 다른 장거리포병형의 포신이 방해했다. 부딪쳐서 비틀거리는 기체가 다른 기체의 움직임을 방해했다. 좁은 내곽에 북적북적 집합했던 장거리포병형들은 북적대는 채로 제대로 움직일 수가 없었다. 그 무방비한 옆구리에 탄창을 단숨에 비울 기세로 〈저거노트〉의 맹포격이 덮쳤다.

내부에 침입한 적군을 소부대로 분산시키고 행동을 방해하고자, 성벽 내부는 많은 격벽으로 비좁게 나뉘는 형태가 됐다.

그 제약은 기다란 포를 짊어진, 거대하고 둔중한 장거리포병형에도 유효했다.

회전포탑이 없는 장거리포병형은 전방밖에 포격할 수 없다. 반격도 할 수 없고, 회피도 여의치 않은 그들은 이미 무력한 표적이었다.

선봉을 맡은 두 사람과 마찬가지로 와이어 앵커를 이용하여 경사를 뛰어오른 후속 〈저거노트〉가 연이어서 포격의 대열에 가담했다. 성벽 위의 적기를 배제하려고 기어올라 온 자주지뢰를 기관포를 가진 〈저거노트〉가 흩어버리고, 달려오는 척후형을 전차포로 쓸어버렸다.

찢기고 휘어진 장거리포병형의 잔해의 산 위에 드디어 한 〈저거노트〉가―― 더스틴의 〈사지타리우스〉가 내려섰다. 스모크 디스차저를 사용하여 농밀한 연막을 형성, 돌입부대의 다음 행동을 숨겼다. 그 연막 밑을 리토가 지휘하는 클레이모어 전대가 격납고 탈환을 위해 달려가고, 미사일 런처를 짊어진 면 제압 사양기들이 런처 포트의 문을 죄다 열었다.

[――런처 각기. 모든 좌표 전송, 제압하세요!]

레나의 호령에 따라 전기가 일제사격. 연막을 꿰뚫고 뻗어서 지상구역의 머리 위를 차지한 미사일들이 내장한 클러스터를 지상구역 전체에 퍼부었다.

거기에 무리 지은 경량급 〈레기온〉들에게도.

대경장갑용의 폭발성형관통탄이 작동. 초속 3000미터의 불꽃의 비가 경장갑인 적들을 한꺼번에 쓸어버리는 굉음.

성채 지상부는 이것으로 제압. 남은 건 잔당의 소탕과.

〈언더테이커〉의 옆에서 〈챠이카〉가 정지. 뒤쪽의 캐노피를 젖히고 고개를 내민 레르케가 외쳤다.

[저승사자님, 이 틈에!]

"그래."

88mm 포의 잔탄은 없다. 서브암에 기총을 장비한 〈래핑폭스〉

는 몰라도, 백병장비인 〈언더테이커〉는 이 상태로 이후의 사격전에 대응할 수 없다.

그때 이질적인 한탄이 피잉 하고 울렸다.

신에게밖에 들리지 않는 망령의 울부짖음. 알아들을 수 없는 기계의 말로 자아내는 한탄의 소리. 제국이 멸망하고 〈레기온〉에 부여된 타임 리미트인 7년이 경과한 지금은 존재하지 않을 터인, 순수한 기계지성의 목소리.

전장에는 아직 하얀 연기가 피어올라서 서로 상대의 모습을 제대로 볼 수 없다. 하지만 신의 이능력은 전장의 소음을 꿰뚫으며 들리는 그 절규의 발생원을 정확하게 포착했다. 머리 위, 성채를 뒤덮은 암반의 지붕. 매가 날개를 펼치며 새끼를 지키려는 그 두 날개 사이. 과거의 전투로 무너졌다는 봉황의 머리 부분 중에서 남아 있는 목에 의연히 서 있었다.

민첩하고 정갈, 사나운 육식동물의 실루엣. 사자의 머리와도 비슷한 센서 유닛과 등에서 나부끼는 칼깃 같은 체인 블레이드.

짐승의 두 눈처럼 노려보는 한 쌍의 광학 센서의 광채가 연기와 눈의 장막 틈새로 보인 듯했다.

고기동형.

그 모습은 가까스로 살아남은 외부 카메라 한 대에 포착되어서 사령부의 홀로스크린으로 전달되었다.

그걸 지켜본 레나는 눈을 가늘게 떴다.

겉모습이.

같은 생각을 했는지 프레데리카가 눈썹을 찌푸렸다.

"……데이터와 다르구나. 저 으리으리한 깃털은 다 뭐지?"

깃털. 그래, 깃털이다.

표범이나 호랑이처럼 민첩하고 사나운 네 다리의 기체 위를, 나이프를 줄줄이 세워놓은 것처럼 은색의 깃털 모양의 예리하고 얇은 철판이 뒤덮었다. 그 틈새, 짐승의 견갑골에 해당되는 위치에서 한 쌍의 긴 체인 블레이드가 뻗어서 하늘을 찌를 듯이 곤두선 모습은 전설에 나오는 그리폰을 떠올리게 했다.

생물의 고동이나 호흡과는 다른 움직임으로 깃털 하나하나가 준동했다. 반사된 눈빛이 아닌 미세한 광채가 보는 이를 기묘하게 현혹했다.

유체처럼 유동하는 금속광택의 은색.

"유체장갑……?!"

보고에 따르면 신이 조우한 고기동형은 척후형에도 뒤지는 연약한 장갑밖에 없었다고 한다. 비교적 장갑이 얇은 등 부분이라고 해도, 성형작약탄에 일부 깎이고 깨진 장갑이라고 해도, 고작 보병용 7.62mm 라이플탄에 관통될 정도로.

그 약점이 없다면 아마 격파할 수 없었다고.

실제로 미션 레코더의 영상 기록에 남은 고기동형의 기동성능은, 전선에는 나가지 않는 레나라도 전율을 느낄 정도였다. 애초부터 운동성에서 인간을 아득히 웃도는 〈레기온〉 중에서도 확연히 다른, 이차원의 고속 전투.

THE CAUTION DRONES

[〈레기온〉 요주의 전력]

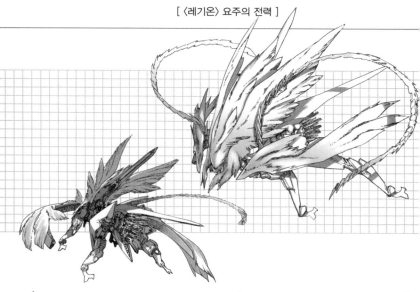

[포 닉 스]
〈고기동형 개량판〉

[ARMAMENT]

특수가동식 고주파 체인 블레이드 ×2
유체장갑 (재질 불명)

[SPEC]

[전장] 약 2.6m [머리높이] 약 2.1m
[중량] 불명

[특기사항] 경량&고기동형인 탓에 드러난 약점이던 장갑을, 확인되지 않은 유체금속을 두르는 것으로 보강하고 내탄, 대파면 방어능력을 향상시킨 것으로 보인다. 또한 방전교란형을 둘러서 얻는 미채, 스텔스 능력도 그대로 가지고 있다.

지난번 공화국 지하 철도 터미널에서 발견된, 신조차도 궁지에 물어넣었던 칠흑의 신형 레기온이 강화된 형태로 다시 출현했다. 특징적인 유체장갑은 방어능력 향상이 목적으로 보이며, 이는 지난번 싸움에서의 교훈을 살리고 대책을 세운 것으로 추정된다. 민첩한 움직임, 스텔스 성능, 그리고 맹위를 자랑하는 고주파 체인 블레이드 2개도 건재. 신의 선발대가 출발하고 라이덴의 후발대가 출격하기 전의 빈틈을 찌른 습격 덕분이기도 하지만, 그래도 요새 하나를 거의 단독으로 제압한 그 힘은 압도적인 위협이다.

그 전투에서 간신히 마지막에 찔렀던 경장갑이라는 약점을 벌써 극복하고 나왔다. 아니면 〈레기온〉에게 지난 전투에서의 고기동형은 아직 개발 도중에 불과했던 걸까.

하지만.

레나는 입술을 굳게 다물었다.

각 통로에, 격납고에 밀려드는 〈레기온〉의 공격은 매섭기 짝이 없었다.

성 밖에서의 돌입로가 형성되었다. 혹시 지상구역이 제압되면 지하의 그들은 앞뒤에서 공격을 받게 된다. 그 전에 요새를 제압하고자 척후형이, 자주지뢰가 자폭을 각오한 돌격을 거듭했다. 억지로 파고든 장거리포병형의 포격에 마침내 5호 통로의 첫 격벽이 파괴되었다.

그 혼전 속에서, 다른 전대에서 들어온 무전을 라이덴이 들었다.

[──슈가 부장!]

"리토냐! 지금 어디야?"

[60초 뒤에, 아니, 이미 눈앞에 왔습니다! 돌입할 테니까 물러나 주세요!]

"큭, 전원 사격 중지, 엘리베이터 앞에서 후퇴! 사선에서 벗어나!"

반쯤 억지로 모든 〈저거노트〉와 〈바르슈카 마투슈카〉가 물러난 직후에 〈레기온〉 대열의 뒤에서 12.7mm 중기관총의 사격이 날아왔다.

복잡한 경로를 따라 지상구역으로 향하는 엘리베이터 샤프트에서 날아드는—— 무방비한 후방에서의 기총 사격이다. 장갑이 얇은 등 부분을 맞은 척후형이, 자주지뢰가 쓰러지고, 갈가리 찢긴 그 시체를 짓밟으면서 리토의 클레이모어 전대가 돌입해 〈저거노트〉와 함께 간신히 몸을 피해 살아남은 〈레기온〉들을 덮쳤다.

[지상구역은 제압했습니다! 다른 통로도 동료가 돌고 있으니까, 슈가 부장과 이다 대장은 위로 올라가 주세요!]

"그래……."

그렇게 말하며 라이덴은 눈썹을 찌푸렸다. 그답지 않게 무모한 돌입과 난폭하기 짝이 없는 기총 사격, 완전히 자포자기 같은 돌격과 여유가 없는 비명 같은 교신.

돌입할 때 뒤처졌던 〈바르슈카 마투슈카〉가 눈먼 탄을 맞았다. 장갑이 두껍고 무거운 기체이고 정면 장갑에 중기관총탄이 맞은 거라서 다행이긴 했지만.

"……왜 그래, 리토?"

[아무것도 아닙니다!]

그 대답에 섞여 있는, 성난 느낌. 그게 아니면 지금 당장 울어버릴 것 같은 느낌.

마치 동료의 태반을 잃은 직후 같은 느낌.

그 시체의 산속에서 자기 시체를 발견하기라도 한 듯한 느낌.

[정말로, 아무것도 아니니까요……. 그러니까 얼른 가 주세요.]

하얀 연기가 걷혔다.

조금 누그러진 눈의 장막 너머, 고기동형이 싸움터를 노려보았다.

새가 날개를 펼친 듯한 암반의 지붕 위에서. 아래쪽의 전장은 반시계 방향으로 이어지는 내곽과 감시용 첨탑들. 쓰러지고 찢어진 장거리포병형의 쇳빛 잔해가 곳곳에 흩어졌고, 전차포탄에 박살 난 성벽과 내곽의 격벽, 돌바닥. 너무나도 무참한 전투의 흔적 위를 하얀 눈이 소리 없이 소복소복 침식했다.

보기 괴로울 정도의 그 투쟁과 고요한 무상이 똑같은 것이라는 듯이 내려다보면서.

저쪽이 보자면 전장 제일 안쪽, 아직 남동쪽의 성벽에 있는 〈언더테이커〉를 보았다.

바라보는 채로 신은 입을 열었다. 이 자리에 있는 전원을 향해.

"각기, 산개. ──근접전은 반드시 피해라. 눈먼 탄을 맞는다."

짐승 같은 머리가 앞으로 기울었다. 힘을 모아서 사지가 휘었다. 온다.

도약.

추락과도 같은 속도로 똑바로 아래로 뛰더니 공중에서 체인 블레이드를 휘둘러 자세 체어. 첨탑의 슬레이트 지붕에 착지하고, 짓밟는 반동을 살려서 전방으로──〈언더테이커〉의 앞으로 질주했다.

〈챠이카〉가 전투에 방해가 되지 않도록 뒤로 물러나 거리를 벌렸다. 쓸모없어진 빈 탄창을 버리며 〈언더테이커〉가 준비했다. 그동안에도 첨탑을, 격벽을, 그 벽면을 발판 삼아 뛰면서 눈이 돌

정도의 고속기동으로 고기동형은 순식간에 거리를 좁혔다.

질주의 충격으로 튀는 얼음과 콘크리트의 파편만이 고기동형의 이동을 육안으로 확인할 수 있는 궤적이었다. 불규칙하게 좌우로 도약을 섞어가면서 제비 같은 속도로 접근하는 그 은색 그림자가 〈언더테이커〉에게 다가오고——.

그 순간.

[딱 걸렸어. ——바보 아니야? 정면에서 뛰어들긴.]

그 옆에 전차포탄이 출현했다.

음속을 아득히 뛰어넘는 전차포의 근거리 포격. 첨탑 그늘에 숨었던 〈건슬링어〉—— 크레나의 저격이다.

이동 방향을 미리 읽었다고 해도 육전병기의 한계를 넘은 속도의 적기, 그런 걸 상대할 때 도움이 안 되는 화제관제계의 지원을 일찌감치 끊어버리고 거의 감만으로 겨누어 쏘는, 이미 신의 영역에 도달한 저격.

포성을 뒤에 남기고 조준 레이저도 없이 날아오는 포탄, 하지만 발사염만으로 그것을 인식한 걸까. 고기동형은 도약을 캔슬하고 급제동을 걸어서 탄도에서 아슬아슬하게 몸을 피했다.

하지만.

진행방향에서 사냥감을 놓쳤을 터인 포탄이 고기동형의 코앞에서 섬광을 발하며 자폭했다. 사방으로 뿌려지는 초속 8000m/s의 요란스러운 충격파와 함께 흩어진 파편들이 고기동형의 회피마저도 웃도는 속도로 덮쳐들었다.

근접신관. 발하는 전자파의 범위에 목표물이 들어온 경우에 착탄을 기다리지 않고 작렬하여 파편이나 산탄을 뿌리는, 원래는 대항공기 전투용의 특수신관.

그걸 다 피하지 못해 파편을 일부 뒤집어쓴 고기동형이 격추되듯이 땅에 떨어졌다. 아무래도 장갑을 관통한 것은 아니다. 하지만 찢어진 유체 파편이 꽃잎처럼 하늘을 날았다.

[──잘 왔어, 바보 씨.]

그 낙하 예상지점에 잠복했던 〈스노윗치〉가── 그 안의 앙쥬가 무시무시하게 웃었다.

직후 등의 미사일 런처가 문을 열고 사출.

제각각의 궤도를 그리며 고기동형을 향하던 미사일이 공중에서 차례로 기폭하여 클러스터의 비를 뿌렸다. 고기동형이 실제로 선택한 그것을 포함하여 예측되는 모든 회피방향을 노리는 시간차 폭격. 고기동형은 추격타처럼 쏟아지는 폭탄의 비 사이를 누비며 달렸고, 완전히 피할 수 없다고 판단했는지 억지로 돌진하여 공중으로 도망쳤다.

[──오, 왔다, 왔어. 바보랑 뭐는 높은 곳을 좋아한다지!]

첨탑의 경사진 지붕에 앵커를 박고 기다리던 〈래핑폭스〉가 두 개의 격투 암에 든 중기관총을 겨누었다.

일제사격.

본래 제대로 움직일 수 없는 공중이다. 처음 몇 발을 고기동형은 정통으로 피탄. 크게 휘두른 체인 블레이드를 앵커 대용으로 벽면에 박고 수축하여 억지로 이동, 기총탄의 산포 영역을 벗어났다.

사격 위치를 즉각 포기하고 와이어 이동으로 다른 첨탑으로 넘어가는 〈래핑폭스〉를 추격하려고 했을 때, 또 다른 〈저거노트〉의 저격이. 클러스터의 면 제압이. 지하 격납고에서 튀어나온 〈베어볼프〉의 기총사격이.

　[──완전히 맹수 사냥이군. 가엾긴 한데.]

　회피를 위해 고기동형이 올라간 흉벽 밑부분이 소구경 포탄 몇 발의 저격으로 무너졌다. 균형을 잃고 떨어진 고기동형을 쫓아서 착탄의 탄흔이 흉벽에 새겨졌다. 〈저거노트〉의 88mm 포도, 〈바르슈카 마투슈카〉의 125mm 포도 아니다. 20mm 정도의 대전차 라이플 사격. ……여러 사수 중에 왕자 전하가 친히 가담한 모양이다.

　옆에서 쏟아지는 철갑탄의 호우를 간신히 뿌리치고 착지한 고기동형은 주위를 주욱 둘러보았다.

　전투기계인 〈레기온〉, 그것도 순수한 기계지성을 가진 고기동형에는 감정 같은 것이 없을 것이다. 하지만 인간과 비슷한 감정이 있다면 사납게 혀라도 찼겠지.

　성벽 위. 내곽을 복잡하게 나누는 격벽 위나 내려다보는 감시용 첨탑 위. 불규칙하게 세워진 각종 시설의 그늘이나 내부. 서로가 서로의 사선에 들어가지 않지만, 고기동형을 그 중심에 두고서.

　눈 속에 섞인 〈저거노트〉의 새하얀 기체가 여러 겹으로 포위하고 있었다.

그 모습을 홀로스크린으로 바라보며 레나는 중얼거렸다.

차갑게.

"저 속도, 저 운동성은 정말 경이적입니다. ……하지만 그렇다고 대항수단이 없는 것은 아니죠."

화기관제계(FCS)의 자동조준조차도 쫓아갈 수 없을 정도의 고속 전투는 육상병기로서 경이적이다.

하지만 그 이상의 초고속과 완전삼차원 기동이 가능하고 〈레기온〉 전쟁 전까지 전장의 하늘을 지배했던 전투기조차도 상대하고 때로는 격추했던 것이 현대군과 병기이기도 하다.

직격하지 않아도 적기 근처에 접근하면 그것을 감지하여 기폭, 파편이나 산탄을 뿌리는 근접신관. 광범위를 단번에 클러스터의 비로 제압하는 클러스터 탄두. 초당 수십 발이라는 고속 발사 주기로 탄을 토해내어 농밀한 탄막을 형성하는 기관총과 기관포.

조준이 못 따라간다면.

한 점을 노리는 게 불가능하다면.

"면으로 뭉개면 된다. ……그게 다입니다."

병기상으로도 전술상으로도 이미 확립된 대책이다. 처음 본다면 또 모를까, 정체를 알면 대책을 세울 수 있다.

신이 고전했던 것은 그것을 처음 본 탓도 있고, 어떤 의미로는 그이기 때문이다. 백병전에 특화된 〈언더테이커〉는 이런 범위 공격 병기를 갖지 않는다. 그 혼자로는 유효한 반격이 어렵다.

"그 탄막에 어떻게 끌어들일지 고민했는데── 설마 〈언더테이커〉를 미끼로 삼다니. 그대도 꽤 냉혈이군."

"적의 목표는 우리의 섬멸. 그리고 신의 노획. 그걸 안 이상 이용하지 않을 수 없습니다."

지난 작전에서 고기동형이 저지른 실책은 무엇보다도 신을 놓친 것이다. 신이 돌아가서 보고하게 했다. 거기서 온갖 정보가 유추되었다.

예측되는 스펙. 기본적인 전투 패턴. 그리고── 그 목적.

명백히 죽일 수 있었는데 그러지 않았다. 부자연스러운 그 행동들과 거기서 도출되는 그들의 작전 목표를.

목표를 알면 미끼로 삼을 수 있다.

그들에게 가치 있는 미끼를 보여주어서, 미리 형성한 포위망에 멍청한 늑대를 끌어들인다.

그렇다── 지난 터미널 작전에서 고기동형은 〈레긴레이브〉 1개 전대를 단독으로 압도하고, 상처 하나 없이 전기를 격파했다. 자신과 〈레긴레이브〉의 전력차를 상당히 높게 판정했을 것이다.

그 판정을 기준으로 삼는다면── 고기동형은 요주의 전력인 신의 〈언더테이커〉 말고는 주의를 기울이지 않고 그만을 노려서 습격할 것이다.

동료를 미끼로 삼고, 판단을 그르치게 하고, 숫자의 폭위로 압도한다.

보기 민망할 만큼 힘으로 밀어붙이는 작전, 정말이지 비겁하기 짝이 없는 작전이다. 지난 터미널 작전을 마친 뒤 이 대항책을 입안하여 설명했을 때, 싫어할 줄 알았던 신이나 에이티식스들은 담담하게 받아들였다. 에이티식스는 원래 여럿이서 〈레기온〉에 대치하는 것을 기본전술로 삼는다. 상식을 뛰어넘는 고성능을 자랑하는 강철 괴물에게 그 알루미늄 결함기로 대항하기 위해서, 에이티식스들은 미끼나 덫이나 다대일 전투를 비겁하다며 꺼리지 않는다.

"로젠폴트 보좌관. 현재 노우젠 대위가 적기 색적을 담당하고, 시설 내 소탕이 완료되는 대로 이다 소위도 가세할 예정입니다만, 양쪽 모두 본래 전투요원입니다. 두 사람이 경고할 수 없는 상황일 때는 당신을 믿겠습니다."

프레데리카는 귀엽게 콧방귀를 뀌었다.

"흥, 프레데리카라고 불러도 된다고 했거늘, 한심한 것. ……알고 있다. 맡겨두어라."

〈저거노트〉는 지금 지상구역의 모든 장소에 덫을 깔았다.

성벽과 격벽 위에. 첨탑 정상에. 미로 같은 격벽과 시설 틈새에. 사방과 위에서 둘러싸고 매복했다. 회피와 포위망 돌파를 위해 종횡무진 뛰어다니는 고기동형이 어디에 나타나더라도 요격하여 은색 물보라를 일으켰다.

산탄이 휘몰아치고 클러스터가 쏟아졌다. 기관포가 짐승의 포효를 지르고, 얼어붙은 대기를 찢는 규환과 함께 대전차 라이플탄이 질주했다.

나아가 기갑병기들이 격투 사이로 보병들이 뚫고 들어온 모양인지 지향성 산탄지뢰까지도 작렬했다. 부채꼴 사정 범위에 있으면 어른을 간 고기로 만들어버리는 수백 개의 쇠구슬의 폭풍이 고기동형을 덮쳤다.

맹수 사냥.

이 정도로 이 전투에 어울리는 호칭도 없겠다고 레나는 홀로스크린을 바라보며 생각했다.

교활하고 사납고 위험한 맹수를, 인간보다도 빠르고 강한 짐승을, 지혜와 무기를 결집하여 몰아 잡는다. 이것은 그런 전투다.

"파르시온 전대, 글레이브 전대, 남쪽 제3구역으로 이동. ──노우젠 대위, 이다 소위. 그 구역으로 몰아넣도록 유도를, 〈언더테이커〉를 미끼로. ……지하 28번 통로. 잔당 발견. 메이스 전대, 토벌을."

[라저.]

지하구역의 잔당 토벌과 지상의 맹수 사냥. 두 전장에서 동시에 여러 전대의 말을 움직이는 레나가 입은 〈찌카다〉는 눈이 핑핑 돌 정도로 획획 변하는 빛의 무늬를 그렸다. 고효율 가동의 증거인 빛이 어둑어둑한 발령소에 아름답게 흩어졌다.

포격을 피해 질주하는 고기동형의 동물 같은 머리가 뭔가를 부르듯이 하늘을 향했다. 구름이 무너지듯이 방전교란형들이 내려왔고, 고기동형은 거기에 머리를 들이받는 듯한 모습으로 그것을 몸에 둘렀다.

전개된 광학미채에 은색 기체가 사라졌다. 탕! 하고 힘차게 땅을 박찬 듯한 불가시의 기체가 노면의 균열을 마지막 흔적으로 남기며 어딘가로 향하고──.

[──미치히. 5초 뒤, 정면. ……일제사격.]

[알겠습니다!]

물리법칙과는 무관계하게 그 위치를 읽는 신의 지시에 6기 소대가 반응. 6기의 기총사격에 방전교란형이 벗겨지고 다시금 고기동형의 모습이 드러났다.

그대로 추격타로 날아오는 사격을 피하여 고기동형은 차폐물에 뛰어들었다. 두꺼운 콘크리트에 가로막혀서 별로 성능이 좋지 못한 〈저거노트〉의 센서가 적기를 놓쳤다.

[그 정도 가지고 뭘! 크로우, 한 방 먹여!]

[이다. 말은 알겠지만, 조금은 조용히 해.]

격납고 주변의 잔당을 처리하고 방어임무를 휘하 전대에게 맡긴 채 수색 보좌로 올라온 시덴이 시끄럽게 웃었다.

[저승사자랑 똑같이 목표 지시만 하는 건 재미가 없지만. ……그래, 꼬마야. 다음은 어디냐!]

"누가 꼬마냐, 무례한 것! 남쪽 제5구역, 중앙통로다, 쏴라!"

핏빛 눈을 희미하게 빛내면서 프레데리카가 외쳤다. 연막의 꼬리를 끌면서 발사된 소형 미사일들이 추적기를 작동, 포착한 고기동형에 돌진했다. 무거운 지대공 미사일 런처를 짊어지고 시설 옥상에 엎드려 있던 보병들의 일제사격.

고기동형은 크게 옆으로 뛰어서 회피했지만, 적기를 한 번 포착했으면 추진제가 떨어지든가 명중할 때까지 쫓아가는 강철의 마탄.

격벽을 등지고 고기동형이 급정지, 다가오는 미사일들을 상대했다. 의도를 알아차린 주변의 〈저거노트〉가 대피. 갈기처럼 나부끼는 체인 블레이드가 가동의 비명을 내지르며 솟구쳤다.

선행한 미사일들을 한 쌍의 블레이드로 베어버리고, 제2진은 코앞까지 끌어들여서 도약. 급기동에 미사일은 고기동형을 놓치거나 제대로 선회하지 못하여서 차례로 격벽에 충돌해 터지고, 두꺼운 강화 콘크리트 격벽이 땅울림과 함께 무너졌다.

뭉게뭉게 피어오르는 흙먼지를 틈타서 좌우 시설의 벽을 교대로 박차며 고기동형은 위로, 지붕 위로 대피하려고 하고——.

[기동!]

날카로운 명령과 함께 각 첨탑 옥상에서 수평으로 발사된 전자 와이어가 공중에서 즉석 그물을 전개, 도약하던 고기동형을 떨어뜨렸다.

——?!

돌바닥에 떨어졌다가 즉각 벌떡 일어나서 하늘을 올려다본 고기공형의 거동에는 분명히 경악하는 움직임이 엿보였다. 솔직히 말해 그런 황당한 장치까지 있을 줄은 예상도 안 했겠지.

혼자서만 꽤 즐거운 기색인 비카의 목소리가 지각동조 너머에서 흘러왔다.

[요새가 헬기 공수작전에 함락되었을 경우, 그 헬기를 붙잡아 떨어뜨리기 위한 트랩이다. 죽을 거면 같이 죽자는 걸까. ……거 참 내 조상님들은 정말로 성격이 비뚤어지셨어.]

라이덴이 황당하다는 목소리로 물었다.

[설마 싶지만, 왕자 전하. 이 성에 자폭장치가 있지는 않겠지?]

[음, 있지. 당연하지 않나? 함락된 성은 마지막에 도적 떼와 함께 날아가는 게 미학이지.]

[…….]

시야 구석에서 마르셀이 슬쩍 자리에서 일어나려고 한 것은 기분 탓만이 아니다.

프레데리카가 슬쩍 중얼거렸다.

"저 녀석…… 아니, 이디나로크의 이능력자는 혹시 머리가 좋을 뿐이지 단순히 바보 아닌가……."

레나도 그런 생각을 좀 했다.

……아무튼.

"제5구역, 2번 격벽이 붕괴. 해당 지역의 〈저거노트〉는 인근 4번, 6번 구역으로 이동. 스카이호크 전대, 원호에 들어가 주세요. 리카온 전대, 슬슬 탄이 바닥나겠죠. 사이스 전대와 교대를."

서브윈도우가 팝업되어 보고. 정면 게이트의 봉쇄를 배제. 〈스캐빈저〉의 진출 개시. ……공성로라면 모를까, 수직 성벽은 오를 수 없기 때문에 정면 등반로까지 우회했던 파이드와 스캐빈저들이 간신히 도착한 모양이다.

"이대로 밀어붙입니다. 적에게 쉴 틈을 주지 마세요."

"……아니."

레나의 명령과 달리 신은 괴롭게 눈을 찌푸렸다.

추가된 유체장갑이 생각 외로 단단하다.

자유자재로 형태를 바꾸는 장갑은 성형작약탄(HEAT)에 공간 장갑으로, 고속철갑탄(APFSDS)에는 증가장갑으로, 순간적으로 형태를 바꾸어 대응하는 모양이다. 기폭점과의 거리를 어지럽혀서 메탈제트를 확산시키고, 침입한 열화우라늄 탄심을 장갑 내부에서 부러뜨린다. 충격을 받으면 순간적으로 경화하는 다일레이턴시(dilatancy)의 특성도 가진 모양으로, 비교적 위력이 낮은 기총탄이나 산탄, 대전차 라이플포탄은 은색 물보라를 튀기면서도 관통을 계속 막아냈다.

그 유체장갑도 여태까지의 공방으로 꽤 벗겨졌지만, 본체의 대미지는 아직 경미하겠지.

한편 〈저거노트〉쪽에는 차례로 탈락기가 나오기 시작했다.

88mm 포에 이어서 두 자루의 중기관총의 탄약도 다 쓴 〈래핑폭스〉가 후퇴했다. 퇴로를 잘못 잡고 접근을 허용한 〈건슬링어〉가 다리를 베여서 쓰러지는 바람에 〈스노윗치〉가 빈 런처 포트를 내버리고 견인해왔다.

대전차 라이플포의 총좌는 이미 다섯 개가 박살났고, 휴대화기를 다 쓰고 전선을 이탈한 보병들, 차례로 파괴되는 격벽과 첨탑.

포위망이 허물어지고 있다.

스캐빈저들이 도착한 모양이지만, 합류와 보급에는 아직 시간이 걸린다. 그때까지 지금 전력으로 버텨야만 하는데…….

포격으로 대부분의 시설이 파괴된 중심에서 고기동형이 갑자기 발을 멈추었다. 야수가 그러듯이 머리를 주욱 돌려서 포위한 〈저거노트〉의 위치를 확인.

온몸을 뒤덮은 깃털형 장갑이 여러 장 녹더니 가늘게 휘감겨서 통 모양으로 변형. 총신. 그것도 아주 길다―― 초속이 빠르다!

"――사격이 온다! 대피!"

눈 깜작할 사이에 고기동형을 중심으로 모든 방향으로 은색 선이 내달렸다.

이것도 장갑이 변한 걸까. 탄체가 크고 날카로운 플레셰트탄. 발사기구는 압축공기나 원심력―― 무거운 화포를 탑재할 수 없는 고기동형에는 투사공격이 없을 거라고 얕보았다.

경량이라고 해도 펠드레스인 〈레긴레이브〉의 장갑을 관통할 정도의 위력은 아닌 모양이지만, 크고 무거운 탄체와 빠른 초속, 무엇보다 유체장갑의 태반을 다 쓴 듯한 일제사격이었다. 정통으로 맞은 〈저거노트〉가 크게 비틀거리며 발을 멈추었다. 그 틈새를 고기동형이 재빨리 내달렸다.

발이 멈춘 포위망의 한구석, 〈키클롭스〉의 검은 그림자에게 은색 기체가 접근했다. 왼쪽 체인 블레이드를 비스듬하게 들고 엇갈리면서 베어버리려는 자세.

[이, 이게!]

거칠게 혀를 차면서 〈키클롭스〉가 응사한다.

회피는 불가능, 그렇다면 회피하게 만든다는 잽싼 판단. 그 생각대로 고기공형의 이동 궤적은 사선을 벗어났고, 그 덕분에 〈키클롭스〉를 양단하는 경로에서도 벗어났다. 한발 늦게 포구를 빠져나가는 동시에 여덟 쪽으로 분열된 탄두가 그 등에 접촉하고, 그대로 소리도 없이 뭉개져서 기폭.

장갑 내부에 전파되는 점착유탄(HESH)의 충격파가 유체장갑을 격하게 흩뿌렸다. 동시에 오른쪽 기총부터 앞뒤 다리까지 베인 〈키클롭스〉가 주저앉았다.

　"시덴!"

　[이쪽은 괜찮아. ……그보다.]

　시덴이 빠드득 이를 가는 소리.

　그걸 지워버리는 접근경보가 콕핏 안에 울렸다.

　[미안, 놓쳤어. ……뺀질이, 그쪽으로 갔다!]

　"아차……! ——신!"

　레나는 그 광경에 안색을 잃었다.

　포위망을 돌파당했다.

　예측했던 가능성의 범주였다.

　고기동형에 대한 미끼니까 〈언더테이커〉는 탄이 바닥났어도 전장에서 물러날 수 없다. 오히려 이동경로를 예측하기 위해 고기동형이 인식하기 쉽게 포위망 바로 옆에 계속 배치할 필요가 있었다. ……그 위험을 잘 알면서.

　초기동성과 근접백병전투 특화인 무기. 같은 특징을 가졌으며 양쪽 모두 상위 호환의 존재인 고기동형은 〈언더테이커〉에게 천적과도 같다.

　지난 작전에서 간신히 생환한 것이 기적적일 정도로.

　하지만.

이번에는.

고기동형이 질주하면서 체인 블레이드를 휘둘렀다. 〈언더테이커〉가 왼쪽의 두 다리를 살짝 뒤로 빼서 비스듬하게 섰다.

교차.

〈언더테이커〉의 고주파 블레이드는 그 왼쪽이 고기동형의 장갑을 베었고.

고기동형의 체인 블레이드가 마치 물을 가르듯이──〈언더테이커〉의 콕핏에 깊이 꽂혔다.

†

〈추천 대처 : 노획을 포기. '발레이그르' 격파〉

〈장갑 내부 파괴를 확인. 생체 반응 없음. 제압을──.〉

†

씨익, 하고 레르케는 처참하게 웃었다.

고주파 체인 블레이드에 베인 〈언더테이커〉의 콕핏 안.

"──틀렸다, 고철."

"구분할 때는 어디까지나 겉모습으로. 그리고 무장, 퍼스널마크 정도로 하는 건가."

동시에. 고기동형 뒤에 내려선 〈챠이카〉의 콕핏 안.

무방비한 그 등에 광학 스크린의 조준점을 맞추며 신은 중얼거렸다.

레르케와 기체를 교환하는 형식으로, 탄약이 바닥난 〈언더테이커〉에서 〈챠이카〉로 바꿔 탄 것은 지상구역 제압 직후. 더스틴이 형성한 스모크 디스차저의 연막 속에서 했다. 시야 끝에서 끝까지 단숨에 내달리는 그 속도 앞에서 느긋하게 파이드를 기다리고 탄창을 교환할 틈이 없으니까.

레나의 발안이고, 비카의 명령이었다.

〈저거노트〉와 〈알카노스트〉는 서로 다른 국가의 병기지만, 양쪽 다 인간형 오퍼레이터가 사용하는 것을 상정한, 동시대의 펠드레스다. 필요한 기능과 인체공학상의 합리성을 보면 스위치나 기기의 배치는 어느 정도 통하는 바가 있다. 훈련을 몇 번 해 보면 못 다룰 기체도 아니다.

조준이 처음으로 고기동형에게 맞았다. 확실한 조준을 알리는 전자음.

이것만큼은 어디고 위치가 변하지 않는, 오른쪽 조종간의 검지 위치에 있는 방아쇠를 당겼다.

배후, 근접거리, 완전한 기습. 게다가 왼쪽 체인 블레이드를 〈언더테이커〉에게 꽂아서 움직일 수 없는 모양새.

그래도 전투기계의 본능은 발악했다.

왼쪽의 체인 블레이드를 파지. 장갑의 대부분을 와이어 형태로 바꾸어서 땅에 꽂고 본체를 끌어당긴다. 뛰어서 물러나거나 웅크리는 것보다 더 빠른 움직임으로 사선상에서 중앙처리계를 빼냈다.

한발 늦게, 성형작약탄(HEAT)이 그 기체 측면을 공허하게 스치고 날아갔다. 거기 담긴 운동 에너지가 남은 유체장갑을 그 밑의 검은 장갑과 금속 프레임과 함께 뜯어내어 날려버렸다.

"……칫."

틀림없이 명중할 터인 포격조차도 피해내는 고기동형의 반응속도에 신은 혀를 찼다. 이 거리에서 빗나간 적은 7년 동안 단 한 번도 없었다.

하지만, 이걸로.

[──드디어 갑옷을 다 벗었군. 얼간이.]

〈언더테이커〉의 캐노피가 열렸다.

폭발 볼트를 작동시킨 강제 분리. 폭약에 날아가는 캐노피 밑에서 탄환처럼 레르케가 튀어나왔다.

체인 블레이드가 스친 듯한 오른쪽 다리가 송두리째 사라지고 없다. 거기서 뿜어져 나오는 〈시린〉의 파란 피.

남은 왼쪽 다리와 왼손을 〈저거노트〉의 하얀 장갑에 대고 짐승 같은 자세로 온몸의 반동을 살려 튀어올랐다. 입에 문 사벨의 칼집. 칼자루에 오른손을 대고 살을 찢어발기는 사자처럼 크게 고개를 휘둘러서 칼을 뽑아냈다.

하얀빛을 뿌리는 칼날이 다음 순간 찢어지는 비명을 지르며 달아올랐다. 고주파 블레이드. 본래는 펠드레스용인, 본래 의미로의 백병전을 생각할 수도 없는 무기.

맨손으로 칼자루를 쥔 오른손의 인공피부가 순식간에 갈갈이 찢겨서 날아갔다.

[——하압!]

은색 유성이 고기동형에 떨어졌다. 그걸 향해 고기동형이 체인 블레이드를 휘둘렀다.

가짜 몸이라고는 해도 가녀린 소녀가 맨몸과 칼로 〈레기온〉에게 맞서는, 농담이 아니라면 악몽 그 자체인 광경.

휘둘린 체인 블레이드가 레르케의 허리를 베어냈다.

거꾸로 내려찍는 사벨의 칼날이 그 블레이드의 밑부분, 장갑을 잃고 드러낸 곳에 박혔다.

발생한 과전류의 푸르스름한 빛이 한순간 체인 블레이드를 훑고 지나갔다. 사벨을 따라 이빨을 드러낸 벼락의 뱀에게 레르케의 오른팔이 시커멓게 타버렸다.

드디어 장갑 내부에 파고든 대미지에 고기동형이 비틀거렸다. 사벨에서 손을 놓은 레르케가 그 어깻죽지에 어중간하게 걸렸다.

내던진 칼집이 간신히 땅에 떨어져서 터엉 소리를 울렸다.

〈챠이카〉의 등쪽 건 마운트의 건 런처가 재장전 완료를 알리며 무거운 약실 폐쇄음을 울렸다. 조준점과 알람이 마치 재촉하듯이 확실한 조준임을 신에게 알렸다.

고기동형이 파괴된 체인 블레이드를 파지. 그 절단면에서 은색 유체가 배어 나왔다. 무장을 상실했고 대미지도 막대. 기체 포기를 판단하기에는 충분할 정도일까. 그 전에.

　한순간 레르케와 시선이 마주쳤다.

　녹색 눈동자.

　인간이 아니라고 들었어도, 항상 죽은 자의 한탄을 두르고 있어도. 이것만큼은 인간과 구분할 수 없는, 의사와 감정을 반영하여 빛나는 눈동자.

　그 입술이 움직였다.

　지각동조 너머, 그 주인인 소년이 날카롭게 외쳤다.

[――쏴라!]

　둘 중 누구라도 그만두라고 했으면 쏘지 않았을까.

　갑자기 떠오른 의문과는 아무런 연동도 없이.

　전투에 최적화된 신의 몸과 의식은 반쯤 자동적으로 방아쇠를 당겼다.

　날아가는 20mm 철갑탄이 레르케의 오른팔을 그 어깻죽지에서 절단하여 땅에 떨어뜨렸다.

　착탄한 성형작약탄이 기폭, 생성된 메탈제트가 고기동형의 장갑을 꿰뚫고, 파쇄공을 통해 내부로 내뿜어져서 그 전신을 불태웠다.

한발 늦게 은색 나비 떼가 시커먼 업화 사이를 뚫고 구름 낀 하늘로 도망쳤다.

　"이래도 도망치나. 정말이지 성가신 물건을 만들었군."
　납빛 하늘을 올려다보고 무거운 대전차 라이플을 어깨에 짊어지며 비카는 탄식했다. 요새 지상 시설의 구석에 숨은 감시탑 안.
　보건대 나비 하나하나가 하나의 시스템 모듈. 도주할 때 몇 마리 파괴되어도 보충이 가능한 구조겠지.
　……그보다.
　"왜 〈레기온〉 놈들은 저런 걸 만들었지?"
　분명히 고기동형은 강력하지만, 전투 효율이라는 면에서는 오히려 여태까지의 양산형과 비교해서 꽤 나쁘다.
　한 명의 영웅이 검을 휘둘러서 만 명의 병사들을 베어버리는 것보다는, 평범한 천 명이 활을 쏴서 검의 사거리 밖에서 일방적으로 만 명을 사살하는 편이 간단하다. 병기의 진보란 그런 것이다. 보다 안전하게. 보다 단시간에. 보다 다수를.
　효율적으로 살육한다.
　하물며 거포 하나로 수천 명이 있는 기지를 불태우고 전차 한 대가 보병들을 유린하고 다니는 이 현대에, 이제 와서 검 같은 것을 휘두르며 전장을 휩쓰는 영웅이라니, 인류라면 모를까 〈레기온〉에는 필요없을 터이다.
　영웅이란 오히려 약자의 전술이다.

정면에서 싸워서는 도저히 당해낼 수 없으니까, 적이 계속 싸울 수 없게 되는 한 점만을 집중해서 격파한다.

제86기동타격군이란 말하자면 그런 부대고, '동부전선의 목 없는 저승사자' 또한 그런 병사다. 가장 강력하고 가장 견고하고, 그렇기에 숫자가 적은 적만을 배제하는, 강력하지만 희소하고 귀중한 은탄환.

그것은 인류가 취하는 마지막 전술이지만, 〈레기온〉이 취해야 할 전술은 아니다.

또 하나의 특징이자 가장 큰 특징인 불사성 쪽으로도, 전투기록 보존이 목적이라면 데이터만 전송하면 된다. 아마 여태까지 계속 그랬듯이.

백업을 떠서 양산하여 얼마든지 대체가 가능한, 전체적으로 보면 결국 쓰고 버리는 소모품에 불과한 한 개체를 보존할 의미가 없다.

병기에 자기보존의 본능 따윈 가장 필요 없는 것이니까.

개발의 의도를 읽을 수 없다. ──적성세력의 살육만을 위해 가동하는 〈레기온〉들의 본질에 어울리지 않는 것 같다.

인간의 의지가 개입하지 않을 때의 기계는 때로는 예기치 못한 결론이나 결정을 내린다고 하지만──.

그때 문득 머리 위의 나비 떼들의 거동이 변했다.

"……음?"

한차례 성채 상공을 주욱 돌고 〈레기온〉 지배영역인 남쪽으로 가나 싶던 유체 마이크로머신의 나비들은 도중에 방향을 바꾸더니 갑자기 고도를 낮추어 눈사태처럼 내려갔다.

뜻밖에도 가까운 곳. 성채에서 몇 킬로미터밖에 떨어지지 않은 위치에.

"……."

경계심에 눈을 가늘게 뜨며 한 손을 흔들어서 홀로스크린을 불러냈다. 다행히 그 방향을 향하는 외부 카메라가 한 대 살아있었다. 가동범위 안에 있을 터인 고기동형의 본체를 쫓아서 카메라의 초점을 이동시키고——.

눈에 들어온 그 모습에 숨이 막혔다.

간신히 고기동형을—— 모든 〈레기온〉을 격퇴하여 다소 긴장이 풀어진 발령소에.

"……밀리제, 저건 뭐냐?"

강한 긴장을 띤 프레데리카의 목소리가 딱딱하게 울렸다.

"남쪽 외부 카메라 5번. ……왜 저기에 저게 있지?"

핏빛 눈동자는 메인스크린 구석의 외부 카메라 영상을 바라보는 채로 꿈쩍도 하지 않았다. 그 시선을 따라서 그 패널 영상을 메인스크린 전체에 확대시키고.

레나는 숨을 삼켰다.

동시에 신 또한 강렬한 시선의 기척을 느끼고 돌아보았다.

사흘 동안의 전투로 성벽이 날아가서 뻥 하니 뚫린 틈새. 거기서 보이는 아래쪽의 설원의 몇 킬로미터 너머, 이 전장이 마치 거짓말인 것처럼 더러움 하나 없는 순백의 눈밭 위에.

멀리서도 알아볼 만큼 오래된 장갑의 낡은 척후형이 서 있었다.

통상 〈레기온〉은 쇳빛 색깔이지만, 그 척후형은 달빛과도 비슷한 흰색으로, 주위의 눈들에 녹아드는 듯한 색채였다. 어깨 위에 짊어지고 있어야 할 두 자루의 범용기관총은 없고, 아무도 없는 전쟁터의 구석에 무방비하게 서 있었다.

하지만 그 조용한 위압감.

넝마를 걸쳤음에도 초연하게 모든 것을 노려보는, 전쟁터에 선 여왕과도 같은 모습.

아무 말 없어도 알았다.

저게 연합왕국과 대치하는 〈레기온〉 부대의 지휘관. 〈양치기〉 중에서는 달리 유례가 없는 척후형, 격전이 계속되는 현재에는 현존할 리가 없는 초기 생산형 〈레기온〉.

〈무자비한 여왕〉.

그 옆에 소리도 없이 고기동형의 본체인 나비 떼가 내려와서 소용돌이를 틀었다. 마치 기사들이 무릎 꿇듯이 그 주위에서 중전차형들이 눈 속에 얌전히 자리 잡는다.
_{디노 자우리아}

그 왼쪽 어깨에 있는 선명한 색채에 눈이 멎었다.

초승달과 거기에 몸을 기댄 여신. 퍼스널마크.

다만 〈레기온〉이 퍼스널마크를 쓰는 것은 여태껏 본 적이 없었다──.

같은 척후형을 보았는지 비카가 신음하는 기척.

[제레네……!]

제레네란 고대 신화의 달의 여신 셀레네에서 유래한 이름이다.

초승달의 퍼스널마크는 거기서 유래한 것일까, 아니면 생전부터 즐겨 이용한 모티브라도 있었을까.

〈무자비한 여왕〉이 복합 센서를 이쪽으로 돌렸다.

호응하듯이 그 한탄의 목소리가 높아졌다.

젊은 여성의 목소리. 죽는 순간의 마지막 생각. 달의 여신의 이름을 딴 것에 어울리게 차갑고 예리한── 무자비한 목소리.

그런 주제에.

──저, 착하게 있었어요.

울음을 억지로 참는 어린애 같은…… 힘없고 가녀린 목소리.

──그러니까…… 돌아와 주었으면, 했어요.

[──신.]

기억 속에서 어머니가 웃었다.

강제수용소 구석에 있는 교회. 그 예배당의 문 앞. 형과 마찬가지로 붉은 색채의 긴 비단실 같은 머리칼과 신과 마찬가지로 새빨간 보석 같은 눈. 부드러운 얼굴과 전혀 어울리지 않는, 거칠고 낡은 야전복.

야단친 적이라고는 한 번도 없는 하얀 손길이 가볍게 신의 머리를 쓰다듬었다. ──형이랑 신부님 말씀 잘 듣고.

[착하게 지내. ──신.]

그렇게 말하고 미소 지은── 다정한 눈.

기억하고 있다.

기억하고 있다. ······기억하고 있었다. 아버지의 얼굴. 어머니의 목소리. 다정했던 형. 매일 놀았던 소꿉친구 소녀. 예전에 살았던 리베르테 에트 에갈리테의 저택도, 아버지가 연구했던 똑똑하고 충실한 인공지능 개도.

"큭······!"

사실은.

잃은 게 아니었다. 떠올릴 수 없었던 게 아니다.

그저.

아무것도 모른 채 있었던 시절의 그 행복한 세계에 지금의 자신은 돌아갈 수 없으니까── 떠올리고 싶지 않았을 뿐.

가족은 다들 먼저 죽어서, 이제 어디에도 없다.

돌아가야 할 집은 텅텅 비어서, 돌아가 봤자 아무도 없다.

이제 와서 평화 속으로 돌아가 봤자, 자신은 그때처럼 웃을 수 없다.

빼앗기는 가운데 깨닫게 되었다.

인간의 악의를. 세계의 추악함을. 부조리를. 저열함을. 무정함을. 무참함을.

이 세계는 그런 것으로 만들어졌다고 생각하지 않으면 견딜 수 없었다.

떠올릴 수 있었을 터인 부모의 얼굴이, 그리운 집의 정경이, 잘 따르던 기계 개가, 다시금 빛 바라고, 흐려지고, 모래가 무너지듯이 사라졌다.

가족의 기억은 전쟁의 불길에 불타버린 게 아니다. 스스로 버린 것이다.

손에 들어오지 않는 것을 바라지 않도록…… 버렸다.

그걸 자각하지 않을 수 없었다.

소리 없이 바라보는 인간들을 잠시 노려보다가—— 하얀 척후형은 시선을 거두었다. 〈레기온〉 특유의 소리 없는 기동으로 발길을 돌렸다.

숨어있던 중전차형이 일어서서 희미하게 쌓인 눈을 걷어차며 그 뒤를 따랐다. 중후하기 짝이 없는 그 덩치로 가녀린 여왕을 숨기둥이, 지키듯이 에워쌌다.

　마지막으로 은색 나비들이──왜인지 기묘하게 망집 어린 '시선'으로 신을 응시한 뒤에 담담하게 대열을 따랐다.

　눈의 어둠 너머로 사라지는 〈무자비한 여왕〉의 신하들을……아무도 쫓을 수 없었다.

종장 꽃 따위는 피지 않는 설원에서

"——전하."

보통 사람이라면 트라우마가 자극될 만한 광경이었지만, 애석하게도 아무것도 느끼지 않았다.

자신이 인간의 모습을 한 괴물이라는 사실을, 비카는 드러누운 레르케를 보면서 절절이 생각했다.

군홧발 앞에 있는 레르케는 상반신만 남은 이상한 모습이었고, 파란 피하순환액이 몸에서 퍼져 나오고 은색 내부 기구가 주위에 흩어져 있었다. 평소에는 땋아 올리는 금발도 무참하게 풀어진 채로, 짓밟히고 녹은 눈과 돌바닥 위에 무력하게 누워있었다.

언젠가의 그녀와 마찬가지로.

내려다보는 채로 비카는 말했다.

"일일이 망가뜨리지 마라, 일곱 살 꼬맹이."

"예. 면목이 없습니다……."

부조리하기 짝이 없는 질책에 레르케는 절반밖에 남지 않은 몸으로 재주도 좋게 추욱 어깨를 늘어뜨렸다.

〈시린〉에게 통각은 없다.

통각이란 파손되면 교환할 수 없는 몸을 가진 생물이 그 몸에 걸리는 무리를 피하기 위한 경고 시스템이다. 파손되었으면 교환하면 될 뿐인 기계인형에게 그런 건 필요 없기 때문에 재현하지 않았다.

그러니까 드러누운 기계 소녀는 잃어버린 두 다리도, 퍼지는 파란 혈조도, 은색 내장도, 전혀 개의치 않으며 웃었다.

언젠가의 그녀와 마찬가지로.

"전하. 다치신 데는 없습니까?"

비카는 희미하게 웃었다.

"당연하지."

네가 지키라고 말했으니까.

이 나라를, 사람들을 다 지켜낼 때까지는, 〈레기온〉과의 전쟁이 끝날 때까지는 나는 죽을 수 없다.

그 뒤에도…… 바라는 것도, 소원하는 것도 없더라도. ……살아있는 한 끝까지.

그것이 레르케가, 오래전에 먼저 죽었던 동갑내기 소녀의 소원이라고 생각하니까.

"돌아가자, 레르케. ……옮기기 편해진 건 좋지만, 온몸을 다시 만드는 건 귀찮군."

"면목이."

"그 말은 이제 됐다."

"그리고…… 가능하면 가슴을 조금 더 크게 해 주시면."

"뭐하러 그런 짓을 해."

탄식하면서 손을 뻗어서 목의 뒷부분을 붙잡았다. 시스템이 경부의 잠금장치를 해제하고, 소녀의 머리만을 떼서 들었다. 실제 인간의 머리는 고양이보다 무겁지만, 왕족이라고 해도 전장 생활이 계속된 몸이다. 대물 라이플보다 가벼우니 문제없었다.

기계인형에 불과한 〈시린〉은 당연히 머리만 남아도 망가지지 않는다. 흉부 냉각계를 잃은 레르케가 자동적으로 셧다운하는 것을 확인하고, 눈 섞인 바람에 군복을 나부끼면서 발길을 돌렸다.

손에 든 머리와 계절과 어울리지 않게 쏟아지는 하얀 상복의 여신의 베일.

마치 살로메의 한 장면 같다고 생각했다.

뭐.

"입맞춤한 적도 없지만."

예전의 그녀와도, 묘비처럼 체온이 없는 지금의 그녀와도.

혼자 중얼거린 목소리는 바람이 쓸어가서, 누구의 귀에도 들리지 않았다.

〈저거노트〉에서 나온 리토는 〈시린〉들의 진격로를 다시금 내려다보았다. 몇몇 동료들이 비슷하게 그 기이한 주검의 길을 내려다보고 있었다.

전사할 때까지 계속 살아남는 것이, 목숨이 다하는 마지막 순간까지 싸우는 것이 에이티식스의 긍지.

그렇게 믿고 싸워왔다. 그것이 긍지라고, 그것만을 여태까지 품고 싸워왔다.

하지만.

치미는 전율에 몸이 떨리는 것을 숨기지 못하는 채로 리토는 생각했다.

그것은 이렇게 웃으면서 죽으러 달려가는 광기의 행군과 대체 어떻게 다르단 말일까──.

리토는 계속 〈시린〉들이 무서웠다. 주위의 동료들도 정도의 차이야 있지만 그것은 비슷했다. 으스스하다, 정체를 모르겠다, 그렇게 말하며 거리를 두었다.

겨우 알았다. 무서운 것은.

으스스한 그녀들이 사실은 자신들의 후예이기 때문이다. 계속 싸우고 싸운 끝의 모습이 이 시체의 산이라고 담담히 깨달았기 때문이다.

우리는.

어쩌면 저 86구 때부터 계속. 그것이 긍지라고 말하면서.

그녀들과 마찬가지로.

웃으면서.

무의미하게, 죽어가고.

어느 틈에 옆에 라이덴이 서 있었다.

지하격납고에서 싸웠던 그는 처음 보는 그 공성탑을 내려다보며 얼굴을 잔뜩 찌푸렸다. 리토의 귀에는 아직 낯선 연방의 슬랭으로 뭐라고 뇌까렸다.

"이것 때문에 그렇게 기분이 엉망이었던가."

"슈가, 부장. 난."

"······말하지 마."

그렇게 말이 잘렸다.

동시에 어깨에 툭 하고 얹힌 손바닥. 거기에 담긴 마음.

하지만 그러면서도,

"아마 다른 녀석들도 같은 생각을 하겠지. 하지만 입 밖에 내지는 마. ······자기가 살아온 길을 자기가 부정하지 않아도 돼."

단열성이 강한 탑승복은 손바닥의 열기를 전해 주지 않았다.

으스러진 류드밀라의 머리는 공성로의 옆, 얼룩덜룩 더러워진 눈 위에 덩그러니 굴러다니고 있었다.

아무 말도 없는 그녀를, 신은 아무 말도 없이 내려다보았다. 〈알카노스트〉와 〈시린〉과 〈레기온〉의 잔해, 그것들에게서 흘러나온 유체 마이크로머신과 피하순환액과 정체 모를 오일이 뒤섞인, 기묘한 극채색 웅덩이 옆. 굴러떨어지는 과정에서 벗겨졌는지 새빨간 머리칼과 인공피부도 대부분 사라진 지금은 단순한 금속질 잔해로밖에 보이지 않는 물체.

그것을 손에 들자 금이라도 가 있었는지 산산이 부서져서 흐트러졌다. 구조색의 무지갯빛을 띠는 투명한 중앙처리계와 파란 피가 금속의 두개골에 섞여서 발밑에 아스라이 떨어지고 고였다.

한탄하는 소리는, 더 이상, 들리지 않았다.

"······."

시체도 인간의 죽음도 익숙하게 보았다.

이전에 공화국에서 작전을 펼칠 때, 더스틴에게 말한 바 있다. 뜯겨 나간 머리도, 그 얼굴의 절반을 잃은 끔찍한 모습도, 86구에 처음 배속된 전대에서부터 본 '흔한 일'이다.

그러니까 애초에 살아있지도 않은, 피 색깔부터 다른 〈시린〉 하나가 부서졌다고 해도, 셀 수 없을 만큼의 그녀들을 잃었다고 해도, 아무런 느낌도 들지 않을 터였다.

그럴 터인데…… 너무나도, 아프다.

그렇다. 사실은 괴로웠다.

처음에는 괴로웠을 터이다.

처음에 배속된 전대에서, 부대에서 제일 나이 어린 그에게 신경을 써 주고 이것저것 돌봐주었던 전대장의—— 전사해서 뽑히고 반쯤 뭉개진 그 머리를 주웠을 때는.

언제부턴가, 익숙해졌다.

언제부턴가 누군가가 죽는 것을 당연하다고, 아무것도 아니라고 생각하게 되었다.

그것이 바로 깎아내는 것이라고—— 모르는 채로.

류드밀라였던 것은, 그 안에 봉인되었을 전사자의 파편은, 더 이상 한탄하지 않는다.

그것이 깃드는 인조뇌가 파괴되면서 사라져서, 지금은 흔적도 남지 않았다.

그렇게 되고 싶냐고.

또 죽고 싶은 거냐고. 지금 생각해 보면 용케 그런 질문을 했다.

그 차가움을—— 의식도 하지 않고.

언젠가 누군가에게 들었던 말이 뇌리를 스쳤다.

누구였는지는 이미 기억도 나지 않는다. 얼굴을 맞대고. 지각동조 너머로. 들으라는 듯이. 무전 교신 도중에. 몇 번이나, 몇 번이나 들었던 말이었으니까.

——괴물 놈들.

"——그래."

신은 공성탑을 올려다보면서, 그 말이 맞다고 생각했다.

〈레기온〉과 〈알카노스트〉와 소녀의 모습을 한 기계인형들. 그잔해로 만들어진, 역사상 유례를 찾아볼 수 없을 그로테스크한 공성탑.

그것을 짓밟으며 공격했다.

공격하지 않으면 여기에 있는 전원이 죽었다.

죽지 않기 위해 그녀들을 짓밟았다.

어디서든 그렇다. 공화국은 에이티식스를, 연합왕국은 〈시린〉을, 연방은 소년병이나 전투속령병, 마스코트를. 그렇게 짓밟혔을 터인 이들조차도 마찬가지로 누군가의 죽음을 밟고서 이 세계를 살아남았다.

그렇다면. 그러지 않고서는 살아남을 수 없다면.

인간은, 괴물이다.

너도, 나도, 모두 다.

공성탑 위, 거기 서 있는 〈저거노트〉의 88mm 포가 둔하게 빛을 반사했다.

그 광채가 추악하다고. 처음으로 생각했다.

"…………신!"

우두커니 서 있는 신에게 목소리가 닿았다. 발소리는 없었다. 전투의 흔적을 감추듯이 내려쌓인 눈에 흡수되어서 그 방울 같은 목소리도 지금은 잘 퍼지지 않았다.

익숙지 않은 눈길에 고생하면서도 달려온 레나가 그 기세 그대로 꼭 매달렸다.

두껍고 튼튼한 탑승복은 열기를 통과시키지 않으니까, 그녀의 온도를 알 수 없었다.

"더러워집니다."

"무슨 소릴 하는 건가요……!"

꽤 다급히 나온 것일까. 레나는 옷을 갈아입다가 나온 것처럼 엉망인 군복 차림으로, 블라우스 위에 블레이저가 아니라 직접 코트를 걸치고, 군모도 어딘가에 떨어뜨린 듯한 모습이었다. 뿐만 아니라 눈길을 걷기 어려울 듯한 구두에 맨발 차림이었다.

"혼자 나오다니, 무슨 생각을 하는 건가요! 아직 〈레기온〉이 주위에 남아 있을지도 모르는데……!"

"아무것도 없습니다. ……아시지 않습니까."

대답은 없었고, 그저 그를 붙잡은 가는 손에 힘이 들어갔다. 손을 놓으면 눈앞의 신이 그대로 사라지기라도 한다는 듯이.

어떻게? 무심히 떠오른 그 의문은 목소리로 나오지 않았다.

등 뒤에 있는 〈시린〉들의 잔해로 이루어진 공성탑은 보았을 것이다. 그걸 뛰어올라서 공격한 기동타격군의 모습도.

그런데 어떻게 두려움도 없이 다가올 수 있을까.

전장에서 많은 것을 깎아내어 버린, 정상적인 인간에게는 이미 괴물로밖에 보이지 않을 자신들, 에이티식스와── 어떻게 아직도 함께 있으려고 하는 걸까.

애초에 그녀는 전장을 모르는 게 아니다.

대공세 이후의 두 달간의 방어전. 금방 전쟁이 끝날 거라고 믿으며 제대로 된 방비라고는 하나도 갖추지 않았던 공화국에서의 전투. 구원이 온다는 기대도 할 수 없고, 한 줄기 희망도 없는 채로 계속 후퇴를 거듭하며 궁지에 몰리기만 한── 전장에 익숙한 신조차도 상상할 수 없는 절망적인 방어진을 그녀는 알고 있다.

수천만을 헤아리던 공화국 사람이…… 그녀에게 동포인 백계종 시민들이 유린당하고 학살당하는 모습을. 존엄 따윈 바랄 수도 없는 전장에서의 참혹한 죽음을. 궁지에 몰린 인간의 추악함과 저열함을.

모두, 보아서. 알고 있을 터이다.

그런데── 왜. 인간을, 세계를, 포기하지 않을 수 있는 걸까.

세계는 아름다워야 한다고, 꿈 같은 소리보다도 공허한 이상을,

계속 믿을 수 있는 걸까.

에이티식스가 세계를 체념한 것은 다정함 때문이라고 레나는 말했다. 저버리기보다는 저주하는 편이 간단하기 때문이라고. 긍지마저 놓아버리는 편이 편했을 거라고.

그런데도 다들 넌더리를 내며 몽상이라고 말하는 이상을 꿋꿋이 품고 있는 것은…….

어떻게? 그런 마음이 강해졌다.

어떻게 그럴 수 있을까. 어떻게 그런 마음을 품고 있을 수 있을까. 놔버리면 편해지는데, 왜 계속 바랄 수 있는 걸까.

답은 떠오르지 않았다.

유추할 수 있을 만한 실마리를 얻을 만큼, 신은 레나에 대해 알지 못한다.

2년 전, 특별정찰로 헤어진 뒤로 몇 달 전에 재회하기까지, 그녀가 어떤 싸움을 헤쳐 왔는지 그는 모른다. 어떤 생각을 하고, 어떤 한탄을 하고, 무엇을 아쉬워하고, 무엇을 바라며 싸웠는지. 지금도 무엇을 바라면서 싸우려는지.

들으려고도 하지 않았다.

알고 싶다고 생각한 적도.

다시 만났다고, 그것만으로 뭔가 달성되었다고 생각하며……간신히 만난 그녀에 대해서 무엇 하나도 이해하려고 하지 않았다.

자신은 아직도.

그녀에 대해 하나도 모른다고── 간신히 깨달았다.

(계속)

86
—에이티식스—

A monster
lives in a northern country.

작가 후기

파일럿 슈트는 정의입니다! 안녕하세요, 아사토 아사토입니다.

Ep.2? 무슨 소리인가요? 아무튼 여자 파일럿 슈트는 정의입니다. 뭐냐 좋냐면 무장+소녀. 멋져요. 또 노출이 없는데 왜인지 살짝 야함. 귀여움. 정말 귀여움.

남자 파일럿 슈트는…… 안 되는 건 아니지만 이게…… 남자의 매력은 그런 게 아니라고 할까, 오히려 제대로 입히는 게 더 섹시한 느낌이네요, 군복이라든가, 군복이라든가.

자, 다음은.

항상 감사합니다. 『86-에이티식스- Ep.5 죽음이여, 오만하지 말지어다』를 보내드립니다. 타이틀은 존 던의 『Death, be not proud』에서.

여러분, 대단히 오래 기다리셨습니다.

파일럿 슈트 편입니다.

여왕 폐하의 파일럿 슈트 편입니다! 해냈다! 그건 파일럿 슈트가 아니라는 딴죽은 금지!

만끽하시라!

· 이번 전장

다각병기만으로 ○○전, 이 컨셉(스포일러 방지를 위해 숨김). 중포, 박격포, 폭격 불가라서 꽤 힘들었다…….

참고로 소재가 된 전장은 일부 픽션 부분을 제외하면 그대로 실존합니다만, 스포일러 방지를 위해(생략). 본문 안에서 다소 언급되니까, 흥미가 있으신 분은 찾아봐주세요. 아주 처절한 전투의 유적입니다.

· 다일레이턴시(dilatancy)

친근한 것이라면 커스터드크림.

두 장의 유리판 사이에 봉입한 커스터드크림이 총알을 막아내는 영상 같은 게 실제로 있습니다만…… 커스터드크림……?

아, 그리고 선전!

소설 투고 사이트 〈카쿠요무〉의 전격문고 공식 페이지에 번외편 〈프래그멘틀 네오테니〉를 연재하고 있습니다. 86구를 배경으로 하는 신의 과거편. 컨셉은 '갓 배치된 꼬맹이 신의 눈이 훅훅 죽어가는 말기전'이니까 마음에 드신다면 읽어주세요! 가입하지 않고, 무료로 읽을 수 있습니다!

마지막으로 감사 인사를.

HP 잔량이 최근 아주 걱정입니다, 담당 편집자 키요세 님, 츠치야 님. 또 신 캐릭터+새 군복이라 죄송합니다, 시라비 님. 다각기로 설상전이라는 무리한 요구에 응해 주신 Ⅰ‒Ⅳ 님. 드디어 코미컬라이즈 1권 발매로군요! 요시하라 님.

그리고 이 책을 구입해 주신 당신. 항상 감사합니다. EP.4의 라이트함에서 방향을 바꾸어, 서로 엇갈리는 두 주인공입니다만, 연합왕국 완결편인 다음 Ep.6에서 다소⋯⋯⋯⋯⋯⋯나아지면 좋겠다⋯⋯(음⋯⋯).

그럼 하얀 상복에 갇힌 전장으로. 단절. 그리고 친숙할 터인 죽음과 대치하는 그와 그녀의 곁으로. 당신을 잠시 데려갈 수 있기를.

후기 집필 중 BGM : 미래의 이브 (ALI PROJECT)

86 -에이티식스- Ep.5
-죽음이여, 오만하지 말지어다-

2019년 10월 25일 제1판 인쇄
2025년 02월 20일 제9쇄 발행

지음 아사토 아사토 | **일러스트** 시라비

옮김 한신남

제작 · 편집 노블엔진 편집부

발행 데이즈엔터(주)
등록번호 제 2023-000035호
주소 07551 서울특별시 강서구 양천로 570 NH서울타워 19층
대표전화 02-2013-5665

ISBN 979-11-6466-818-2
ISBN 979-11-319-8539-7 (세트)

86-EIGHTY SIX-Ep.5 -SHIYO OGORU NAKARE-
ⓒAsato Asato 2018
First published in Japan in 2018 by KADOKAWA CORPORATION, Tokyo.
Korean translation rights arranged with KADOKAWA CORPORATION, Tokyo.
through Korea Copyright Center Inc.

구매 시 파손된 도서는 구매처에서 교환하실 수 있습니다.
기타 불편사항, 문의사항이 있으신 독자님께서는 노블엔진 홈페이지
[http://novelengine.com] 에서 Q&A 게시판을 이용해 주시기 바랍니다.

암살자인 내 스테이터스가 용사보다도 훨씬 강한데요

2

같은 반 아이들과 함께 이세계로 소환되었다가 누명을 쓰고 쫓기는 신분이 된 오다 아키라. 미궁에서 만난 엘프 아멜리아와 그 여동생 키리카의 문제를 해결한 뒤, 그동안 싸우면서 망가진 무기를 수리하기 위해 수인족의 영토로 배를 타고 넘어간다.

수리비와 재료를 조달하려고 항구도시의 모험가 길드에 가입한 아키라. 하지만 갑자기 항구도시를 습격한 마족이 아멜리아를 납치하고, 그런 아키라 앞에 아멜리아를 찾는 소녀가 나타나는데——.

**고독한 암살자 소년이 고독한 소녀와 만나
최강이 되는 이세계 판타지, 제2권!**

아카이 마츠리 지음 | 토자이 일러스트 | 2019년 11월 출간
청춘의 상상, 시동을 걸어라!

칠성의 스바루

7

"〈스바루〉는 여기서, 약속한다──."

카인을 타도하고 일곱 번째 별을 되찾은 스바루. 그리고 마침내 아사히를 구하고자 그노시스의 본거지 〈틈새〉로 돌입한 일행을 가로막는 것은 심주의 괴물 '나하쉬'와 그노시스의 수괴 '세트'.

한계가 보이지 않는 세트의 센스와 힘을 되찾은 칠성검 '플라이아데스'가 정면에서 부딪힌다! 그리고 그 사투 속에서, 아사히가 눈을 뜨는데……?

과거와 미래, 게임과 현실이 교차하는 종착점에서, 〈스바루〉가 고른 〈대답〉이란──.

반짝이는 별들이 자아내는 약속의 이야기
대망의 완결!!

타오 노리타케 지음 │ 부―타 일러스트 │ 2019년 11월 출간
청춘의 상상, 시동을 걸어라!